Haf o Hyd

Geraint Lewis

Argraffiad cyntaf: 2009

ⓗ Geraint Lewis/Gwasg Carreg Gwalch

Rhif rhyngwladol: 978-1-84527-254-8

Mae'r cyhoeddwr yn cydnabod cefnogaeth ariannol
Cyngor Llyfrau Cymru.

Cynllun clawr: Sion Ilar/CllC

Dymuna'r awdur ddiolch i'r Academi am ddyfarnu
Ysgoloriaeth i Awduron er mwyn cwblhau'r nofel hon.

Cyhoeddwyd gan Wasg Carreg Gwalch,
12 Iard yr Orsaf, Llanrwst, Conwy, LL26 0EH.
Ffôn: 01492 642031 Ffacs: 01492 641502
e-bost: llyfrau@carreg-gwalch.com
lle ar y we: www.carreg-gwalch.com

Argraffwyd a chyhoeddwyd yng Nghymru.

i Siôn

1

Y tro cyntaf i fi ei glywed e'n chwarae'r piano o'n i'n cwato tu ôl i un o'r coed derw yng ngardd Glanrafon House. Roedd y gerddoriaeth fel pe bai'n mynd yn gynt ac yn gynt, ar fin mynd allan o reolaeth, ond eto'n berffaith rywsut, fel y ceffylau gweryrol a ddeuai i lawr o'r ffermydd mynyddig ar gyfer y tymor merlota bob haf, yn wyllt o drefnus. Roedd e'n pwnio cymaint o nodau mor glou nes peri i rywun feddwl bod ganddo chwe llaw. Fel dyn gwallgo. Er, yn dechnegol, wrth gwrs, bachgen ydoedd o hyd, bachgen pymtheg oed fel fi. Yn chwarae Rachmaninoff. Er na wyddwn am hwnnw chwaith bryd hynny, 'nôl yn haf crasboeth mil naw saith chwech.

Roedd Mam wedi dweud bod Dan yn dda, ond do'n i heb ddisgwyl hyn. Wrth i mi sefyll ynghanol y rhedyn, yn syllu ar hylif brown gludiog y rhisgl yn sgleinio fel cyflaith yn yr haul, cefais fy meddiannu gan ryw flys o ddrygioni. Mor dawel â phosib ar flaenau 'nhraed fe gerddais ar hyd y llwybr graeanog gan bigo ychydig o'r cerrig mân i fyny. Prin y medrwn glywed gwenynen yn suo gerllaw, o dan y fath gynddaredd ffyrnig o gerddoriaeth. Es yn agosach at y tŷ, gan frasgamu'n dawel, bron i guriad y piano, fel dyn drwg mewn ffilm ddieiriau. Taflais y cerrig mân tuag at y drysau Ffrengig cyn ei baglu hi 'nôl tu ôl i'r goeden.

Stopiodd y gerddoriaeth yn syth, er doedd dim posib iddo fod wedi clywed y cerrig. Mae'n rhaid taw sylwi arnynt yn pingian oddi ar y gwydr wnaeth ef. Arhosais yn ddelw lonydd, yn anadlu'r rhedyn rhemp i'm hysgyfaint a gwên lydan ar fy ngwep. Daeth Dan allan trwy'r drysau agored i'r patio. Allwn i ddim cael golwg iawn arno, rhag iddo 'ngweld i ond cefais jest digon o gyfle i sylwi ar ei wyneb golygus lled-Slafig a'i gorff tal ond llond ei groen.

'Helô?' galwodd Dan, gan edrych yn gyntaf ar draws y lawnt, yna i gyfeiriad y gwelyau blodau ac yn olaf tuag at y coed ger yr hewl. Mewn braw, ceisiais ddyfalu a fyddai'n trafferthu cerdded draw i'r man lle roeddwn i'n cwato? Beth fydden i'n dweud wrtho?

'Helô?' galwodd eto, yn uwch y tro hyn, gyda'r mymryn lleiaf o'r hyn y byddai Mam yn galw'n 'twang', sef acen grand. Rown i braidd yn siomedig i'w weld yn colli diddordeb yn fy ystryw bron yn syth, gan ddychwelyd yn frysiog at ei annwyl biano a thynnu'r drysau Ffrengig ynghau y tu ôl iddo. Cerddais 'nôl i'r pentref, yn falch fy mod i o leiaf wedi hanner cadw fy ngair a 'galw i weld' y bachgen newydd yn Glanrafon House.

'Mae e'n fachan bach neis,' roedd Mam wedi dweud: 'Manyrs deche. A teidi hefyd, whare teg. Goffes i'm cyffwrd â'i stafell e bron â bod.'

Glanhäwraig oedd Mam. Roedd hi newydd gael ei hurio yn Glanrafon House, tŷ mawr Sioraidd ar gyrion Tregors, dau fore yr wythnos. Roedd hi hefyd yn glanhau i un o feddygon y pentref ac

8

i ŵr gweddw o ddarlithydd. Gyda'r nos byddai hi'n glanhau tri banc y pentref, Lloyds, Nat West a Barclays. O'n i'n arfer breuddwydio amdani'n canfod y côd i'r tair sêff a ffoi gyda fy mrawd a minnau i fyw i Brasil. Bydde hi mor enwog â Ronald Biggs a bydden i'n dod i nabod Pele ac Emerson Fittipaldi.

Tra o'n i'n cael swper y noson honno gofynnodd hi beth ro'n i'n ei feddwl o Dan.

'Mae'n anodd dweud,' mwmianais yn lletchwith. 'Ma' fe'n oreit.'

'Gobeithio dei di 'mlan 'dag e,' parhaodd hi, ddim yn gwrando arnaf go iawn. 'Ma' 'i dad e moyn iddo fe weithio gyda ti, pan ddechreui di 'da Mr Edwards.'

Roedd hyn yn newyddion i mi. Edrychais i fyny o'm gamon a tsips, gan dynnu wyneb syn.

'Mae'n oreit. Wy 'di ca'l gair 'da Mr Edwards yn barod a ma' fe'n fo'lon rhoi gwaith i'r ddou ohonoch chi dros wyliau'r haf. Fydd Daniel yn gwmni i ti.'

'Ond wy'm yn nabod e,' protestiais.

'Yna fydd hyn yn gyfle da i ti ddod i nabod e 'te, yn' bydd e?'

Rhys Edwards oedd y gofalwr yn yr ysgol, yn ffigwr Doctor Dolittle-aidd braidd, yn cadw pob math o anifeiliaid ar ei dyddyn Bryneglur yn y bryniau uwchben Pontrhydygroes. Roedd angen help arno i adeiladu mwy o gytiau i'w anifeiliaid ac rown i wedi cytuno i weithio iddo fe dros yr haf, am ddeg punt yr wythnos, yn gwneud unrhyw waith bôn braich, adeiladu a phaentio.

Byddai Dan a minnau'n cael lifft i Fryneglur a 'nôl bob dydd gan Ken, mecanic oedd yn gweithio ym Mhontrhydygroes. Bydden ni'n cael ein pigo lan o'r sgwâr fawr yn Nhregors am hanner awr wedi saith bob bore, gyda thocyn o ginio wedi'i bacio'n ofalus yn ein bocsys Tupperware. Gweithwyr go iawn.

Ar y bore eirias cyntaf hwnnw yn ail wythnos Gorffennaf

eisteddom ar y fainc o dan y gofgolofn ryfel, yn aros am Ken. Roedd Dan wedi ysgwyd fy llaw a chyflwyno'i hun yn ffurfiol.

'Diolch am adael i fi ddod 'da ti,' meddai.

'Wyt ti'n oer 'te?' gofynnais, gan bwyntio at ei sgarff las.

'Mam,' meddai, gan wenu wrth ryddhau'r dilledyn o'i wddwg, 'dyw hi ddim eisiau i fi neud y gwaith hyn, ta beth. Ma' hi'n ofni wna i sbwylo 'nwylo. Wy'n chwarae'r piano, t'wel.'

'Wy'n gwbod,' atebais.

Roedd yna saib hir wrth i ni wrando ar gŵan blinedig colomen ar ben y gofgolofn ryfel.

'Mae 'nhad yn *keen* i fi neud gwaith corfforol. Ma' fe'n meddwl neith e galedu fi.'

Nodiais, ddim yn siŵr beth i wneud o'r boi newydd.

'Beth amdanot ti? Ydy dy dad eisiau i ti galedu?'

''Nath e farw pan o'n i'n dri,' meddwn. Yna, gan deimlo fy hun yn dechrau gwrido, ychwanegais, 'Ti'n dod i arfer. Sa' i'n cofio fe'n iawn.'

Daeth mini coch Ken i lawr y rhiw i mewn i'r sgwâr a bacffeiro wrth stopi'n stond wrth ein hymyl. Agorais ddrws y teithiwr â chryn anhawster gan nad oedd y ddolen yn gweithio'n iawn. Am fecanic roedd ei gar yn dipyn o jalopi. Nodiodd a dweud 'helô' wrth iddo'n gadael ni mewn. Â'i fwng o wallt du a'i farf drwchus edrychai'n debyg i Che Guevara. Ond dyna ddiwedd y gymhariaeth. Bob dydd byddai Ken jest yn nodio a dweud 'helô' wrth i ni ddod mewn i'w gar ac yna 'hwyl' wrth i ni fynd allan. Yr unig chwyldro byddai Ken yn sbarduno fyddai chwyldro o dawelwch. Tybiais ar y pryd taw ei henaint oedd yn gyfrifol am ei anallu i gynnal sgwrs. Roedd e'n saith ar hugain o leia.

Roedd Rhys Edwards hyd yn oed yn hŷn, ymhell dros ei ddeugain. Er bod ganddo radd dosbarth cyntaf mewn Swoleg mae'n debyg iddo fethu ei gwrs ymarfer dysgu oherwydd ei dymer matsien. Pa bynnag adeg o'r flwyddyn oedd hi byddai fe wastad yn yr un dillad, yn gwmws yr un peth â *show jumper*, â'r coesau cam joci i fynd gyda'r wisg. Hyd yn oed pan oedd e tu fewn i adeiladau'r ysgol, yn rhyddhau cyflenwad dŵr yn y tai bach neu'n trwsio ffenest wedi torri yn y labordy cemeg edrychai fel pe bai ar fin mynd i gŵn-hela yn ei drowsus ceffylau a'i esgidiau hirion. Yn wir, dydd San Steffan oedd yr unig ddiwrnod o'r flwyddyn pan edrychai Rhys yn gwbwl gartrefol, yn sipian ei sieri ar gefn ei geffyl wrth i'r helfa ymgynnull ar y sgwâr fawr. Gwyddai pawb fod yn gas ganddo weithio yn yr ysgol. Ei anifeiliaid oedd ei wir ddiléit. Er, pe bai e wedi rhoi ei feddwl ar y peth, wy'n siŵr y buasai wedi gallu cael gyrfa yn sgetsio adar, ei gariad mawr arall. O ie, ac mi oedd yn hoyw, er na wyddai Dan na minnau am hyn chwaith bryd hynny.

Ni allai Rhys fod gyda ni yr wythnos gyntaf honno gan nad oedd yr ysgol wedi cau eto ar gyfer gwyliau'r haf. Roedd Dan a minnau wedi cwblhau ein harholiadau lefel-O, felly roedd y gwyliau haf wedi dechrau'n bleserus o gynnar i ni. Y peth da am absenoldeb Rhys oedd ein bod ni'n rhydd i gael 'bach o sbort heb ei lygaid barcud ef yn pipo arnom byth a beunydd. Ond roedd yna ochr negyddol hefyd. Heb allu bod yno i gadw golwg arnom penderfynodd Rhys ohirio'r gwaith adeiladu a rhoi'r jobs cachlyd i ni. Yn llythrennol. Dom da, dom gafr, dom ceffyl, dom colomen. Ein gorchwyl ni oedd carthu degawdau o ddom wedi caledu i mewn i whilber a'i gario draw i'r domen yng nghornel pella'r clos. Er y bu sawl siwrnai, a bod yn deg doedd y rhan fwyaf o'r gwaith hyn ddim yn rhy ddrwg. Roedd y carthion wedi caledu a sychu i'r fath raddau nes oedd e 'bach yn debyg i stripo papur wal oddi ar y llawr. Ond roedd y Tŷ Adar yn uffernol. Dom colomen oedd y gwaetha o bell ffordd, rhyw uwd caled hallt o gymysgedd fyddai'n tynnu dagrau o'r llygaid. Roedd y drewdod mor gryf roedd yn rhaid i ni glymu macynau o gwmpas ein cegau, gan wneud i ni edrych fel lladron banc mewn ffilm gowboi.

Ar y cyfan do'dd pethau ddim yn rhy ddrwg, serch hynny. Roedd gafr Rhys, Neli, er enghraifft, yn gymeriad, yn taro'r gloch o amgylch ei gwddwg yn ddibaid yn erbyn y postyn roedd hi wedi ei chlymu iddo ac yn wirioneddol syllu i fyw eich llygaid, fel dafad neu athro crac. Byddai hi'n cnoi'r gwair sych yn feunyddiol, fel rhyw Americanwr boddhaus yn mwynhau ei gwm.

'Ma' hi bownd fod yn od, bod yn afr neu'n fuwch,' dywedais wrth Daniel, wrth fwytho mwng Neli. 'Ti'n gwbod, byw yn dy fwyd. Ma' hi fel 'sen ni, sa' i'n gwbod, yn byw mewn bocs anferth yn llawn tsips neu rywbeth.'

Chwarddodd Dan, chwerthiniad uchel, gwichlyd, â chyflymder *machine-gun*, gymaint dros ben llestri fel 'se fe'n cael hwyl am fy mhen.

Ein hoff anifail o eiddo Rhys, heb os, oedd y paun, Caradog. Yn galeidosgop trahaus o las a gwyrdd a melyn, byddai'n strytian o amgylch Bryneglur fel 'se fe biau'r lle. Ar ôl ychydig fe roeon ni'r enw 'y fforman' iddo, gan y byddai'n aml yn ein gwylio ni wrth ein gwaith ac yna'n conan yn geryddgar â'i alwad swnllyd, hir, ogoneddus.

Roedd Rhys wedi gadael allwedd yng nghlo'r drws cefn er mwyn ein galluogi i gael paned o de pe baem ni'n dymuno hynny. Y peth cyntaf i daro rhywun am y tŷ oedd yr arogl o lwydni, ychydig fel amgueddfa, fel 'se neb yn byw yno. Ac yntau'n byw ar ei ben ei hun efallai ei bod hi'n anodd i Rhys feithrin diddordeb brwd mewn coginio. Y peth arall trawiadol am Fryneglur oedd ei fod dan ei sang o anifeiliaid wedi'u stwffio. Roedd rhai wedi eu gosod mewn casys gwydr ac eraill yn hongian yn agored ar y welydd: cadnoid, dwrgwn, gwencïod, adar, cathod, cŵn, cwningod, sgwarnogod, dros y lle i gyd. Roedd hyd yn oed gwiwer wedi ei stwffio, ar ben y rhewgell. A dwsinau o sgetsys o adar hefyd, yn hongian ym mhob ystafell, gan gynnwys un odidog o'r barcud coch yn ei holl ogoniant yn y tŷ bach lan lofft.

Hyd yn oed tu fewn y tŷ roedd hi'n llethol o dwym. Penderfynom fynd i ran oerach o'r tŷ, sef y selar, a chael ein cinio dan ddaear, fel petai. Roedd yn syniad da. Er bod y grisiau pren a'n harweinai ni i lawr yn lwch i gyd a'r holl le yn gwynto o fadarch roedd yr aer oer yn gafael yn ddisymwth, fel adran rewi siop Spar. Ac roedd rhywbeth am y ffordd roedd y bylb unigol yn hongian yn f'atgoffa i o ran agoriadol *Callan*, rhaglen deledu ro'n i'n arfer mwynhau ei gwylio gyda Mam, gydag Edward Woodward yn chwarae'r brif ran.

Agoron ni ein bocsys bwyd a chnoi ein brechdanau yn y tawelwch, gan wrando ar hymian y mesurydd trydan a chadw golwg mas am gorynnod.

'Shwt beth oedd e i fyw yng Nghaerdydd?' gofynnais.

'Ocê. 'Bach yn anodd i neud ffrindiau iawn 'na, falle. O'n i ddim 'na am hir. O'dd well 'da fi fyw yn sir Gaerfyrddin. Yng Nghaerdydd o'n i bant mewn ysgol breswyl rhan fwya o'r amser ta beth,' atebodd Dan.

'Dalest di i fynd i ysgol *posh*?' gofynnais, heb feddwl swnio cweit mor siarp.

'Do,' atebodd Dan, ychydig yn amddiffynnol, 'neu o leia 'nath fy rhieni.'

'Odyn nhw'n *millionaires*?'

'Nag'yn!' meddai Dan, gan ychwanegu un o'i chwerthiniadau afreolus, 'er mae Mam yn dod o deulu cyfoethog. Ond dim ond ysgol Llanymddyfri oedd e ta beth, ddim yn posh iawn. A wy'n credu ga'th Dad ryw fath o ddisgownt achos o'dd e arfer bod yn bregethwr.'

'Beth? O'dd 'dag e ei gapel ei hunan a phopeth?'

'O'dd. O'dd e arfer, ta beth. 'Na ffordd es i mewn i whare piano. O'n i arfer whare'r organ yn y capel amser o'n i'n fach.'

'Pam nag o's capel 'dag e rhagor 'te?'

'Ma' fe'n darlithio nawr, mewn Diwinyddiaeth. Newydd ei wneud yn Uwch-ddarlithydd, yn Llambed. 'Na pam symudon ni ffor' hyn.'

'Falle 'nath e flino bod yn weinidog,' awgrymais. 'Wastad goffod bod yn neis i bobol trwy'r adeg.'

Nodiodd Dan ac yna gofyn, 'Wyt ti'n licio cranc?'

'Sa' i'n gwbod.'

'Cymer un o'n brechdanau i. Plîs,' meddai, gan ddal ei focs allan o 'mlaen i. 'Ma' Mam yn dwlu ar gig cranc. Ma' hi'n ca'l e wedi ei ddanfon yn arbennig, yn ffres i'r tŷ. Ma' hi'n meddwl dyle pawb ddwlu arno fe. Wy'n casáu fe.'

Cymerais un o'i frechdanau syndod o laith, neu'n hytrach cwarter un, gan ei bod wedi ei thorri'n ofalus i bedwar cwarter bach. Bytais ychydig, gan droi'r cig cranc o amgylch fy ngheg. Craffodd Dan arna i, fel 'sen i'n anifail mewn sŵ.

'Wel? Be ti'n meddwl?' gofynnodd.

'Dyw e'm yn blasu o unrhyw beth,' atebais, gan ryw hanner credu taw rhyw ddiffyg ynddo' i oedd i gyfri am hynny.

'Yn hollol!' meddai Dan, yn gwenu, 'ond treia di weud 'na wrth Mam.'

Yna fe gydiais yng ngweddill ei frechdanau a dweud wrtho i am fy nilyn.

'Ble 'yn ni'n mynd?' gofynnodd, wrth iddo ddilyn fi lan grisiau'r selar.

'Ni'n mynd i weld os yw'r afr yn lico cranc!' meddwn, heb droi rownd.

Fel mae'n digwydd wnaeth Neli droi ei thrwyn ar frechdanau

Dan hefyd a bennon ni lan yn eu procio nhw mewn i waelod y domen â darnau o bren.

Fel yr aeth yr wythnos rhagddi fe dwymais i fwy tuag at fy ffrind newydd. Roedd y ddau ohonon ni'n meddwl bod tawelwch eithafol Ken bob bore a nos yn ofnadwy o ddigri. Heblaw am yr 'helô' a 'hwyl' awtomatig yr unig sŵn a glywon ni oedd ei gar yn bacffeiro fel ergyd o wn. Penderfynon ni ei fod e'n rhyw fath o fynach cudd wedi tyngu llw o dawelwch. Erbyn diwedd yr wythnos roedd yr enw wedi cydio. Aeth Ken y mecanic yn 'Ken Monk'.

Roedd Rhys i'w weld yn blês â'n gwaith. 'Dynion y dom' galwodd e ni'n ysgafn, yn ei nâd o lais, nid annhebyg i oslef Caradog y paun. Cafodd afael ar ddysenni o ddarnau hir o bren o rywle wedyn, oddi ar hen do wy'n credu, a'n job nesaf ni fyddai tynnu'r hoelion o'r prennau a'u farnisio nhw â rhyw greosot mwya drewllyd. O'dd e bron cynddrwg â'r dom colomen ond o leia allen ni wneud y gwaith hyn yn yr awyr agored. Ac roedd y darn gorau yn dal i ddod. Derbynion ni'n cyflogau arian parod mewn amlenni bach brown pwrpasol ar y dydd Gwener, gyda Rhys yn nadu, 'P'idwch gwario fe i gyd ar unwaith nawr!' Wrth i ni eistedd ar y stand laeth ar ddiwedd y lôn yn aros i Ken Monk bigo ni lan wnaethon ni'r cyntaf o nifer o ddynwarediadau o Rhys yr haf hwnnw, gan ail-greu ei lais cwynfanllyd wrth iddo drosglwyddo'i arian prin i ni a chwerthin yn braf ar ein digrifwch yn y gwres llethol.

2

Y Sadwrn hwnnw penderfynom wario peth o'n harian newydd yn siopau Aberystwyth a dalon ni'r bws deg o'r gloch o'r sgwâr fawr. O ystyried ei bod hi'n ddiwrnod mor braf roedd y bws yn weddol wag. Arhoson ni ym mhentref Bronant ar y ffordd lan i godi mam ifanc a'i dou grwt, gyda'r cryts yn cario'u bwcedi a rhofiau yn llawn cyffro disgwylgar trip i'r traeth. Roeddynt yn f'atgoffa o deithiau tebyg i lan y môr y cefais innau gyda Mam a 'mrawd. Rown i'n dwlu 'whilio am ddarnau chwe cheiniog y byddai Mam wedi'u claddu yn y tywod. Wedi dweud hynny roedd y traeth yn Aber yn ofnadwy o'i gymharu â Chei Newydd. Cei Newydd oedd y trît arbennig. Wnaeth Dan a minnau ddim stopi siarad ar y ffordd lan i Aber, yn bennaf am fandiau a ffilmiau a rhaglenni teledu. Ro'n ni'n lico *Starsky and Hutch* a *Faulty Towers*. Hoff ffilm Dan oedd *Blazing Saddles*, fy hoff un i oedd *Jaws*. Roedd Dan wrth ei fodd â *Queen* a *Hot Chocolate*. Rown i'n dwlu ar

Sparks a David Bowie. Cyfaddefodd y ddou ohonom ein hoffter o Abba, er iddyn nhw ennill yr *Eurovision Song Contest* diawledig. Roedd y ddau ohonon ni'n casáu Mud, Showaddywaddy, Rubettes, Drifters, Wings, Barry White, Rod Stewart ac unrhyw beth Cymraeg.

'Heblaw am Edward H. Dafis,' dywedais yn hyderus, gan gymryd yn ganiataol y byddai Dan yn cytuno. Yn hytrach na hynny edrychodd yn annelwig.

'Ti wedi clywed am Edward H. Dafis?' gofynnais yn syn.

'Odw. Wy wedi clywed amdanyn nhw. Ond wy heb glywed nhw, na.'

'O wel, bydd rhaid i fi gael *Hen Ffordd Gymreig o Fyw* i ti 'te. A *Ffordd Eingl-Americanaidd Grêt o Fyw* hefyd.

'Yffach, na,' meddai Dan wedi arswydo. 'Paid gwastraffu dy arian arna i.'

'Pwy wedodd unrhyw beth am arian?' gofynnais, gan wenu. Sylwais ei fod e'n dal i edrych ychydig yn ddryslyd, felly ceisiais eglurhad pellach.

'Pam ti'n meddwl mod i'n gwisgo'r got hyn?' gofynnais.

'O'n i'm yn lico gofyn. O'n i'n meddwl falle bod e'n rhyw fath o *fashion statement* od.'

Fel rhyw hen ddyn budr agorais y got led y pen er mwyn dangos y pocedi enfawr ar y naill ochor a'r llall, yn ddelfrydol ar gyfer dwgyd o siopau. Lledodd llygaid Dan yn syth, mewn edmygedd llwyr. Rown i'n amlwg wedi taro tant dwfwn yn ei gymeriad.

Y dyddiau hynny roedd hi'n weddol hawdd dwgyd o'r siop Gymraeg. Roedd rhaid aros i'r fenyw tu ôl i'r cownter fynd trwyddo i syrfio rhywun yn yr ystafell fach yn y cefen ac yna helpu'ch hunan. Yn hollol ddidrafferth fe fachais i gasét *Hen Ffordd Gymreig o Fyw* ac yna sylwais fod *Ffordd Eingl-*

Americanaidd Grêt o Fyw dim ond yno ar ffurf record hir. Yn ddi-droi'n-ôl stwffais y trysor mawr finyl tu fewn i 'nghot a cherddad allan, gan wincio ar Dan cegagored i'm dilyn.

Roedd Dan yn ei elfen, wrth ei fodd â'm hyfdra digywilydd. Eneidiau hoff cytûn, o'r un anian, fe dybiodd mae'n rhaid. Risciwr a jynci adrenalin fel fe. Wrth gwrs, rown i'n mwynhau hefyd. Cymaint yn wir nes i mi ddwgyd sengl ddiweddaraf Queen, *You're My Best Friend,* o siop Woolworth fel anrheg i Dan. Mae'n amlwg mod i wedi creu argraff ffafriol arno ac awgrymodd ef y dylen ni ddathlu mewn steil. Aethon ni mewn i dafarn y Pier a gwnaeth y barman graffu arnon ni'n dou'n dreiddgar ofalus. Er bod y ddou ohonon ni'n fechgyn mawr am bymtheg oed, roedden ni'n dal yn bymtheg oed. Tro Dan i greu argraff oedd hi nawr. Ochneidiodd yn swnllyd rodresgar, gan ysgwyd ei ben.

'Dere,' meddai, gan edrych 'nôl i gyfeiriad y peiriannau hapchwarae tu fas i'r drws, 'drefnwn ni'r parti rhywle arall. Ma' fe'n meddwl bo' ni dan oedran. Mae'n 'wherthinllyd.'

'Na, dal'wch sownd,' meddai'r barman, gan nerfus lio'i fwstás hurt a rhwto'i perm Kevin Keeganaidd i ganolbwyntio. 'Pa barti?'

'Fi yw ysgrifennydd myfyrwyr yr Adran Gerdd yn y Coleg. A r'yn ni'n 'whilo am le addas i gael parti croesawu'r myfyrwyr newydd i'r adran ym mis Medi, ond sdim ots.'

'Na na, o'n i'm yn amau chi o gwbwl, wir nawr. Chi jest yn edrych 'bach yn ifanc, 'na i gyd bois. Be licech chi i yfed?'

'Dou beint o Whitbread Tankard,' meddwn i fel mellten cyn i Keegan newid ei feddwl ac yn falch bod cynllun Dan wedi gweithio cystal.

Ychydig yn nes ymlaen sylwais fod y blwch recordiau wedi torri ac roedd y wyneb gan Dan i achwyn wrth y barman, a eglurodd yn syth taw diffyg dros-dro oedd hyn. Awgrymodd y gallai Dan wastad chwarae'r piano yn y gornel pe bai'n dymuno, ac yntau'n fyfyriwr cerdd, ontife. Hyd yn oed o bellter allen i sylwi bod Dan wedi ei demtio. Ond yna, gan daflu cipolwg tuag ataf, fe gyhoeddodd mewn llais mawr gwrandewch-arna-i, 'Na, wy'm yn dda iawn ar y piano. Y *bagpipes* yw'n offeryn i!'

'Wel, sori was, ond sdim *bagpipes* 'da ni,' meddai'r barman yn 'smala, cyn cerdded i ffwrdd i syrfio rhyw gwsmer arall.

Gan ein bod ni'n cael ein syrfio yn y Pier yn ddidrafferth penderfynom aros yna am gwpwl o oriau, gan gymryd pwyll dros ein cwrw, chwarae pŵl a cholli ffortiwn fach ar y peiriannau hapchwarae. Yn y prynhawn aethon ni am wâc o amgylch y castell yn bwyta'n hufen iâ ac yna gaethon ni gêm o golff gwallgo gerllaw. Prynon ni hanner pownd o Mint Imperials i dynnu'r sylw oddi ar ein hanadl cwrw cyn dala'r bws 'nôl adref. Rown i'n awyddus i aros am hirach, misio'r bws a'i bodio hi tua thre ond roedd rhaid i Dan gael swper adref. Mae'n debyg roedd gan ei fam ryw *thing* am gael nhw i gyd i fwyta gyda'i gilydd fel teulu ar y penwythnos. Dywedais i mod i'n falch nad oedd fy mam i mor strict â hynna.

'Dyw hi ddim yn strict,' meddai fe 'nôl, braidd yn amddiffynnol. 'Ma' hi'n lico trefn, 'na i gyd. Ma' 'na'n wahanol. Ac ma' hi wrth 'i bodd yn coginio 'fyd.'

Sylweddolais yn syth nad oedd hi'n strict o gwbwl wrth iddi gynnig dewis o win i ni gael gyda'n bwyd. Roedd Dan wedi mynnu fy mod i'n aros i swper. Ffoniais fy mam o Glanrafon House i ddweud wrthi lle ro'n i ac wy'n credu iddi sylwi bod fy nhafod yn weddol dew, o achos y cwrw, oherwydd iddi ofyn yn reit siarp beth oeddwn i wedi bod yn neud yn Aberystwyth trwy'r dydd.

'O, hyn a'r llall. Siopa'n benna. O ie, a aethon ni i'r Llyfrgell Genedlaethol. O'dd Dan moyn mynd 'na, o'dd e heb fod o'r blaen.'

Ac yntau'n gwrando, rhoddodd Dan ei ddwrn yn ei geg er mwyn ei atal rhag chwerthin. Gofynnodd Mam a oedden ni wedi gweld rhywfaint o seremoni agoriadol y Gêmau Olympaidd ar y teledu. Dywedais i wrthi fod peth ohono fe ymlaen yn y cefndir ar y teledu ar hyn o bryd a dechreuais ffarwelio â hi pan gychwynnodd hi fwydro am mor ddewr oedd y Frenhines yn agor y Gêmau ar ôl beth ddigwyddodd yn Munich. Roedd fy meddwl i ar frenhines hollol wahanol, yn ysu moyn clywed sengl Queen newydd Dan. Eglurodd Dan, fodd bynnag, fod swper yn barod.

'Falle wnân nhw ofyn llwyth o gwestiynau, ond sdim rhaid i ti ateb nhw,' meddai wrth i ni anelu am yr ystafell fwyta. 'Jest bod yn gwrtais ma' nhw. Sdim wir diddordeb 'da nhw ynddot ti.'

Roedd Dan yn iawn. Er bod ei dad, Gwilym, yn ei slipars yn barod ac yn peswch yn ofnadwy wnaeth hynny ddim ei stopi fe rhag gofyn nifer o gwestiynau, yn nhafodiaith y Cardi fel mae'n digwydd, gan iddo gael ei fagu yn Aberarth. Ond doedd dim ots gen i am ei holi, gan nad oedden nhw'n gwestiynau busneslyd o gwbwl ond wedi eu gofyn mewn ffordd ddidwyll, loyw ac egnïol, fel 'se fe'n rhyw wiwer o gwisfeistr oedd yn diodde o'r diciâu. Roedd mam Dan wedi gwisgo lan ar gyfer y pryd, ei lliw haul brown yn cyferbynnu'n drawiadol â'i ffrog haf lliw hufen. Gwisgai fwclis pefriog ac wy'n siŵr roedd yna lipstic ar ei gwefusau hyd yn oed. Pasiodd hi'r bwyd i ni o droli pwrpasol fel rhyw weinyddes wedi gorwisgo, ei hesgidiau sowdwl uchel yn clecian yn erbyn y llawr pren sgleiniog. Esther oedd ei henw ac roedd hi'n un o'r menywod niwrotig hynny sy'n argyhoeddedig eich bod chi'n edrych arnyn nhw trwy'r adeg ac yn eu ffansïo. Roedd hi'n chwarae â'i gwallt mor aml fel y gallen i dyngu bod llou arni.

Wedi dweud hynny roedd y ddau ohonyn nhw'n ddigon diniwed. Roedd eu cwestiynau'n ddigon cyffredinol, am yr ysgol, am Dregors, fy niddordebau, yr wythnos waith ym Mryneglur. Atebais mor gynnil a chwrtais ag y gallen i. Er, fel Dan, o'n i'n hollol ymwybodol taw lap wast oedd e mewn gwirionedd.

Ond allen nhw fod wedi cadw'r sgwrs i fynd trwy'r nos mor

belled ag o'n i'n y cwestiwn, oherwydd roedd y bwyd yn hollol anhygoel. Tri chwrs. Afocado a darnau mân o facwn i ddechrau. Wedyn *spaghetti bolognaise* blasus o sbeislyd, wedi ei goginio'n ffres, nid allan o dun. Ac yna'n goron ar y cwbwl, pinafal iawn, mor rhyfeddol o flasus nes i'w ddiflaniad dorri'n syched a 'nghalon yr un pryd.

Wedi i ni fennu'r bwyd fe gynnodd tad Dan ei bibell a pipo ar ryw gylchgrawn. *Private Eye*, os gofia i'n iawn. Dywedodd Esther wrthon ni am fynd trwyddo i'r stydi os o'n ni moyn, i chwarae recordiau, ond ddim yn rhy uchel. Ar ein ffordd i'r stydi arhosais i edrych ar un o'r lluniau niferus oedd yn hongian ar y welydd. Roedd hanner isaf y llun yn las tywyll ac yna'n newid yn sydyn i fod yn las golau yn yr hanner uchaf. Mae'n rhaid bod Dan wedi sylwi ar fy ngwyneb marc cwestiwn.

'Ma' nhw'n galw fe'n "Glas"!' meddai, gan chwerthin a phwyntio at y llun.

'Beth yw e i fod?' gofynnais.

'Unrhyw beth ti eisiau.'

'Ma' 'na'n ddwl,' atebais, gan feddwl nad oedd e'n fy nghymryd i o ddifri.

'Wir i ti. 'Na beth wedodd Mam. Ma' fe werth cwpwl o gannoedd!'

Fel o'n i'n dechrau dod i arfer gyda Dan o'n i'm yn siŵr p'un ai i gredu fe neu beidio. Fodd bynnag, unwaith aethon ni trwyddo i'r stydi fe dynnais i sengl Queen o'i siaced lwch. Ond roedd Dan yn dala ei law lan fel plisman yn stopi traffic.

'Well i ni roi 'bach o biano 'mla'n gynta. Neith hynny blesio hi. Fyddi di'n gallu galw'n amlach wedyn,' meddai Dan, gan dynnu LP mas o'i gorchudd Decca.

'Wyt ti 'di clywed am Sergei Rachmaninoff?' gofynnodd.

Ysgydwais fy mhen.

'Fe yw'n hoff gyfansoddwr i,' meddai. 'Ma' hwn yn dod o Rwsia hefyd, Vladimir Ashkenazy, pianydd gwych, yn chwarae 'm bach o Rachmaninoff.'

Gosododd y nodwydd yn ofalus mewn i rych benodol ar y record a dweud wrthyf am eistedd ar y soffa. Eisteddodd ar y stôl biano gyferbyn â mi.

'O'dd hwn yn un o hoff ddarnau Rachmaninoff, y Rhif Deg yn B leiaf. Ma' rhaid i ti wrando'n ofalus.'

Caeodd ei lygaid ac rown i mor awyddus i blesio fy ffrind newydd fe gaeais i fy rhai innau hefyd a chrymu fy ngwddwg 'nôl, gan feddwl y bydde hynny'n help i mi ganolbwyntio. Yn sicr roedd y darn yn wahanol i'r un ro'n i wedi clywed Dan yn chwarae yr wythnos cynt. Yn dawelach, gyda mwy o amrywiaeth. Fodd bynnag, p'un ai oherwydd y pryd anferth neu'r haul neu'r cwrw, neu gyfuniad o'r tri mwy na thebyg, fe syrthiais i gysgu'n ddisymwth o glou. Dihunais ychydig yn ddiweddarach i weld wyneb taer Dan yn agos iawn i fy un i, yn dweud wrtha i'n dawel bach am ddeffro.

'Bydd Mam 'ma unrhyw funud,' sibrydodd. 'Ma' hi'n dod â sgons a llaeth i ni.'

Yna, wrth i mi raddol ddychwelyd i dir y byw, gan synhwyro fy embaras am gysgu mor sydyn, ffrwydrodd chwerthiniad o'i enau. Rown i'n dwlu ar y chwerthiniad gwichlyd 'na, yn llawn bywyd. Ni wyddwn bryd hynny y byddai'r un chwerthiniad yn fy nihuno gannoedd o weithiau yn y dyfodol ynghanol chwys oer hunllef y nos.

3

Er taw dim ond pymtheg oed oeddwn i o'n i'n ysu moyn gyrru car. Roedd gan fy mrawd, Gareth, Ford Cortina, a phan fyddai'n diflannu i'r pentref am beint neu gêm o snwcer byddwn i'n neidio i sedd y gyrrwr a dreifo o gwmpas maes parcio'r mart wrth gefn y tŷ fel dyn hanner call a dwl. Rown i wrth fy modd yn gwneud *hand-brake turns* rhodresgar a'm sglefriadau yn gadael cymylau bach o ddwst a cherrig mân, a'r aer yn dew o rwber wedi rhuddo. Fi oedd Niki Lauda a'm ffrind Rhodri oedd Murray Walker yn sylwebu'n llawn cyffro wrth i mi gymryd y faner sgwarog, fel arfer tywel wedi ei ddwgyd oddi ar un o'r leiniau dillad cyfagos. Gwnelen ni gymaint o randibŵ rhyngddon ni fel y bydde cryts bach wedi crasu yn taranu o'u trwmgwsg a chŵn caeth yn udo'n gynddeiriog at hyfdra'r machlud haul. Bydde Mam yn codi ffenest sgrechlyd ei hystafell wely gan roi gwyneb capel ar ei gwep ac ysgwyd ei phen yn egnïol chwyrn. Fy ymateb i oedd neidio o'r car, gan adael y drws ar agor, a chwistrellu tunaid o siandi Top Deck newydd ei ysgwyd dros Rhodri. Yna bydde Rhodri'n ofalus osod cylch o ddant y llew dros fy mhen gydag yntau'n gwenu'n fodlon a wafio'n fuddugoliaethus ar y dorf o gymdogion chwilfrydig oedd newydd ymgynnull.

Bydde Bethan, chwaer Rhodri, yno hefyd, yn gwylio o'r cysgodion, yn gyfrwys fel cath, yn damsgyn yn ofalus ar y nodwyddau pinwydd brown a'r prennau lolipop ar wair melynsych yr ymylon. Yn wir, hi a ofalus baratodd y garlant dant y llew, wedi eu gosod ar gylch carbord i'w hatgyfnerthu. Wyddwn i ddim bod ganddi *crush* arnaf. Teimlais gywilydd na fedrwn i edrych i fyw ei llygaid hi, oherwydd hynodrwydd ei llaw glwyfedig, a rannol losgwyd gan dân trydan pan oedd yn groten.

Bron yn syth, fodd bynnag, newidiodd fy nheyrngarwch y Gorffennaf hwnnw. Treuliwn lai a llai o'm hamser gyda Rhodri a mwy a mwy gyda Dan. Nid dim ond yn ystod oriau gwaith ym Mryneglur ond gyda'r nos hefyd. Bydden ni'n eistedd i fyny yn y tŷ pen coeden yn Glanrafon House yn yfed seidr a thowlu cerrig mân mas i'r hewl fowr i weld a sylwai unrhyw yrrwr arnom ac wedyn ein herio. Wnaeth neb erioed, er y byddai ambell un yn gwyro'n beryglus. Yn raddol byddem yn diflasu â'r diffyg damwain angheuol a bydden ni'n mynd mewn i'r tŷ. Bydde Dan yn dangos ffotos o'i wyddoniadur meddygol, effeithiau enbyd amryw o glefydau gwenerol gan amlaf. Fe'm swynwyd i yn llwyr gan y ffeithiau hynod a wyddai fy ffrind newydd. Bydde fe'n rhestru'n llawn afiaith enwau cyfansoddwyr a drengodd o siffilis.

'Rhaid ti fod yn ofalus ble ti'n gosod dy bolyn hyd yn oed y dyddie hyn, Trystan!' meddai, gan chwerthin ei chwerthiniad cyflym a'm pwnio i'n chwareus yn f'asennau.

''Sen i ond yn cael y cyfle,' atebais innau.

Yna'n sydyn fe fydde Dan yn cael rhyw dawelwch llawn

canolbwyntio yn ei gylch, fel pe bai'n cynllwynio llofruddiaeth.

'Os ti o ddifri, yna ma' angen i ni neud rhwbeth 'mbytu fe. Wedi'r cwbwl ni yn ein *prime* fel dynion ifanc, nag'yn ni? *Gagging for it!*' meddai Dan cyn roi tonc o 'The Entertainer' Scott Joplin ar y piano bron heb orfod meddwl am y peth.

'Beth am yr holl ferlotwyr ifanc? Nago's disco neu rwbeth i'w diddanu nhw?' gofynnodd, gan barhau'n egnïol â'r darn piano, ei lygaid yn pefrio fel goleuadau laser.

'O's. Ma' twmpath dawns bob nos Fawrth a disco bob nos Iau, yn y Neuadd Goffa,' atebais.

'Glamwn ni lan fel Sweet ar gyfer y disco,' meddai'n frwd.

'Blocybystyr!' canodd, gan daflu ei fwng o wallt du fel y nos tuag 'nôl a phwto'i wefusau'n chwareus cyn carlamu at ddiwedd 'The Entertainer' yn ddwl o glou.

'Roedd 'na'n wych,' meddwn, yn llawn edmygedd o'm ffrind newydd.

'Diolch,' atebodd Dan, cyn chwerthin unwaith eto.

'Beth sy mor ddoniol?' gofynnais.

'Roedd e'n un arall. Scott Joplin. 'Nath e enterteinio'i hunan 'bach gormod. Siffilis ga'th e hefyd, medden nhw. Felly gwna'n siŵr bo' ti'n golchi dy wialen cyn dod mas i bysgota nos Iau!'

A byddai'n hwtian chwerthin fel hiena cyn cau'i geg yr un mor sydyn wrth iddo sylwi ar oleuadau car ei rieni yn nesáu at y tŷ. Byddwn i'n chwerthin hefyd, ar y tu fewn, wedi cael fy ngwefreiddio mewn rhyw ffordd od â'r holl brofiad. Er, o ystyried y peth, doedd e ddim mor od â hynny chwaith. Wedi'r cwbwl, roeddwn i heb gwrdd â neb tebyg i Dan erioed o'r blaen. Ac rywsut fe wyddwn i, hyd yn oed bryd hynny, na fyddwn i byth yn cwrdd ag unrhyw un tebyg iddo byth eto.

Ym Mryneglur roedd Rhys Edwards gyda ni fwy neu lai yn llawn-amser nawr gan fod yr ysgol wedi cau dros yr haf. Roedd e'n feistr caled yn ein gweithio ni i'r eithaf wrth i ni gymysgu sment a chario a gosod pentwr o *breeze blocks* yn y gwres llethol. Bydde fe'n conan am hyn a'r llall, pris petrol, ffolineb ymuno â'r Undeb Ewropeaidd, neu dwpdra'r cyngor lleol, gyda Caradog y paun wrth ei ochor yn amneidio'n gefnogol neu'n ei borthi ag ambell ochenaid ei hun. Ei gŵyn ddiweddaraf oedd bod cymuned o hipis wedi glanio'n ddisymwth yn y cwm oddi tano, i gyfeiriad Llanafan. Cawsant eu symud o Gwm Elan gan yr heddlu, mae'n debyg. Roen nhw'n drwbwl ym meddwl Rhys. Gallai deimlo'r peth ym mêr ei esgyrn. Roedd yn gas ganddo hipis, gan fod y rhan fwyaf ohonynt yn *fakes*, fel y mynnai ef eu galw.

'Ma' hi digon hawdd opto mas o gymdeithas pan ma' Mami neu Dadi'n talu am eich hobi bach spoilt. Pwy 'se ddim moyn *peace and love*, os yw e am ddim?'

Roedd e'n un rhyfedd, Rhys, sdim dwywaith am hynny. Er enghraifft, teimlai mor euog am ddefnyddio cymaint o ddŵr i gymysgu sment wnaeth e gyflwyno mesurau ei hun i ddogni'r dŵr. Gan fod y tai bach yn defnyddio pedair galwyn o ddŵr bob tro y bydden nhw'n cael eu fflysio roeddynt nawr yn swyddogol *out of bounds*, gydag arwyddion pwrpasol wedi eu selotêpio i ddrysau clo y baddondy a'r toiled yn yr ardd yn datgan hynny.

'Ble 'yn ni fod mynd 'te?' gofynnais yn ddryslyd, gan ddal i hanner credu taw rhyw dynnu coes oedd y diawl dwl.

'Gwnewch e yn y caeau. Fel yr anifeiliaid. Bydd e'n cyfoethogi'r pridd!' griddfanodd Rhys.

Taflodd Dan a minnau gipolwg ar ein gilydd. Sylwodd Rhys ar ein gwynebau pryderus.

'Sdim ise i chi edrych fel'na. Sdim byd o'i le ar neud eich busnes yn y caeau.'

'Odych chi'n mynd i o leia roi papur tŷ bach i ni?' gofynnais yn bryderus.

'Na. Iwswch beth bynnag sydd ar gael!' oedd ei ateb ecsentrig, gan ychwanegu ei fod e wedi bodloni â dail rhiwbob neu hyd yn oed ddail tafol cyn hyn.

Wedi i Rhys fynd yn ei fan i Dregors i nôl mwy o fwyd i'w anifeiliaid awgrymais y dylwn i a Dan fynd ar streic. Roedd cael tŷ bach yn un o'n hawliau sylfaenol, does bosib! Chwarddodd Dan, gan sôn bod gydag ef ei ddamcaniaeth ei hun pam fod Rhys moyn i ni ddadwisgo yn y caeau. Cymeron ni hoe o'r gwaith ac arweiniodd Dan fi i lan lofft y tŷ mawr, gan stopi gyferbyn â chist bren ar y landin. Cododd y caead ac yna twriodd â'i law trwy haenau o ddillad gwely cyn dod o hyd i amlen fawr a'i dal i fyny yn ei law. Heb yngan gair winciodd gan ddynodi'r marc post Swedeg, o Stockholm. Caeodd y gist ac eistedd arni gan amneidio arnaf i ymuno ag ef. Eisteddais yn llawn chwilfrydedd.

'Wel? Wyt ti 'di dyfalu beth sy tu fewn fan hyn?' gofynnodd Dan.

Edrychais yn ddi-glem braidd, ac fe diclodd hynny Dan.

'Wel, nage llythyr yn gweud bod e 'di ennill Gwobr Nobel am ei ofal o anifeiliaid yw e, Trystan!'

Yna fe dynnodd gylchrawn sgleiniog allan, gyda dyn yn llio cala dyn arall ar y clawr. Teimlais fy ngên yn disgyn a'm llygaid yn chwyddo'n sydyn, fel mewn cartŵn. Parhaodd Dan i fflicio trwy'r cylchgrawn, gan ddangos amryw o ddynion wedi eu cynhyrfu'n rhywiol, rhai'n cael eu chwipio, eraill mewn cadwyni ac un mewn siaced grand a dici-bo mewn bwyty ysblennydd â'i gala'n cael ei sugno'n ddirgel braf gan y *waiter* dan y ford, wrth i'r dyn gario ymlaen yn hollol ddigynnwrf, yn union fel pe bai'n rhan o'r cwrs cyntaf.

'Wyt ti 'di gweld seis un hwn?' chwarddodd Dan, gan ganfod cala wedi ei chodi'n arbennig o hir trwy ddarn o ffens. 'Mae'n rhaid ei bod dros droedfedd o hyd!'

'Wyt ti'n meddwl bod hi'n un real?' gofynnais yn gegrwth ddryslyd.

'Mae'n rhaid,' atebodd Dan, yn parhau i chwerthin ac ychwanegu y gallai fod yn handi iawn yn yr haf fel bat criced!

Dychwelasom i'r gwaith, ar ôl rhoi'r cylchgrawn 'nôl yn ofalus yn ei guddfan braf. Eglurodd Dan yr arferai gael rhyw snŵp bach lan lofft bob tro y byddai'n mynd i'r tŷ bach, gan ddod o hyd i eitemau diddorol eraill hefyd: hen focs sgidie dan wely Rhys yn cynnwys hen luniau wedi pylu a hen iwffoniwm rhydlyd yn y wardrob, er enghraifft.

Cerddodd Caradog y paun yn dorsyth tuag atom i gadw llygad arnon ni wrth i ni arllwys sment gwlyb o'r whilber i'r llwybr newydd yn arwain i fyny i'r cwt ieir. Er ein bod ni wedi golchi'r cymysgydd sment gyda *bleach* roedd y sment gwlyb yn dal i ddrewi o wrin. Doedd dim modd deall y peth. Beth fydde'n ddigon dwl i biso mewn cymysgydd sment? Sut fydde beth bynnag oedd e yn medru mynd mewn a mas? Ac yn bennaf oll, pam? Roedd e'n ddirgelwch llwyr i'r ddau ohonom.

'Dere 'mla'n, cer i nôl darn o bren i ti ga'l neud dy *initials*,' galwodd Dan, wrth iddo farcio DGH yn ofalus yn y sment wrth iddo sychu, ei dafod mas, fel un o ddaeargwn Rhys, yn canolbwyntio i'r carn.

Sylwodd arnaf wrth i mi ddod draw â changen fach denau a dorrwyd oddi ar gastanwydden gyfagos.

'Na, dyw hwnna ddim digon cryf. Rhaid iddo fe fod yn fwy trwchus. Ni eisiau i'n henwau barhau am byth. Co, cymer un fi.'

Cymerais ei ddarn o bren gan roi T gadarn oddi tan y D Daniel.

'Beth mae'r G yn sefyll amdano?' gofynnais.

'Gordon. Enw fy hen dad-cu, mae'n debyg. O's enw canol gyda ti?'

Ysgrifennais W siapus nesaf at y T, fel pâr o fronnau di-deth, ac yna oedais yn sydyn gan betruso ynghylch y llythyren olaf.

'Ife Wiliam yw e? Fentra i taw Wiliam yw e,' meddai Dan.

'Na. Wyn yw e. Ma' gas 'da fi fe,' mwmialais cyn ychwanegu P yn frysiog ar gyfer fy nghyfenw 'Pugh'.

Safodd y ddau ohonom yn ôl ryw ychydig er mwyn edrych ar ein gwaith, y llythrennau eisoes wedi caledu yn y gwres crasboeth. Yn anochel cafwyd rownd arall o chwerthin *machine-gun* Dan wrth iddo bwyntio at fy *initials* i.

'TWP!' gwichiodd, fel 'se fe'r peth mwyaf doniol yn y byd.

4

Ar y nos Iau roeddwn i wedi awgrymu cwrdd yn y neuadd snwcer cyn mynd ymlaen i'r disco. Yn awyrgylch tawel ymgolledig y clecian peli a'r gwynebau llawn canolbwyntio daeth Dan i mewn fel corwynt. Gwisgai lipstic llachar oren ac roedd ganddo *glitter* arian yn ei wallt. Wafiodd arna i a cherddodd draw ataf yn lletchwith igam-ogamllyd yn ei esgidiau platfform sgleiniog gan glip-clopian yn swnllyd ar hyd leino'r llawr. Tynnodd un o'r selogion, gŵr canol oed o'r enw Ned Ellis, yn ofalus ar ei bibell, cyn troi at Rhodri nesaf ato gan ddatgan, 'Pwy yffach yw'r clust hyn? Bastard mab Liberace, neu beth?'

'Ma' fe 'da fi,' meddwn yn glou, gan bwyntio at y bwrdd du, lle roeddwn eisoes wedi bwcio yn y ciw am ford.

'Dyw e ddim yn aelod,' meddai Rhodri'n swrth.

'Dala i ei ugen ceiniog e, i whare fel *non-member*. A falle ymunith e rywbryd, pwy a ŵyr? Ma' fe moyn gweld os yw e'n lico'r gêm gynta,' meddwn, wrth graffu'n ddiwyd ar Rhodri.

Ond roedd Rhodri'n ddig.

'Allith e ddim whare a'r holl stwff 'na yn ei wallt e. Falle eith e ar y *cloth*.'

'Mae'n oreit, Trystan,' meddai Dan, yn synhwyro mod i'n dechrau gwylltio ag agwedd Rhodri, 'ma' pethe gwell 'da ni neud na hongian 'mbytu fan hyn, ti'm yn meddwl?'

Ro'n i'n dal i graffu ar Rhodri. Yna fe roddes i'r mymryn lleiaf o amnaid a thaflu cipolwg tuag at y drws. Wrth i ni gerdded mas gallem synhwyro holl lygaid yr ystafell arnom, yn ein hewyllysio ni i adael. Fel pe bai moyn tanlinellu hyn rhyddhaodd Rhodri'r peli snwcer yn swnllyd ar un o'r fordydd wrth i Dan a minnau fynd lawr y grisiau.

I ddechrau roedd llawr y disco yr un mor anghroesawgar. Bob hyn a hyn fydde 'You to me are everything' The Real Thing yn taranu o'r seinyddion wrth i'r nodwydd neidio lan a lawr yn ysbeidiol ar ddec recordio y DJ. Roedd y DJ, ffarmwr o'r enw Glyndwr Dolgarreg neu Barry Bodygroover, yn dibynnu pa adeg o'r dydd oedd hi, yn methu rheoli'r nodwydd am sbel gan ei fod i fyny stepladyr yn addasu ei belen arian disco, oedd yn hongian i lawr o'r nenfwd. Wrth i mi sylweddoli ein bod ni wedi cyrraedd yn rhy gynnar roedd Dan a minnau ar fin gadael pan sylwon ni ar ddwy ferch yn eu harddegau yn dod mewn i'r neuadd. Roedd y naill yn flonden dal mewn ffrog haf las golau o frethyn caws a'r llall â gwallt cwta du, ychydig yn fwy llond ei chroen mewn jîns a chrys-T. Trodd Dan tuag ataf gan wenu ac yna brasgamodd draw atynt ac ysgwyd llaw.

'Well well, if it isn't Anni-Frid and Agnetha from Abba! What brings you to Tregors then girls?'

Gwenodd yr un â gwallt du tra ceisiai'r llall ymddangos yn ddi-hid.

'Ingrid is in fact from Malmo, in Sweden. I'm Bernice, from Brittany.'

Swniai Malmo yn gyfarwydd i mi. Ceisiais yn galed gofio peth o'm cwrs Daearyddiaeth.

'Malmo. That's shipbuilding, isn't it? And concrete?'

Edrychodd y ddwy arnaf ond ni chafodd fy ngeiriau fawr o argraff arnynt.

'We mix concrete,' ychwanegais yn lletchwith, gan symud o ochor i ochor.

Diolch i'r drefn, daeth Dan i'm hachub. 'You must excuse my friend Trystan. He needs to go out more often, though he does have his uses. For example I'm sure he knows where we can all get a drink.'

Trodd llygaid pawb tuag ataf a theimlais innau fy ngwddwg yn cochi. Gobeithiwn i'r nefoedd fod Elen, cymdoges i mi, yn gweithio yn y Llew Coch heno. Fel mae'n digwydd roedd fy lwc i mewn a smyglodd Elen boteli o Worthington E mas i ni ynghyd â basgedeidiau o ffowlyn a sglodion trwy'r hatsh yng nghefen y dafarn. Fy nhro i oedd hi i greu argraff nawr wrth i mi agor y poteli'n ddeheuig gan eu dal ar ymyl gât fetal gerllaw a tharo'r topiau'n rhydd ag ochor fy llaw, gan chwibanu tôn yr hysbyseb enwog 'E is so easy'. Ddim yn un i adael i neb achub y blaen arno sylweddolodd Dan fod ei lipstic wedi dechrau wero felly fe wnaeth e i'r merched chwerthin drwy smydjo *tomato ketchup* ar ei wefusau, gan beri iddo edrych fel clown.

Roedd y merched i'w gweld yn mwynhau eu hunain. Mae'n rhaid bod merlota yn y gwres yn waith caled gan iddyn nhw fyta'u bwyd bron yn anweddus o glou, fel pe baent yn ffoaduriaid o ryw ryfel yn hytrach nag yn ferched dosbarth canol neis ar wyliau. Roedd hi'n amlwg eu bod nhw wedi mwynhau eu merlota hefyd, y ddwy yn sôn am y golygfeydd syfrdanol o hardd yn y mynyddoedd uwchben Tregors. Teimlais y dylid talu gwrogaeth i Lydaw yn yr un modd. Datgelais nad oeddwn wedi bod i Lydaw fy hunan erioed ond bod fy mrawd wedi bod yno'r flwyddyn ddiwethaf wrth i gôr Tregors ymweld â'r ardal o amgylch Rennes. Chwistrellodd hyn gryn dipyn o egni i mewn i Bernice. Dechreuodd gymharu nifer o eiriau oedd yn debyg yn y Gymraeg a'r Llydaweg, neu rai ohonynt hyd yn oed yn gwmws yr un peth. Cilchwarddodd y ddau ohonom yn gyffrous dros 'tŷ', 'bara' a 'glaw' gan roi rhyw arwyddocâd anhygoel i'r geiriau. Allai unrhyw un feddwl ein bod ni wedi darganfod penisilin!

Serch hynny, mae'n rhaid bod y ddau ohonom wedi ymgolli yng nghwmni ein gilydd, gan i ni sylweddoli ar ôl ychydig ein bod ni ar ben ein hunain. Gan feddwl bod y lleill wedi dychwelyd i'r disco awgrymodd Bernice y dylen ni wneud yr un peth. Ond doedd dim golwg o Ingrid a Dan yn unman. Roedd rhagor o ferlotwyr ac ychydig o drigolion lleol wedi mentro mewn i'r disco erbyn hyn, a chwaer Rhodri, Bethan, yn eu plith. Roedd y Bodygroover wedi canfod ei rych, gan chwarae rhediad o ganeuon egnïol a lwyddodd i 'nhynnu i o'm cragen, gan chwyrlïo'n frwd ar lawr y disco, yn enwedig i un o'm hoff ganeuon, cân Sparks 'This Town Ain't Big Enough For Both of Us'.

Plesiodd y gân araf 'Fernando' Bernice a gadawodd hi fi i roi fy mreichiau o amgylch ei gwddwg. Wrth i mi deimlo fy moch yn erbyn ei gwar des i'n ymwybodol o ryw arogl melys, meddygol bron, fel cymysgedd o sierbet a losenni. Er i mi hoffi 'Fernando' pan aeth hi i frig y siartiau rai wythnosau 'nôl roeddwn i heb wrando'n ofalus ar eiriau'r gân o'r blaen. Yn raddol llwyddais i ddeall bod y bachan Fernando hyn yn rhyw fath o ymladdwr arwrol dros ryddid ond iddo rywsut golli'r frwydr. P'un ai geiriau'r gân neu effaith y Worthington E oedd yn gyfrifol ai peidio ar ddiwedd y gân roedd llygaid Bernice yn cronni'n llawn dagrau. Awgrymais i ni fynd mas am awyr iach. Cerddodd y ddau ohonom o'r sgwâr fawr tuag at y sgwâr fach. Gwyddwn fod yna gwli fach rhwng y swyddfa bost a'r cigydd, lle y gallai cyplau gael ychydig o breifatrwydd. Gwyrais Bernice i mewn i'r gwli yn ofalus o frwd, fel ci defaid, ac o'r diwedd dechreuodd y ddau ohonom gusanu. Cusanau mawr, gwlyb, glafoerllyd, tafodau a chwbwl. Yn enwedig fy nhafod i, fel 'sen i newydd ei ganfod. Yn y pen draw fe lwyddais i ffidlan gyda strap bra Bernice ac er mawr bleser i mi fe'i datgysylltais ar fy ymdrech gyntaf. Teimlais ei bronnau meddal dan ei chrys-T a chredais i mi glywed hi'n ochneidio. Doedd dim sôn am Gymraeg na Llydaweg nawr. Roedd hyn yn iaith ryngwladol. Yn ymwybodol o ryw galedwch cynddeiriog rhwng fy nghoesau fe geisiais gofio lle y rhoddais fy nghondom. Oedd e yn fy waled? Na, roedd e wedi ei gau'n saff tu ôl i fotwm poced brest fy nghrys. Ai hon oedd yr un, felly? Ai heno oedd y noson fawr? Rown i bron iawn â chrynu, cymaint oedd y disgwyl. Agorais ychydig o fotymau fy nghrys, yna dechreuais ddatod gwregys Bernice, gan barhau i symud fy nhafod tu fewn i'w cheg. Yna'n sydyn, wrth i mi ddatod botwm ei jîns hi, fe dynnodd Bernice 'nôl ac ebychu.

'Na!' meddai, gan ysgwyd ei phen.

Meddyliais taw rhan o'r gêm oedd hyn ac fe ddatodais ei zip yn ddeheuig ac yna ceisio tynnu ei throwsus i lawr. Yna fe deimlais yr ergyd ryfeddaf i 'mhen, neu i'm clust chwith a bod yn fanwl. Slap galed a ysgogodd boen miniog yn ochor fy mhen, fel cyllell o siarp. A'm golwg ychydig yn aneglur daliais gipolwg o lygaid dyfrllyd ypset Bernice wrth iddi ysgwyd ei phen unwaith eto, yn fwy egnïol y tro hyn, gan fytheirio llif o enllibion Llydaweg tuag ataf a ddeallais yn iawn heb orfod gwybod eu hystyr. Erbyn i'm synhwyrau ddychwelyd roedd hi wedi tacluso'i hun a tharanu mas o'r gwli, 'nôl i'r stryd fawr. Pendronais p'un ai ei dilyn hi neu beidio. Penderfynais beidio. Yn sydyn teimlais yn fyw iawn, fy synhwyrau yn gweithio fel lladd nadredd wrth i'r gwaed drosglwyddo o'm cala i 'mhen. Diawlais fy lwc ac anadlais yn ddwfwn. Cofleidiodd chwa surfelys arogl cig amrwd fi o'r siop bwtsiwr fel hen ffrind colledig.

Y diwrnod canlynol fe beintion ni do sinc un o siediau Rhys. A'm pen fel bwced ar ôl cwrw'r noson cynt ac wedi dadrithio braidd â'm profiad gyda Bernice roeddwn i'n ffeindio'r gwaith yn anodd. Roedd Dan yn awyddus iawn i gymharu nodiadau am ein hamser gyda'r merched tramor ond roeddwn i'n gyndyn i fanylu. Dim ond dweud ein bod ni wedi cusanu, dyna'r oll.

'Sdim ise ti fod yn swil. Weda i'r cwbwl wrthot ti!' meddai Dan, gan beintio 'Sex Scandal In Cemetery' mewn llythrennau bras du ar y to crychlyd llwyd golau.

Aeth ymlaen i ddweud ei fod e ac Ingrid wedi rhannu paced o 'Love Hearts' a photelaid fach o fodca, y ddiod wedi ei chuddio ganddi ymlaen llaw mewn coeden yn y fynwent. Roedden nhw wedi siarad am hydoedd. Uchelgais Ingrid oedd bod yn feddyg. Bu Dan yn ystyried dweud wrthi ei fod am fod yn seren roc-a-rôl ond penderfynodd ddweud peilot yn lle hynny. Ac nid jest unrhyw beilot chwaith. Fydde rhaid iddo hedfan *Concorde*. Roedd fy mhen i'n troi erbyn hyn. Allwn i ddim stopi fy hun rhag gofyn y cwestiwn anochel.

'Nethoch chi fe 'te? Shwt brofiad o'dd e?'

Chwarddodd Dan, nes iddo bron golli ei gydbwysedd ar y to, wedi ei diclo gan fy chwilfrydedd diniwed. Dywedodd iddynt gael cyfathrach o flaen carreg fedd gan lenwi ei ben ar y pryd â cherddoriaeth ddramatig opera i ychwanegu at y naws gothig.

''Se mellten wedi taro gerllaw 'se fe 'di bod yn berffaith!'

Gwenais yn werthfawrogol ond roeddwn i'n siomedig tu hwnt. Doedd gen i ddim syniad am beth roedd fy ffrind yn sôn.

Y noson honno cawsom y bonws annisgwyl o helpu cywain y gwair ar ffarm Pantygwlith ar gyrion Tregors. Roedd e'n arian da a chafwyd gwydred o seidr yn aml wrth ddychwelyd i'r das wair gyda threlar llawn i'r ymylon. Roedd y ffarmwr, Alwyn Pantygwlith, yn dew iawn, rhywbeth anghyffredin mewn dyn sy'n gwneud gwaith corfforol. Gwisgai het gowboi fawr oedd yn gwneud iddo ymdebygu i John Wayne. Gofidiais y base Alwyn yn cael trawiad ar y galon wrth iddo daflu'r bêls i'r trelar yn llawn egni, yn gwichian fel hen fegin ac yn sychu'r chwys diferol oddi ar ei wyneb â'i freichiau geirwon. Hoffais y cyfrifoldeb o stacio, sef gwasgu'n dynn gymaint o fêls ag y medrwn i mewn i ofod cyfyng y trelar. Bydde jac rysel Alwyn, Siandi, yn cyfarth ar ei meistr a golwg llawn consýrn ar ei gwyneb wrth ei weld yn troi'n fwyfwy piws wrth i'r noson fynd rhagddi. Ond edrychai Alwyn yn ddigon bodlon ei fyd ar ddiwedd y dydd, yn falch o gasglu dau gae ynghyd mewn un diwrnod. Paratowyd gwledd sylweddol hanner nos gan ei wraig, Gwen, yn cynnwys ham a thatws stwmp gyda saws persli i bawb, gyda phwdin bara i ddilyn. Ac wrth gwrs, rhagor o seidr.

'Da iawn, bois. Ro'dd y bêls 'na ar ochre'r cloddie yn itha trwm erbyn diwedd yn y ll'ydrew whare teg,' meddai Alwyn yn werthfawrogol, gan helpu ei hun i ddysgled arall o bwdin bara.

Er ei bod hi'n hwyr gwrthodwyd y cynnig o lifft 'nôl gan fod yn well gennym gerdded y filltir a chwarter i Dregors yn canu caneuon Abba dan olau llachar y lloer. Dywedodd Dan ei fod wedi gwrando ar ddwy record hir Edward H. Dafis erbyn hyn ac wedi eu mwynhau. Roedd hyd yn oed wedi dysgu geiriau 'Pontypridd'. Roedd e wrth ei fodd yn dangos y mân-dolciau cwrs ar ei ddwylo, wedi eu hachosi gan gordyn tyn y bêls. Bydde ei dad uwchben ei ddigon!

'Neith e ddim effeithio ar dy whare piano di?' gofynnais, gan y gwyddwn erbyn hyn fod Dan wedi rhoi ei enw gerbron i gystadlu yng nghystadleuaeth biano dan ddeunaw yn yr Eisteddfod Genedlaethol cyn bo hir.

Roedd Dan yn weddol hyderus y base fe'n iawn p'run bynnag. Dywedodd fod ganddo fysedd arbennig o hir am ei oedran gan ddal ei ddwylo i fyny o'i flaen er mwyn cael golwg iawn arnynt.

'Ma' 'na'n bwysig, t'wel, i bianydd,' meddai. 'Roedd dwylo mawr gyda Rachmaninoff hefyd. Mor fawr o'n nhw'n meddwl bod e'n diodde o ryw glefyd yr esgyrn. 'Na pam mae rhai o'i ddarne fe mor anodd i'w chware. Rhaid i ti gael dwylo mawr.'

Wrth i Dan ddal ei ddwylo i fyny hedfanodd rhywbeth rhyngddyn nhw gan ysgafn fflicio fy ngwallt. Ebychais, mwy mewn syndod nag ofn. Diflannodd ystlum dros y clawdd, 'nôl i gyfeiriad Pantygwlith.

'Paid bod yn gym'int o wimp. Ti yw'r bachgen o'r wlad, nagefe? Dim ond llygoden yn yr awyr o'dd e. O'dd e â fwy o ofan ohonot ti, siŵr o fod.'

'O'dd dim ofan arna i,' atebais.

'Beth wyt ti'n gwenu arno?' meddai Dan, wrth sylwi ar ryw wên 'smala ar fy ngwyneb.

'Ti. Ti'n gweud y pethe rhyfedda,' meddwn, gan ailadrodd 'Llygoden yn yr awyr' ac ysgwyd fy mhen.

''Na beth yw ystlumod yn Almaeneg "Die Fledermaus".'

Yna dechreuodd hymian rhyw dôn i'w hun – 'Da da da da da da da dy da da da da da da, dy da da da da da da da da da da!', prin yn stopi i anadlu wrth iddo waltsio draw i'r clawdd ac yna'n groes yr hewl â'i bartner dychmygol. Brefodd dafad yn swnllyd o'r cae ar y dde wrth i ni basio arwydd Tregors ar hewl Aberystwyth, fel 'se hi'n dweud wrtho am gau'i geg. Ceisiais weld fy nghartref yn y pellter ar stâd Maesycelyn oedd wedi ei goleuo fel llong wyliau hyd yn oed mor hwyr â hyn, gan obeithio na fyddai Mam yn dal lan yn aros i mi. Anwybyddodd Dan lais protestgar y ddafad. Fe barhaodd, hyd yn oed yn uwch os rhywbeth, gan esgus chwarae piano dychmygol a symud ei ddwylo o'i flaen fel rhywbeth hanner call a dwl. Ro'n i wedi moyn gofyn sut daeth y dwylo rheiny ymlaen y noson cynt, yn anwesu bronnau Swedaidd. Ond wnes i ddim. A do'n i ddim moyn tarfu ar Dan nawr. Roedd e yn ei elfen, wedi ymgolli'n llwyr mewn byd arall. Yn wir, roedd cerddoriaeth Fiena y bedwaredd ganrif ar bymtheg wedi ei hymian â'r fath arddeliad am un o'r gloch y bore yn ddiweddglo hollol addas i'r nos.

5

Fe glywais i Jasmin cyn ei gweld hi. Roedd hi'n chwibanu tu ôl i'r gastanwydden ym Mryneglur er mwyn tynnu fy sylw. 'Don't Go Breaking My Heart', cân rhif un Elton John a Kike Dee, o bopeth. Clywais ryw chwerthiniad bach ynghanol hyn a fedrwn i ddim gweld bai arni am hynny. Roedd hi'n amlwg wedi dod ar fy nhraws yn cael cachiad yn y cae. Gan ddiawlio Rhys Edwards fe sychais fy hun â llond dwrn o redyn a tynnu fy siorts lan. Er mod i moyn i'r ddaear fy llyncu fel petai ro'n i hefyd yn chwilfrydig i wybod pwy oedd tu ôl i'r goeden ac es i'n syth tuag ati. Wrth glywed fi'n nesáu dangosodd ei hun. Y peth cyntaf i daro mi oedd ei llygaid mawr glaslwyd, lliw trawiadol anghyffredin fyddai'n peri i rywun syllu arni hyd yn oed pan oeddech chi'n ceisio peidio. Gwisgai ffrog binaffor gotwm werdd, crys-T melyn, pâr o *trainers* a sanau bach gwyn. Roedd ganddi fand ar ei phen i ddala'i gwallt pryd golau mewn trefn. Wy'n cofio meddwl ei bod hi'n edrych fel

Olivia Newton John. Gwenodd arnaf a chodi ei dwylo i fyny i'r aer naill ochor iddi, fel 'se hi'n ymddiheuro.

'Gobeithio wnes i'm o'ch dychryn chi,' meddai. 'O'n i jest yn gobeithio 'sa hi'n bosib cael gwydred o ddŵr.'

Llais gogleddol swynol. Yn swyno.

'Ie, wrth gwrs. Wna i 'ngore,' atebais, gan ychwanegu bod perchennog Bryneglur braidd yn rhyfedd ac yn hoffi cynilo ei ddŵr. Ro'n i moyn ychwanegu taw dyna pam welodd hi fi ar fy nghwrcwd wedi diosg fy siorts jest nawr ond penderfynais beidio tynnu mwy o sylw i'r digwyddiad anffodus hwnnw.

'Dwi'm isio dy gael di i drafferth,' ychwanegodd. Dywedais i taw dyna'r peth lleiaf y medrwn i wneud a chyflwynais fy hun iddi. Dywedodd hithau taw ei henw oedd Jasmin a'i bod hi'n byw gyda'r gymuned o hipis yn y cwm islaw. Roedd hi wedi crwydro lan i Bryneglur er mwyn cael golwg iawn ar yr olygfa o'r cwm cyfan. Dywedodd fod yr olygfa yn 'anhygoel'. Alla i ei gweld hi'n dweud y gair nawr, yn cnoi ei gwefus isaf, a'i llygaid yn llenwi. Dywedais wrthi am aros lle yr oedd hi ac fe es i draw i'r gegin yn dawel i nôl dŵr.

Roedd Dan yno, yn rhoi bwyd cŵn mewn i ddysglau, y jeli ar wyneb y cig yn disgleirio fel deiamwntau ym mhelydrau'r haul er gwaethaf drewdod cryf y bwyd. Eglurais fod gyda ni ymwelydd o'r gymuned hipis. Ffeindiais i hen botel laeth wag ac wrth i mi ei llenwi â dŵr oer dywedais wrth Dan am yr hyn oedd newydd ddigwydd. Wrth gwrs roedd e'n meddwl bod yr holl beth yn ddoniol tu hwnt. Wedi cael fy nala â'm pans i lawr, yn llythrennol. Tra own i'n cynnil olchi 'nwylo wrth y sinc dywedodd Dan ei fod e'n mynnu dod allan gyda mi i'w chyfarfod hi. Ond wrth i mi ddychwelyd i'r gastanwydden sylweddolais fod Jasmin wedi diflannu yr un mor ddisymwth â'i hymddangosiad. Tynnodd Dan fy nghoes, gan ddweud bod y gwres wedi peri i mi weld pethau.

'O'dd hi fan hyn, yn sefyll yn gwmws ble wyt ti'n sefyll nawr!' mynnais, wedi drysu'n llwyr â'i diflaniad sydyn.

Yna fe glywon ni ddaeargwn Rhys yn cyfarth yn y clos wrth i ymwelydd arall, mewn car y tro hwn, dynnu mewn i Bryneglur. Ddim am wastraffu'r dŵr fe yfon ni'r ddiod rhyngddon ni cyn ei throi hi 'nôl am y clos. Pan gyrhaeddon ni fe welon ni ŵr tenau fel rhaca yn sefyll ger ei Ford Fiesta smart, lliw arian, gyda briffcês yn ei law. Roedd daeargwn Rhys, Gelert a Ianto, yn clecian eu dannedd ac yn 'sgyrnygu wrth draed y dyn truan. Ceisiodd Rhys dawelu ei feddwl. 'P'idwch becso am y cŵn, 'newn nhw ddim byd i chi. Dewch mewn, wna i baned o de i chi.'

Asiant yswiriant Rhys oedd yr ymwelydd, ar ei alwad blynyddol i oruchwylio a chasglu ei bremiymau. Ar ôl iddo fwydo'r cŵn ymunodd Dan â mi i edmygu car yr asiant, fersiwn weddol rodresgar o'r Fiesta, y Ghia, gyda goleuadau Cibbie arbennig ar y blaen. Roedd hyn braidd yn rhyfedd gan nad oedd y perchennog a'r car yn cyd-fynd â'i gilydd rywsut, yr asiant yn taro rhywun fel person weddol sydêt. Wrth sylwi arnom yn segura o gwmpas y car tarodd Rhys ar ffenest y gegin, gan bwyntio i gyfeiriad yr hen feudy, lle yr oeddem wedi cael yr orchwyl o beintio'r to sinc mewn lliw glas tywyll.

Tra oeddem yn taenu'r paent trwchus ar y to gofynnodd Dan a oedd Rhys wedi treial cael ei ffordd gyda fi, mewn modd rhywiol. Dywedais i nad oedd, gan ofyn yr un cwestiwn 'nôl i Dan.

'Dyw e heb dreial dim byd corfforol, ond wy'n gallu synhwyro fe'n edrych arna i weithie,' atebodd.

'Druan ag e, ma' fe bownd fod yn despret,' ychwanegodd, gan gilchwerthin. Mae'n rhaid mod i wedi edrych yn ofidus gan i Dan fynd ymlaen i wenu a dweud falle dylen i dreial pethe mas 'da Rhys.

'Fyddet ti 'te?' atebais, gan edrych i fyw ei lygaid.

'Wnelen i adael i fe gusanu fi falle,' meddai Dan, gan syllu 'nôl arna i a diawlineb yn ei lygaid. 'Fydde 'na ddim yn *big deal.*'

'Wedes i ddim 'i fod e,' atebais yn syfrdan wrth geisio cadw'n cŵl.

Nid am y tro cyntaf gyda Dan ro'n i'n amau p'un ai ei gredu ai peidio. Mae'n rhaid bod e wedi sylwi ar ryw gywair amheus yn fy llais gan iddo barhau i draethu ar yr un pwnc. 'Fe dreia i unrhyw beth unwaith,' meddai. 'Dyna beth ma' bywyd 'mbytu, nagefe? 'Mestyn ffiniau, gweld pwy mor bell alli di fynd? Neu man a man i ti jest rhoi lan a marw nawr!'

Wrth i mi ystyried damcaniaethu Dan, yn sydyn glywais i sŵn sgrechen o gyfeiriad y clos. Llithrais i lawr y sinc poeth a sefyll yn ofalus ar ben y bondo er mwyn gweld yn well. Allen i weld bod Caradog y paun yn ymosod ar rywbeth ger car sgleiniog yr asiant. Roedd hi'n amlwg bod Caradog wedi cynhyrfu'n lân, yn ymladd yn ffyrnig yn erbyn pa bynnag greadur oedd wedi ei wylltio mor enbyd, gan daro ei big â'r fath rym nes y gallen i weld hyd yn oed o bellter ei fod yn gwaedu. Rhuthrodd y ddau ohonom i lawr yr ysgol a chyrraedd y clos wrth i'r asiant yswiriant a Rhys frysio allan o'r gegin. Roedd yr asiant yn wyn fel y galchen wrth iddo raddol ddirnad yr hyn oedd wedi digwydd. Roedd Caradog wedi ymosod ar ochr ei gar, gan achosi cryn dipyn o ddifrod, nid yn unig i'r paent arian ond hefyd i gorff y car ei hun, gyda thri tholc clir i'w gweld ar ochr waedlyd y cerbyd.

'Y blydi 'deryn dwl!' gwaeddodd Rhys wrth iddo sylweddoli beth oedd wedi digwydd yn gynt nag unrhyw un arall. 'Sdim ise i ti ymladd! Ti yw e, y twpsyn! Ti 'di bod yn ymladd dy adlewyrchiad y diawl dwl!'

'Wy'n ofan bydd rhaid i fi roi *claim* mewn, Mr Edwards,' meddai'r asiant, gan ysgwyd ei ben.

'Wel, wy'n cymryd bod *cover* gyda chi, gan taw blydi asiant yswiriant 'ych chi!' atebodd Rhys yn flin, gan geisio tawelu Caradog. Ond roedd gan Caradog syniadau eraill a bu bron i'r asiant hyd yn oed wenu wrth i ni wylio Rhys yn rhedeg ar ôl y paun, a oedd erbyn hyn yn ceisio hedfan i ffwrdd, gan godi rhyw droedfedd neu ddwy oddi ar y llawr a chwifio'i adenydd ysblennydd ac edrych 'nôl ar Rhys gyda golwg ddryslyd ar ei wyneb truenus, gwaedlyd.

Mwynheais adrodd stori Caradog yn ymosod ar ei adlewyrchiad i Mam a Gareth dros swper o sgampi a sglodion y noson honno. Ymunodd Dan â ni, ei ymweliad cyntaf i'm tŷ. Roedd Mam wedi bod yn rhuthro 'mbytu'r lle fel lladd nadredd, yn gosod *serviettes* i swper a hyd yn oed yn cael gafael ar liain ford o rywle. Fel 'se'r fath bethau'n mynd i greu argraff ar Dan! Fodd bynnag, mi oedd e i'w weld wrth ei fodd, yn enwedig â'r darnau crochenwaith wnes i yn yr ysgol. Awgrymodd ein bod ni'n yfed ein coffi o'r mygiau hufen a brown y gwnes i ac fe wnaeth e sylwadau ffafriol am fy nysgl ffrwythau a'r caead caws yn ogystal. Dim rhyfedd bod Mam yn meddwl bod cystal manyrs gydag e! Roedd e'n sicr yn medru bod yn *charming* iawn pan oedd e moyn. Wnaeth e hyd yn oed esgus nad oedd e wedi blasu saws tartar o'r blaen. Allwn i synhwyro bod Gareth, fodd bynnag, yn gyndyn iawn i'w groesawu ar ein haelwyd, yn enwedig pan gynigiodd Dan helpu gyda'r golchi lan. Wrth iddo gamu i lawr i roi'r llestri i gadw yn y pantri cyfyng allwn i byth â pheidio teimlo bod Dan yn ymwybodol iawn o'r gwahaniaeth rhwng fan hyn a'i gartref helaeth hudolus ef.

Yna, wedi ein hannog gan Mam, fe wylion ni fwy o'r Gêmau Olympaidd gyda'r ddau ohonom wedi'n swyno'n llwyr gan ddegau perffaith Nadia Comaneci wrth i ni stwffio'n boliau ag After Eights.

'Dim ond blwyddyn yn iau na chi'ch dou yw hi, fechgyn,'

meddai Mam, hithau hefyd wedi'i chyfareddu gan gampau gymnasteg y ferch o Rwmania wrth iddi hwpo'r bocs After Eights dan ein trwynau unwaith eto.

'Odyn ni'n dathlu rhwbeth 'te?' gofynnodd Gareth yn flin, gan daflu cipolwg ar y mintys siocled tywyll.

'Wel, odyn, mewn ffordd,' meddai Mam yn ddiffwdan. 'Cyfeillgarwch newydd Trystan, ife. Croeso i Dregors, Daniel bach.'

'Diolch, Mrs P,' meddai Dan, gan wenu'n siriol.

Roedd yr holl beth yn ormod i Gareth. Dywedodd ei fod e'n gorfod mynd mas i gwrdd â rhai o'i ffrindiau yn y Llew Coch. 'Sa' i 'di gweld shwt *fuss* erioed,' mwmialodd rhwng ei ddannedd wrth adael.

'Ody wir, mae'r groten 'na o Rwmania yn arbennig, whare teg iddi,' meddai Mam drachefn, gan godi rhai o fân bapurau yr After Eights roedd Gareth wedi'u gollwng ar y llawr.

Ar ôl ychydig mwy o'r Gêmau Olympaidd dywedais wrth Mam mod i am ddangos fy mhoster newydd o Nicki Lauda i Dan ac fe ddiflannom lan lofft i'm hystafell wely, lle y chwaraeon ni ychydig o gerddoriaeth ar fy mheiriant casét Decca.

Bron cyn i ni gychwyn, fodd bynnag, alwodd Mam o lawr stâr yn dweud ei bod hi'n slipo lawr i'r dref i weld ei ffrind hi, Gwenda. Goleuodd fy llygaid yn ddisgwylgar wrth i mi alw 'Iawn' 'nôl lawr y stâr. Unwaith glywon ni'r drws ffrynt yn cau es i'r drâr yn ystafell wely Gareth lle yr oedd e'n cadw allweddi ei gar. Rhoddais ochenaid o ryddhad wrth i mi sylwi arnynt yn hongian oddi ar gadwyn allweddi gyda teigr arni, anrheg rad ac am ddim allan o ryw focs grawnfwyd brecwast – yr allweddi i oriau o sbort, fe dybiais.

Ro'n i wedi gyrru car Gareth sawl gwaith o'r blaen ond y tro hwn, gydag anogaeth frwd Dan, fe wasgais ar y sbardun nes bo' ni'n hedfan o gwmpas ffiniau'r maes parcio, yr injan yn gwneud rhyw duchan estron wrth i mi newid lawr o'r drydedd gêr i'r ail. Sylwais ar wên Rhodri wrth iddo ddod draw i ymuno â mi ac yna ar y wên yn pylu wrth iddo sylwi ar Dan yn sedd y teithiwr blaen yn ei le. Dychwelodd i'r tŷ ar ei union gan basio Bethan yn ei ardd gefn.

Wrth i mi gynyddu'r cyflymdra hyd yn oed yn fwy fe sylwais ar ryw fflach pefriog yn llygaid Dan wrth i'w wyneb welwi â'r fath gynnwrf, golwg a fyddai'n dod yn gyfarwydd iawn i mi yr haf hwnnw.

'Alla i gael tro?' gofynnodd.

'Wyt ti wedi gyrru o'r blaen?' atebais, gan obeithio nad oedd wedi, er mwyn rhoi taw ar y syniad cyn iddo gydio.

'Odw. Wrth gwrs mod i.'

A dyma oedd fy nghyfyng-gyngor. A ddylwn i ei gredu ai peidio? Gan ei fod e fwy neu lai'n fy ngwthio i allan o sedd y gyrrwr erbyn hyn penderfynais fentro, gan ei rybuddio cyn newid sedd.

'Dim petrol cangarŵ nawr, iawn? Neu ddeith Gareth i wybod amdano fe a bydd e'n benwan 'da fi.'

Fel mae'n digwydd nid 'petrol cangarŵ', sef pan mae'r car yn hercian yn ei flaen mewn modd hollol afreolus, oedd y broblem. Y broblem oedd bod Dan wedi prysur ddiflasu gyda jest mynd rownd ar gyrion y maes parcio ac wedi penderfynu ei mentro hi mas i'r hewl fowr! Diolch i'r drefn fe arafodd rywfaint unwaith o'n i allan yn Heol yr Orsaf ac fe wnaeth e hyd yn oed stôlio wrth y gyffordd ger y parc. Teimlais fy nghrys yn sydyn lenwi â chwys wrth i mi edrych o gwmpas, gan obeithio na fyddai neb yn ein gweld. Ai Dai Parry, cymydog i mi, oedd draw fan'co gyda'i ŵyr yn y parc? Efallai o'r pellter yna y bydde fe'n meddwl taw Gareth oedd yn gyrru? Ochneidiais mewn rhyddhad wrth i Dan lywio'r car i'r dde allan o'r gyffordd, i ffwrdd o'r parc. Ond yna gwelais fod yna gatastroffi posibl arall ar y gorwel. Onid Martha Rees, un o ffrindiau pennaf Mam, oedd y fenyw yna ar y pafin yn cario bag siopa? Un o helwyr clecs mwyaf y pentref! Taflais gipolwg yn y drych adain a sylwi'n ddigalon ei bod hi wedi troi rownd i'n gwylio ni'n mynd heibio. Roedd y gêm ar ben, does bosib? Diawliais Dan rhwng fy nannedd. Beth gododd yn ei ben i yrru o gwmpas Tregors? Gyda'n lwc i fydde Gareth wedi penderfynu dod adref yn gynnar ac yn dala ni mas ar yr hewl fowr. Ond, er gwaethaf presenoldeb ychydig gymdogion yn tendio eu gerddi, chwerthin yn afreolus oedd ymateb Dan wrth iddo lywio'r car 'nôl mewn i faes parcio'r mart, gan fynnu mod i'n becso gormod o lawer.

'Sneb 'di marw a gethon ni hwyl, naddo fe?'

'Ma' Gareth bownd o ffeindio mas.'

'Os yw e, beia fi. Gwed wnes i ddwyn yr allweddi oddi arnot ti.'

Wrth i ni ddod mas o'r car daeth Bethan bryderus yr olwg draw atom.

'Ti'n iawn, Trystan?' gofynnodd yn llawn consýrn.

'Wrth gwrs bod e. Fi yw'r gyrrwr saffa yng Nghymru!' meddai Dan, gan daro top y Cortina â chledr ei law.

'Sori,' meddai Bethan, gan wrido, 'o'n i'n ofan falle 'sech chi'n ca'l damwen, mas ar yr hewl fowr.'

'Na, wir, ni'n iawn,' atebais yn galonogol, 'ond 'sen i'n gwerthfawrogi 'set ti'n cadw'n dawel, ie?'

Nodiodd Bethan sêl ei bendith ar fy nghais a diflannodd hi'n sydyn trwy'r coed.

Es i'r gwely yn gynt nag arfer y noson honno. Clywais Gareth yn dod mewn a gwneud brechdan hwyr i'w hun yn y gegin oddi tanaf gan agor a chau'r bin bara metel ac arllwys rhyw hylif o'r oergell yn swnllyd. Teimlais fy nghalon yn tician yn bryderus, gan obeithio bod ein hwyl ni yn ei gar yn dal heb ei ganfod. Am rai munudau credais ein bod ni wedi llwyddo, yn enwedig wrth i mi glywed gwichian cyfarwydd y landin wrth iddo fynd yn syth i'w ystafell wely. Ychydig funudau'n ddiweddarach, fodd bynnag, aeth draw i'r tŷ bach ac yna ymhellach lan y coridor tuag at fy ystafell. Stopiodd yn stond tu fas i'r drws, yn diawlio rhwng ei ddannedd, rhywbeth na ddeallais, rhywbeth nad oeddwn i'n dymuno ei ddeall chwaith. Agorodd y drws yn araf, yn dawel bach. Esgusais fy mod i'n cysgu. Yna teimlais ei anadl cwrw reit yn fy ngwyneb.

'Bastard!' sibrydodd, gan ddyrnu fy nghlust chwith. Wrth i mi ddal fy nghlust mewn poen annioddefol, dyrnodd e fy nghlust dde, gan sibrwd, 'Ac ma' honna i'r bastard arall, dy ffrind *posh*!'

Penderfynais nad oedd hi'n werth amddiffyn fy hun. Yn wir, teimlais fy mod i'n haeddu rhyw fath o gosb. A doeddwn i ddim moyn i Mam glywed ni'n ymladd. Mae'n rhaid ei bod hi wedi clywed rhywbeth, fodd bynnag, achos ychydig eiliadau'n ddiweddarach dyma hi'n galw 'Gareth? Ti sy 'na? Ody popeth yn iawn?'

'Ie ie, popeth yn iawn,' galwodd yntau 'nôl. 'Jyst gweud "nos da" wrth Trystan.'

Methais i gysgu am hydoedd. Ro'n i'n gwybod nawr beth oedd ystyr 'bonclust' go iawn. Roedd gen i boen siarp yn trywanu ochrau fy mhen, yn gwmws yr un peth y naill ochor a'r llall am oesoedd.

Pan lwyddais o'r diwedd i gysgu roedd e'n fath hyfryd o slwmbran pendrwm llawn rhyddhad sy'n eich tywys chi mor bell o'r byd nes i chi ddihuno â phwll bach o boer ar eich boch i gyfarch y bore. Yn anarferol i mi 'nôl bryd hynny fe lwyddais i gofio fy mreuddwyd. Ro'n i wedi bod yn gyrru car o amgylch Tregors. Cadilac penagored. Ro'n i'n cnoi gwm ac roedd un llaw ar y llyw a'r llall yn ymestyn ar draws sedd y teithiwr. Winciais ar Jasmin a gwenu yn gwmws fel Henry Winkler, y Fonz. Dyddiau dedwydd yn wir.

6

Trannoeth gwnaethom barhau â'r gwaith peintio. Roeddem yn falch gweld bod Caradog y paun wedi gwella'n llwyr o'i ddioddefaint, gyda hyd yn oed fwy o sioncrwydd balch yn ei gerddediad torsyth os rhywbeth, fel pe bai'n ymhyfrydu yn y 'ffaith' ei fod wedi rhoi crasfa i ryw 'elyn'!

Roedd Rhys Edwards ar y llaw arall mewn hwyl uffernol. Roedd hurio rhyw beiriannau, gan gynnwys jac codi baw bach, wedi bod yn llawer drutach na'r disgwyl. Ond mae'n debyg roedd gwir angen y jac codi baw arno er mwyn palu rhan hirsgwar o dir tua'r goedwig yng nghefn Bryneglur, i osod sylfeini i godi sièd newydd.

'Mae'n ddrwg 'da fi bois, ond bydd rhaid i chi gymryd gweddill yr wythnos bant. Alla i ddim fforddio chi,' meddai, gan estyn bob o fyged o sgwash i ni wrth i ni ddod lawr yr ysgol bren, er mwyn lleddfu'r boendod fel petai.

Er y gallen ni'n dau fod wedi gwneud y tro â'r arian roeddem wrth ein bodd â'r newyddion hyn. Wrth gerdded lawr y lôn tuag at yr hewl fowr dywedais wrth Dan ei fod e'n gyfle gwych i fynd draw i gymuned hipis Jasmin i weld sut le oedd yno.

'Fydd e'n hwyl,' meddwn, gan ychwanegu efallai gelen ni ychydig o dôp. Heblaw am ragfarnau Rhys Edwards roedd ein gwybodaeth gyfyng o'r gymuned hipis wedi ei seilio ar sgwrs rhwng gŵr bar y dafarn leol ym Mhontrhydygroes, stwcyn o ddyn pen moel o'r enw Idris, gydag ymwelydd o ogleddwr. Dywedwyd bryd hynny bod yna gryn dipyn o dyndra wedi bod ar y dechrau rhwng y brodorion lleol a'r hipis.

'O'n i'n becso 'm bach am y cŵn oedd gyda nhw, ch'wel, yn poeni'r defaid, ond ma' nhw 'di bod yn ofalus iawn, whare teg iddyn nhw. Ac ma' nhw 'di dod â 'bach o fusnes i'r dafarn 'fyd, felly alla i ddim achwyn. Er bod ambell un yn, beth wedwn ni, yn benysgafn braidd – a dim o achos y cwrw chwaith.'

Nid oedd Dan yn awyddus i ymweld â'r hipis o gwbwl, gan daflu dŵr oer ar y syniad yn syth.

''Set ti'n ffeindio'r ferch "Jasmin" hyn, beth wnelet ti?' gofynnodd.

Awgrymais y gallen i fynd â hi am dro lan hewl Abergwesyn, i fyny tuag at Gefn Cnwc.

'Mae 'na wâc wych lan fan'na. Fel arfer ti'n gallu jwmpo oddi ar y creigiau hyn, Cyrn y Diafol, mewn i bwll o'r enw Pwll Dwfwn i gŵlo lawr,' eglurais.

'Neith hi ddim gwerthfawrogi fe. Pam na ei di â fi yn ei lle hi?' gofynnodd Dan.

'Shwt wyt ti'n gwbod neith hi ddim gwerthfawrogi fe? Ti'm yn gwbod dim byd amdani. Wnest ti'm hyd yn oed ei gweld hi!'

'Do, fel mae'n digwydd,' cyfaddefodd Dan braidd yn nerfus, gan daflu cipolwg tuag ataf i weld fy ymateb.

'Pryd?' gofynnais, wedi drysu erbyn hyn.

'P'y ddwrnod. Pan ddaeth hi 'ma. Jest cyn i ti ddod mewn i nôl dŵr iddi, sylwais i arni. 'Nath hi dy ddilyn di am sbel go hir, i weud y gwir.'

'Beth oedd hi'n gwisgo?' gofynnais, yn dal yn pallu ei gredu.

'Ffrog werdd, gyda chrys-T melyn a *trainers*.'

Erbyn hyn roedden ni wedi cyrraedd y stand laeth wrth y gyffordd a chodais fy hun lan iddi, gan gnoi cil dros y datblygiad annisgwyl hyn.

'Sa' i'n deall. Pam na wedest di wrtha i ar y pryd?'

'O'n i eisiau tynnu dy goes di am ychydig, 'na i gyd,' atebodd Dan, braidd yn wan.

Mae'n rhaid fy mod i wedi edrych yn dawedog neu'n siomedig gan i Dan godi ei hunan lan i eistedd wrth fy ymyl a rhoi ei fraich o amgylch fy ysgwydd.

'Paid gadael i'r ferch hyn ddod rhyngddon ni. Dere i ni fynd lan y Cefn Cnwc lle hyn. 'Sen i wrth fy modd yn neud 'ny,' meddai.

Amneidiais. Doeddwn i heb fod yno o gwbwl eto yr haf hwn, felly roedd y lle hwnnw cystal ag unrhyw le arall i ladd amser.

Tra oeddwn i'n aros am Dan ar fy meic ar y sgwâr fawr daeth fy athro ysgol, Twm Celf, lan ataf.

'Synnu clywed bod ti'n bwriadu gadael yr ysgol, Trystan. Gyda dy dalent am grochenwaith, allet ti fod wedi gwneud Celf i lefel-A yn hawdd,' meddai yn ei lais mawr nodweddiadol soniarus.

'Moyn symud 'mlaen, 'na i gyd, syr. Ennill 'bach o arian.'

'Ie ie, wy'n deall 'ny. Cofia, os ti 'whant neud 'bach o grochenwaith dros yr haf cofia alw mewn i'r crochendy yn yr ysgol. Fydda i yno yn gweithio am ran fwyaf o'r haf.'

'Diolch am y cynnig,' meddwn, gan sylwi ar Dan yn cyrraedd yng nghornel fy llygad chwith.

'Cofia 'te. Ma' drws agored. Pob hwyl,' meddai Twm Celf, gan fynd yn ei flaen i'r siop Spar.

'Pwy o'dd y dyn 'na yn y crafát?' holodd Dan, yn parhau i'w wylio yn y pellter.

'Fy athro Celf,' meddwn, gan yfed ychydig o ddŵr cyn cychwyn ar ein siwrnai hirfaith.

Seiclon ni lan hewl Abergwesyn yn y gwres, gan ofalus osgoi'r tar oedd wedi toddi yn ambell le, gan y byddai hi'n ddigon o farn i gael gwared ar y dam thing oddi ar ein teiars. O'r diwedd gyrhaeddon ni mor bell ag y gallen ni fynd ar ein beics a gadawon ni nhw ger gât ar waelod Cefn Cnwc yn Nolawelon. Fe ddringon ni'n ara' deg, gan yfed yn ofalus o'n poteli, gyda'r dŵr erbyn hyn mor brin ag aur ac wedi twymo'n ddiflas yn dilyn ein siwrnai faith. Wrth i ni esgyn i gyfeiriad Cyrn y Diafol rhoiais ychydig o gefndir y lle i Dan. Ro'n i wedi seiclo lan yma ers blynyddoedd ac un o uchafbwyntiau bob haf oedd neidio oddi ar un o'r creigiau i lawr i'r 'Pwll Dwfwn' oddi tanom. Fel arfer roedd y pwll ymhell dros chwe throedfedd o ddyfnder, gan na allai hyd yn oed chwe throedfedd tair modfedd Alun Morgan o'r chweched dosbarth sefyll lan ynddo yn iawn. Yr unig reswm nad oeddwn i wedi mynd lan yna eto eleni oedd y prinder aruthrol o ddŵr yn afonydd yr ardal. Yn wir, roedd y Brithig, a redai drwy ganol Tregors, yn sych fel sglodyn ers wythnosau. Datgelwyd byd hynod o eitemau wedi eu bwrw o'r neilltu ar wely sych yr afon druan. Roedd y rhain yn amrywio o sbrings gwely i *mannequins* rhyfedd. Gwelwyd fflwcs o chwyn tywyll yr olwg hefyd, bron wedi rhuddo'n ddu lle y bu unwaith yn llysnafedd llithrig o wyrddni.

Roedd Dan yn llawn chwilfrydedd am y ddwy graig, gan ddal ei law i fyny ar wastad i warchod ei lygaid rhag yr haul a syllu lan tuag atynt, dau benrhyn yn cwrtais moesymgrymu i'w gilydd. O bellter bron y gellid meddwl bod y ddau'n cyffwrdd. Gwyddwn yn iawn beth oedd yn mynd trwy feddwl Dan. Allen i weld rhyw sglein peryglus o gyfarwydd yn ei lygaid wrth iddo geisio barnu a oedd Cyrn y Diafol fel y'i gelwir, yn ddigon addas.

'Cyn i ti ofyn, yr ateb yw ody, mae'n bosib neidio o un graig i'r llall,' meddwn.

Gwenodd Dan i'w hun, heb arlliw o embaras fod rhediad ei feddwl mor dryloyw. Cawsom doriad arall ar gyfer yfed ein diodydd ac eisteddon ni ar y llawr chwilboeth. Roedd yr olygfa yn y gwres yn syfrdanol. Dim golwg o ddyn yn unman am filltiroedd, ar wahân i'n beiciau, smotiau annelwig o liw oddi tanom, ac un smotyn coch o flwch teliffon yn y pellter i lawr y cwm. O'n safbwynt ni gallem weld tes a oedd bron iawn yn gyffyrddadwy ychydig droedfeddi uwchlaw lefel y llawr, fel pe bai'r caeau melyn eu hunain yn chwysu neu'n ceisio atgoffa'r byd o'i sychder dolurus.

Gwyddwn yn iawn ei bod hi wedi bod yn haf hynod o anghyffredin hyd yn hyn ond cefais sioc i weld nad oedd prin dropyn o ddŵr yn Pwll Dwfwn serch hynny. Digon i oeri sodlau'n traed a dyna ni. Dim gobaith deifio i mewn i gael rhyddhad corfforol yr oerfel arferol. Heb fod hyn yn ei rwystro yr un iot dringodd Dan lan ochrau un o'r creigiau fel rhyw anifail gwyllt wedi canfod ei gynefin. Taflodd gipolwg o'r naill graig i'r llall, gagendor o tua chwe throedfedd yn y man culaf.

'Wel? Be' ti'n meddwl?' gwenodd o glust i glust.

'Na. Plîs paid. Mae'n iawn fel arfer, achos os eith rhwbeth o'i le, ti jest yn glanio yn y dŵr. Ond does dim dŵr heddi, o's e? Plîs, Dan.'

Cyn i mi orffen fy rhybudd roedd Dan wedi cerdded 'nôl ychydig lathenni, er mwyn cael rhediad iawn.

'Dan!' gwaeddais.

Ond roedd hi'n rhy hwyr. Roedd e lan yn yr aer, yn esgyn fel aderyn a hyd yn oed yn cael cyfle i wincio arnaf wrth iddo groesi'n hyderus o un graig i'r llall.

'Waw,' meddai, wrth syllu'n fuddugoliaethus draw tuag ataf. 'Dere 'mla'n y cachgi. Mae'n sbort. Dyle'r gamp hyn fod yn yr *Olympics*!'

Gwyddwn o'r gorau y byddai'n rhaid i mi ei ddilyn a doeddwn i ddim yn edrych ymlaen o gwbwl. Nid mod i'n becso am y pellter, na chyflwr y creigiau chwaith. Doedd dim golwg o unrhyw erydiad a gwyddwn y byddai'r glanio ar y pen arall yn weddol solet. Y peth mwya rown i'n becso 'mbytu oedd ymddygiad mympwyol Dan, a oedd wrth ei fodd yn chwarae'r ffŵl. A fyddai fe'n ceisio fy maglu wrth i mi lanio? Neu hyd yn oed sefyll yn fy ffordd, gan flocio fy 'nglaniad' tan yr eiliad olaf un? Ro'n i'n dechrau dod i adnabod ei ffyrdd rhyfedd a phenderfynais beidio â mentro.

'Wna i ond jwmpo os dei di lawr fan hyn,' meddwn.

'Beth? I dy ddala di?' meddai yntau'n chwerthin.

'Wy'n ei feddwl e. Sa' i'n trysto ti.'

'Aros fan'na 'te, sdim ots 'da fi,' atebodd. Ond wrth iddo ddweud hyn fe lawnsiodd ei hun i fyny i'r aer unwaith eto, 'nôl i'r graig wreiddiol, gyda dim math o rediad y tro hwn chwaith! Ac i wneud pethau'n waeth fe gaeodd ei lygaid wrth iddo hedfan trwy'r awyr, gan beri iddo grasio'n bendramwnwgl yr ochor arall, syrthio ar ei wyneb a 'sgathru ei bengliniau. Yr unig beth glywais i, serch hynny, oedd ei chwerthiniad uchel brwd yn llawn boddhad dilyffethair.

Digwyddodd popeth mor glou fel na chefais fawr o gyfle i deimlo unrhyw ofn ar ran Dan. Ond fe fydden i'n dweud celwydd pe bawn i'n gwadu bod yna elfen o gyffro pleserus i'r profiad hefyd. Rhyw ruthrad cyhyrol annelwig o'r galon i'r gwddf. Prin eiliadau o eiliadau prin. Gwefreiddiol. Cyfaill newydd i'w groesawu ar gyfer yr haf, a oedd yn amlwg yn hen ffrind i Dan. Yn rhyfedd ddigon, ei dro ef oedd hi nawr i ddarllen fy meddwl innau. Pipodd dros ymyl y dibyn, gan wenu.

'Sbort, nagoedd e? Hyd yn oed yn well na Serge Rachmaninoff. Syrj Adrenalin!'

Hyd yn oed o'r fan lle o'n i'n sefyll oddi tano iddo fe allen i weld bod ei lygaid yn disgleirio fel dwy seren.

Llygaid jynci go iawn.

7

Fel pob jynci, roedd Dan yn benderfynol o ddiwallu ei drachwant. Yn ôl Dan roedd y diwrnod canlynol yn ben-blwydd iddo a dwysaodd ei flys am berygl wrth iddo drefnu plymio i'r môr ar hyd arfordir anwadal Bae Ceredigion.

''Newn ni nofio gyda'r dolffiniaid!' meddai, ei lygaid yn lledu i wên wrth iddo aros tu fas i'm drws ffrynt ar ei feic.

'Neu marw gyda'r môr-forynion,' meddyliais.

Pwtodd ei wefusau gan wneud yr hyn a dybiai oedd yn sŵn dolffin, mae'n debyg – 'Ow ow ow ow!' O glywed y sŵn galwodd Mam o'r tŷ.

'Ody Daniel yn dod mewn?'

'Na, ni'n mynd am sbin i lan y môr,' atebais innau 'nôl, gan wthio fy meic o'r pasej. Pwnodd Dan fy mraich, gan wincio'n fuddugoliaethus – 'Nei di'm dyfaru, Twp.'

Gadawon ni ein beiciau gyda fy anti Gwyneth yn Llanon, gyda

Dan erbyn hyn wedi taro ar gynllun i gerdded ar hyd yr arfordir o fan'ny i Gei Newydd, gan neidio oddi ar rai o'r creigiau ar hyd y ffordd. Cytunais i i'r gwallgofrwydd hyn ar yr amod y bydden ni'n dau'n ymweld â chymuned hipis Jasmin drannoeth – hynny yw, os bydden ni'n dal ar dir y byw.

Rhyw filltir tu fas i Lanon oedd y man a nodwyd ar gyfer ein naid gyntaf. Do'n i ddim yn hapus â'r lleoliad. Wrth i mi bipo dros ymyl sil fach y daeth Dan o hyd iddi nes lawr allwn i weld nad oedd modd i unrhyw un wybod beth a lechai dan wyneb y dŵr i'n peryglu. Os oedd yna ddarn o graig yn digwydd bod yn bargodu yn yr heli yna gallai Dan dorri'i wddwg yn hawdd, neu waeth hyd yn oed. Ond fe wyddwn i'n iawn hefyd nad oedd pwynt treial dal pen rheswm ag ef. Y perygl oedd y pwynt.

Mae'n rhaid ei fod e wedi synhwyro'r pryder ar fy ngwep ofidus gan iddo wenu'n gyfeillgar a tharo fy ysgwydd, fel pe bai'n cysuro rhyw anifail anwes.

'Fydda i'n iawn. Y tric yw i neidio'n groes gymaint ag y galli di, fel neud y naid hir, yna gadael i *gravity* neud ei waith.'

Roedd e'n iawn, wrth gwrs. Tynnodd anadl ddwfwn ac yna neidio â'i holl egni, allan, i ffwrdd o wyneb y graig, gan fflapio ei freichiau brown yn hurt mewn esgus o banic, fel aderyn syfrdan diffygiol. Teimlais gwlwm o ysictod yn fy stumog wrth i mi syllu lawr ar y dŵr, a gwylio Dan yn crasio i ymyl yr ehangder glaswyrdd oddi tanaf. Diflannodd am hydoedd cyn ymddangos unwaith eto o'r diwedd, yn wafio'n fuddugoliaethus arnaf ac yn fy annog â'i law i'w ddilyn.

Fe wyddwn o'r gorau fod y peth yn ddwl bared ond dyfalais pe bawn i'n dilyn yn union yr un llwybr ag ef yna efallai y byddwn i'n iawn. Taflais fy hun allan mor bell ag y gallwn ac yna bues i'n syrthio am oesoedd cyn teimlo sioc y dŵr oer yn chwipio fy mrest. Tarodd Dan ei ddwylo ynghyd yn frwd, yn fflapian 'mbytu'r lle fel morlo syrcas. Roedd e'n brofiad pleserus, rhaid cyfadde, yn enwedig y teimlad iasol ogleisiol o'r halen yn cymysgu â'r eli haul ar fy nghroen, gan fy oeri'n bleserus. Llyncais bocedi o aer trwy fy ngwên anferth o ryddhad.

Yn ôl y disgwyl dechreuodd Dan 'whare 'mbytu yn syth, gan geisio dal fy mhen dan y dŵr. Yna fe ddaeth tuag ataf o'r tu ôl, yn hymian y diwn o'r ffilm *Jaws* cyn diflannu dan y dŵr ac yna dod i'r golwg eto gan ddal un o'i freichiau allan yn lletraws fel asgell siarc.

'Ti'm yn meddwl fydden hi'n hwyl 'sen ni'n gweld siarc nawr?' gofynnodd yn llawn cynnwrf ac edrych o'i gwmpas fel pe bai'n chwilio am un.

'Na,' atebais yn bendant.

'Ti jest yn gweud 'na. Ti'n gwbod fyddet ti wrth dy fodd yn iawn, os o't ti'n gwbod byddet ti'n llwyddo i ddianc.'

Yn hwyrach y diwrnod hwnnw, ar ôl mwy o blymio gwallgo i'r dwfn, gyda Dan yn mynd gyntaf bob tro, fe oedais i gnoi cil ar ddamcaniaeth Dan. A fydden i'n hoffi cwrdd â siarc, pe bawn i'n saff o ddianc? Mae'n debyg bod y ffaith fy mod i'n ystyried y peth o gwbwl yn profi ei bwynt.

Yna, hanner ffordd rhwng Aberaeron a Chei Newydd, cawsom ein heiliad siarc. Neu darw, a bod yn fanwl gywir. Wrth i ni lusgo'n traed yn hamddenol yn y gwres fe glywon ni ryw snwffiad chwythlyd tu ôl i ni, yn union yr un sŵn ag a wneir gan frêcs aer wrth i lorri stopio'n sydyn. Troesom i weld tarw poeth iawn yr olwg yn craffu arnom yn geryddgar, yn amlwg moyn gwybod pam ein bod ni wedi mentro i'w diriogaeth sanctaidd. Gwyddwn taw'r peth gorau i wneud oedd aros yn llonydd ddigynnwrf. Meddyliais am fy wncwl John, a gafodd ei anafu gan darw rai blynyddoedd 'nôl. Yn ôl y sôn bu'n ffodus iawn i oroesi'r profiad. Teimlais fy nghalon yn taro fel drwm, heb feiddio taflu cipolwg ar Dan wrth fy ochor. Ochneidiais yn fewnol wrth sylweddoli mod i'n gwisgo trywsus nofio coch llachar. Gellid tybio pe bai'n dod yn ddewis rhwng Dan a minnau yna ymosod arnaf i fydde *Bully Beef* yn ei wneud. Roedd rhaid i mi ganolbwyntio. Dal fy nhir.

Yna jest wrth i mi ddechrau meddwl mod i'n ennill y gystadleuaeth graffu fe glywais Dan yn cilchwerthin a gweiddi 'I'r môr!' a throi ar ei sodlau. Er iddo ddal ei graffiad arnaf rwy'n hollol argyhoeddiedig i'r tarw godi ei ysgwyddau ar y pwynt hyn a gwgu arnaf, fel pe bai'n dweud 'Be wnei di nawr, pen dafad?'

Doedd gen i ddim dewis. Rhedais nerth fy nhraed ar ôl Dan, gydag eiliadau prin iawn i benderfynu y ffordd orau i farw. Cael fy rhwygo'n ddarnau gan anifail gorffwyll ynte boddi wedi i mi dorri 'ngwddwg?

Er iddo redeg yn weddol bell o'm blaen i allen i weld bod Dan yn chwerthin ac yn mwynhau pob eiliad. Gan gynyddu ei gyflymder wrth nesáu at yr ymyl, fe waeddodd 'Geronimo!' wrth iddo esgyn i'r awyr, gan ymestyn ei freichiau allan yn uchel, fel pe bai newydd sgorio gôl. Y tro hwn fedrwn i ddim fforddio aros iddo brofi'r dŵr i mi. Gan glywed y snwffian ffroenllyd a rhyw nadu anghydnaws o ferchetaidd ar fy ngwar fe neidiais dros yr ochor gan obeithio'r gorau.

Des i'n agos iawn at gael anaf difrifol. Nid ar ryw ddarn o graig fargodol nac ychwaith o'r sioc o daro'r dŵr o'r fath uchder. Na, bu bron i mi lanio ar fy union ar ben Dan! Dim ond ychydig fodfeddi oedd ynddi, mae'n rhaid. Nid wyf yn hollol siŵr a oedd Dan yn ymwybodol o ba mor agos oeddwn i mewn gwirionedd, neu efallai nad oedd e'n poeni am y peth. Fodd bynnag, roedd e wrthi nawr yn codi dau fys tuag at ein cyfaill buchol, a oedd erbyn hyn yn bwrw golwg urddasol dros ei deyrnas o ymyl y clogwyn.

Parhaodd Dan i'w wawdio'n blentynnaidd, gan weiddi, 'Cer 'nôl i Sbaen, ffatso, i ymladd yn iawn!'

Pan aethon ni i bigo'n beics lan mynnodd fy anti Gwyneth ein bod ni'n cael swper pysgod a sglodion gyda hi a'i gŵr, Elwyn, yn enwedig o glywed ei bod hi'n ben-blwydd ar Dan. Ro'n i'n becso braidd y byddai Dan yn sôn wrthynt am ein gorchestion hanner call a dwl y diwrnod hwnnw. Ond roedd e'n fodel o ŵr bonheddig, yn llwyddo i'w swyno fel hudwr neidr â'i garisma naturiol. Roeddynt wrth eu bodd yn clywed e'n canmol lleoliad eu byngalo diymhongar a'u golygfa fendigedig o'r môr. Dangosodd wir ddiddordeb yng ngwaith Elwyn fel porthor ysbyty. Fe wnaeth hyd yn oed ganu clodydd gwallt Gwyneth a'i *perm* uffernol. Mae'n rhaid ei bod hi wedi cael gwybod am dalent rhyfeddol Dan gan iddi, wedi i ni orffen ein pryd, ofyn iddo 'roi tonc ar y piano' cyn i ni fynd adref. Cytunodd Dan yn syth, gan chwarae'r 'Saraband gigue' o gyfres Ffrengig Bach o'i gof ar y piano sigledig. Gwyliasom yn syn wrth iddo ymgolli yn y darn mewn ffordd mor ddeheuig, er yr oedd Dan ei hun yn llawdrwm o'i berfformiad. Eglurodd taw dyna un o'r darnau gosod ar gyfer yr Eisteddfod Genedlaethol yn Aberteifi a bod angen iddo weithio arno. Wrth gwrs, fe barodd hynny fwy fyth o ochneidiau o edmygedd o du fy modryb faldodus.

Seiclon ni 'nôl dros y mynydd tuag at Dregors, gan stopi ar y pwynt uchaf i yfed y sgwash a baratowyd i ni gan Gwyneth. Edrychon ni 'nôl dros Fae Ceredigion, gan weld yr haul blinedig yn machlud yn y môr. Yn wir, edrychai mor oren a thangnefeddus â'n sgwash. Dywedodd Dan y dylen ni feddwl am fynd 'nôl i Dregors, gan yr oedd wedi addo agor anrhegion ei rieni gyda hwy cyn diwedd y dydd. Ond roeddwn i'n dal i syllu ar yr olygfa fendigedig.

'Trueni nad oes camera gyda ni,' meddwn, gan ychwanegu y

byddai e wedi bod yn lun arbennig i ddangos i Jasmin.

Nid atebodd Dan, gan barhau i yfed ei sgwash a gwneud sŵn sugno wrth iddo gyrraedd diwedd ei ddiod.

'Ti *yn* cofio ein bod ni'n mynd i'r comiwn 'fory, nag wyt ti?' meddwn drachefn.

'Beth? Trwy'r dydd?' atebodd yntau'n swrth.

'Ie! Falle!' atebais. 'Pam lai?'

Yn amlwg wedi ei wylltio, taflodd Dan ei botel sgwash dros y clawdd ac aeth ar ei feic unwaith eto. Seiclon ni 'nôl i Dregors mewn tawelwch. Wrth i ni gyrraedd y gyffordd a arweiniai at ystad Maescelyn stopiais i ffarwelio ag ef.

'Fydda i'n gweld ti fory 'te, neu beth?'

Cododd Dan ei ysgwyddau yn ddi-hid.

'Beth ma' 'na fod i feddwl, Dan?'

'Ma' fe'n meddwl mod i ddim yn gwbod. Mae'n dibynnu shwt eith fy ymarfer piano.'

Penderfynais beidio gwthio'r peth, felly dywedais fy hwyl fawr iddo ac yna anelu'r beic i gyfeiriad fy nghartref. Wrth i mi droi i mewn i'r gyffordd galwodd Dan arnaf ac fe stopiais y beic, gan droi i'w wynebu.

'Wnes i fwynhau heddi. Un o'r pen-blwyddi gorau erioed,' meddai.

Do'n i ddim yn yr hwyl i gyfadde'r peth ond ro'n innau wedi cael diwrnod i'w gofio hefyd.

8

Treuliais gryn dipyn o'r nos yn ceisio dyfalu pam yr oedd Dan yn ymddangos mor negyddol am y gymuned hipis. Galwais yn Glanrafon House y bore wedyn jest cyn naw o'r gloch a chefais fy synnu wrth glywed Dan yn ymarfer ei Bach. Tybiais ar y pryd neithiwr taw esgus oedd yr 'ymarfer piano' er mwyn peidio dod gyda mi i'r comiwn yn Llanafan. Allwn i weld ceir ei rieni wrth ochr y tŷ ac ychydig falŵns yn dal i hongian yn yr ystafell ffrynt fel gwaddol o'i ddathliad teuluol ond ceisiais beidio gadael i hynny darfu ar fy mhenderfyniad. Ro'n i'n awyddus iawn i gael Dan i newid ei feddwl. Cerddais yn dalog at ddrws y ffrynt ac yna taro'r cnocar ddwy waith yn swnllyd. Fy ngobaith oedd y byddai hyn yn rhoi taw ar y gerddoriaeth ac y byddai Dan ei hun yn ateb y drws. Ond cefais fy siomi. Mae'n rhaid bod ei fam wedi bod yn trefnu blodau yn y cyntedd gan iddi agor y drws bron yn syth, yn dal carnasiynau pinc heb yngan gair. Arhosais ar y rhiniog yn y tawelwch lletchwith. Ar ôl ychydig gofynnais a oedd Dan i mewn, cwestiwn dwl, wrth reswm; pwy arall fyddai'n chwarae'r piano mor ddeheuig?

'Ydy, mae e adre, ond mae e'n mynd i fod yn brysur heddiw. Mae angen iddo fe ymarfer y piano,' atebodd Mrs Harris, ychydig yn swta.

'Reit,' atebais, gan siglo o'r naill droed i'r llall, heb ddisgwyl y fath anghwrteisi.

'Wy'n siŵr neith e'ch gweld chi o gwmpas,' parhaodd, ychydig yn fwy dymunol, cyn ychwanegu 'Hwyl nawr' a chau'r drws yn glep.

Es draw i Gaffi Ifan wrth y sgwâr fach er mwyn ystyried fy opsiynau. A fydden i'n medru mynd i'r comiwn ar fy mhen fy hun? Pe bawn i'n canfod Jasmin, beth fydden i'n dweud wrthi? Yna, wrth i mi giwio am frechdan, sylwais ar rai pamffledi ar y cownter, yn hysbysebu noson 'Twmpath Dawns, Sosej a Seidr' y nos Sadwrn yma, i godi arian i'r clwb rygbi. Hepgorais y frechdan gan roi pamffled yn fy mhoced a'i throi hi tua Llanafan.

Roedd y gymuned hipis tipyn yn fwy nag yr oeddwn i wedi disgwyl, gyda dros gant o bobol yno yn hawdd. Arhosent mewn *tipis* a phebyll llai mewn cae o'r enw Caer Hafod ar lannau'r afon hollol sych. Roedd y rhychwant eang o bobol yno yn drawiadol, o blant bach porcyn yn crwydro'n rhydd i hynafion barfog yn pwyso yn erbyn boncyff coed gan ysmygu'u pibellau'n braf. Es lan at un o'r doethion blewog a wenodd arnaf wrth i mi nesáu ato. Mwy na thebyg roedd wedi sylwi ar yr olwg bell oedd arnaf pan ddes i lawr o'r sticill wrth y fynedfa. Sylwais fod yna arogl melys o'i hamgylch, cymysgedd amheuthun o ganabis a phin. Eglurais mod i'n chwilio am ferch o'r enw Jasmin a chododd y gŵr ei ysgwyddau'n ddi-glem. Yna sylwais ar ddyn tal tenau yn ei ugeiniau hwyr wrth ei olwg, yn gwisgo siorts tyn denim a sandalau. Wrth ei ymyl ffliciodd bleiddgi Gwyddelig ei ben i'r ochr i geisio cael gwared o ryw wybed oedd yn ei nychu. Daeth y dyn tenau draw a chyflwyno ei hun fel 'Jake' mewn acen gref Sgowsar. Cyflwynodd e'r ci fel 'Arthur'. Sylwais ar neges wedi ei gwnïo ar ei siorts, sef 'Make Love Not War'. Rhoddais ddisgrifiad o Jasmin iddo a dweud ei henw ac er iddo edrych yn syn am eiliad daeth hi'n amlwg bod e'n ei hadnabod hi'n iawn. Wrth iddo ystumio arnaf i'w ddilyn fe daflodd nifer o gwestiynau ataf. A oeddwn i'n frodor lleol? A oeddwn i'n siarad Cymraeg? A oedd e'n wir fod y Gymraeg yn un o ieithoedd hynaf Ewrop? Roedd Jake ei hun yn dysgu'r iaith. Roedd wedi taro bargen gyda'i gariad Sara, mae'n debyg: bydde fe'n dysgu'r gitâr iddi hi a bydde Sara'n dysgu'r iaith iddo fe. Roedd Jake yn credu bod yr iaith yn swnio'n hardd iawn. A bod Llanafan mewn rhan hardd iawn o'r byd. A bod y brodorion lleol wedi bod yn groesawgar iawn, mewn ffordd wirioneddol hardd.

Stopiodd tu fas i dipi lliw oren a gwyn a daeth menyw â gwallt brown, weddol lond ei chroen, allan i'n cyfarch. Roedd hi yn ei hugeiniau cynnar, gyda llygaid treiddgar brown. O sôn am Jasmin edrychodd y fenyw arnaf yn ofalus a dywedodd ei bod hi'n chwaer iddi a taw ei henw oedd Sara. Ysgydwais ei llaw, ychydig yn stiff.

''Dach chi 'di cael siwrnai chwithig, gen i ofn. Aeth Jasmin i Aberystwyth am y dydd, ben bore,' meddai hi.

Teimlais ryw bigiad o siom, bron yn gorfforol, ac ystyriais y posibilrwydd o seiclo ymlaen i Aberystwyth yn y gobaith tenau o ddod ar ei thraws. Yna sylweddolais efallai bod ei habsenoldeb yn rhywbeth ffodus. Wedi'r cwbwl, allen i ddal ei gwahodd ar ddêt, a hynny heb y lletchwithdod arferol fyddai ynghlwm â hynny. Rhoddais bamffled y Twmpath Dawns i Sara.

'Nos Sadwrn yma sy'n dod, yn fferm Cwmsiencyn, jest tu fas

i Langeitho. Mae 'na gyfeiriadau a map ar y cefn.'

Edrychodd Sara draw arnaf.

'A pwy ddeuda wnaeth alw?' gofynnodd.

Sylweddolais er mawr embaras fy mod i wedi bod mor ddisgwylgar a llawn tyndra nes i mi anghofio dweud wrthynt pwy oeddwn i.

'Trystan,' meddwn, 'un o'r adeiladwyr lan ym Mryneglur.' Pwyntiais i fyny'r cwm i gyfeiriad cartref Rhys Edwards. A wnes i synhwyro'i bod hi'n ceisio atal rhyw fymryn o wên yng nghornel ei cheg? A oedd Jasmin wedi sôn amdanaf? A oedd hi wedi dweud ei bod hi wedi'm canfod yn cael cachiad mewn cae?

Teimlais ochor fy ngwddwg yn llosgi'n goch ond daeth Jake i'r adwy diolch byth, gan ddod mas o'r tipi â'i gitâr. Dywedodd y byddai'n gas gydag e fy mod i wedi cael siwrnai wastraff. Roeddynt ar fin ffreio ychydig o gig moch ac roedd yna groeso i mi aros i ginio.

Gwenodd Sara.

'Mae o isio canu "Ar lan y Môr" ichdi,' meddai, gan ysgwyd ei phen.

'Fydde gwahaniaeth gen ti?' gofynnodd Jake yn eiddgar, gan ffeindio safle cyfforddus i'w hun ar y gwair melyn wrth iddo diwnio'i gitâr.

Wrth iddo ganu swniai'r geiriau Cymraeg mor rhyfedd yn dod o'i enau Sgowslyd. Nadodd Arthur ychydig yn brotestgar a daeth rhagor o bobol i ymgynnull o'n cwmpas, gan daro'u dwylo yn ysgafn i guriad y gân, ac eraill eto fyth yn hymian yr alaw yn y cefndir. Daeth eraill â'u plant draw a thaflodd un crwt bach ei bêl ataf, pêl wedi ei gwneud allan o wlân a lledr a Duw a ŵyr beth arall. Sylweddolais y byddwn yn aros i ginio wedi'r cwbwl.

Mewn gwirionedd arhosais am y rhan fwyaf o'r prynhawn, gan ddysgu ychydig mwy o ganeuon Cymraeg(!) i Jake, fel 'Bing bong bing bong bei'. I ddangos ei werthfawrogiad rhoddodd ef sbliff o dôp i mi, yr un cyntaf i mi dderbyn erioed. O dan ddylanwad amheus y cyffur mae'n debyg i mi ganu dehongliad reit gysglyd ac araf o 'Pontypridd' Edward H. Dafis, i dderbyniad gofalus rhesi o bennau yn nodio'n bwyllog werthfawrogol. Ro'n i'n falch nad oedd Jasmin ar gyfyl y lle i weld fi'n gwneud cystal ffŵl o'n hunan. Prin mod i'n cofio seiclo 'nôl o gwbwl, dim ond rhyw frith gof o deimlo'n fwyfwy penysgafn wrth i mi bedlo ymlaen. Mae gen i ryw gof niwlog o chwydu ar ben rhyw flodau'r gog diniwed ym môn clawdd a gyrrwr car yn canu ei gorn wrth iddo wyro'i fodur er mwyn osgoi taro fy meic amddifad.

Roedd y daith i Lanafan wedi bod yn llwyddiant, fodd bynnag, o leiaf yn yr ystyr fy mod i wedi llwyddo i ofyn i Jasmin fynd mas ar ddêt gyda mi. Wrth i mi baratoi i fynd mas i'r Twmpath Dawns y nos Sadwrn honno fedrwn i ddim cwato fy nghynnwrf, gan blastro fy hun â Brut ar ôl eillio a gwisgo fy nghrys sgwariog brethyn caws newydd glas a gwyn. Wnes i hyd yn oed fenthyg hen esgidiau cowboi Gareth. Mae'n rhaid mod i'n edrych fel rhywbeth mas o'r *Waltons*. Syniad Dan oedd gwisgo lan i'r Twmpath. Fel arfer doedd e'm yn fodlon gwneud pethau ar raddfa bach. Roedd ganddo het gowboi a gwddf-facyn trawiadol glas. Ro'n i'n hanner disgwyl iddo dynnu dryll o'i boced a bathodyn siryf. Wrth iddo ddod mewn i'r gegin fflciodd Gareth ei aeliau i fyny'n ddirmygus o weld yr olwg oedd ar Dan.

'O'n i'm yn sylweddoli bod y "Sosej a Seidr" yn *Fancy Dress*,' ysgyrnygodd.

Cynhyrfodd Dan ef fwy trwy ddiosg ei het yn daeogaidd ffug-ddiymhongar.

'Sa' i'n rhoi lifft i'r un o' chi, wedi gwisgo fel'na!' ychwanegodd Gareth yn sarrug, wrth iddo bilo banana.

'Sut ewn ni 'na 'te? Dere Gareth, ma' fe dros dair milltir,' protestiais.

'Paid poeni, partner, neith y wâc les i ni,' meddai Dan yn bryfoclyd mewn llais ffug John Wayneaidd.

Er gwaethaf apêl funud olaf o du Mam fe gadwodd Gareth at ei air a gadael i ni gerdded i'r ddawns.

Fel mae'n digwydd wnaethon ni ddim gorfod cerdded dim pellach nag arwydd 'Tregors' ar hewl Llambed cyn i ni gael lifft gan Megan Roberts a'i ffrind Delyth. Merch fferm oedd Megan, yn mynd ymlaen i flwyddyn chwech dau yn yr ysgol ac roedd hi newydd basio'i phrawf gyrru. Yn addas ddigon roedd hi'n defnyddio fan pic-yp ei thad ac roedd Dan a minnau'n ddigon diolchgar i ddala'n sownd i ymyl metal y cerbyd yn y cefn agored. Wrth iddi yrru yn ei blaen anadlon ni gymysgedd penysgafn o bersawr, gwair, diesel a dom defaid i'n hysgyfaint. Roeddem wrth ein boddau!

Bron yn anochel bu Dan yn holi fy mherfedd am Megan. Ceisiais yn galed ei roi e oddi ar y sent, gan ddweud ei bod hi fwy neu lai yn mynd mas gyda rhywun eisoes, ac yn rhyw fath o wedjen i'm cymydog, Rhodri.

'Y wancar yn y Neuadd Snwcer?'

Nodiais a nodais y tinc hy' o frwdfrydedd yn ei oslef. Suddodd fy nghalon wrth i mi weld gweddill y noson gydag eglurdeb annorfod rhyw drasiedi Roegaidd.

Gan fod y digwyddiad yn codi arian i glwb rygbi Tregors roedd fferm Cwmsiencyn dan ei sang. Roedd y clos wedi'i neilltuo ar gyfer bwyd a diod, gyda stondinau yn gwerthu *hot dogs* a seidr. Ar bwys y clos oedd y sièd enfawr lle y cynhelid y ddawns. Chwaraeid cerddoriaeth sionc, llawn bywyd, yn y sièd gan grŵp gwerin, gan osod cywair hwyliog yn gynnar i weithgarwch y noson. Safai Dan allan yn y dorf mor amlwg â golau dydd yn ei het gowboi. Ar wahân i Dan ac ambell ferlotwraig strae, brodorion lleol oedd yn y ddawns i gyd. Edrychais o gwmpas yn ofer am Jasmin cyn penderfynu lleddfu fy siom trwy fwrw mewn i'r seidr gydag arddeliad.

Cymerodd Dan ran awchus yn y Twmpath, yn bennaf er mwyn bod yn agos at Megan. Sylwais arno'n peri iddi chwerthin trwy daro ei goes a sgrechian 'Ii-ha!' i guriad y gerddoriaeth wrth iddo gymryd amryw o bartneriaid yn ei law. Mae'n rhaid ei fod e wedi bod yn ymwybodol o Rhodri'n syllu arno'n fygythiol. Wrth i mi lowcio'n seidr meddyliais tybed a oedd hwn hefyd jest yn fersiwn arall o neidio oddi ar graig i Dan? Sylwais ar Rhodri'n mud-ferwi, gan ystumio'n ffyrnig wrth glebran ag ychydig o fois hŷn, meibion fferm a oedd yn aelodau o'r tîm rygbi. Safent mewn llinell gydag ychydig o feibion fferm eraill yn bwrw golwg ar y menywod yn dawnsio, eu hosgo yr un ffunud ag un eu tadau yn asesu eu hanifeiliaid yn y mart bob dydd Mawrth. Wy'n siŵr pe bai prennau gyda rhai ohonynt fydden nhw wedi pwnio'r merched yn eu pen-olau neu, o gael hanner cyfle, nodi cadernid eu bronnau gydag amnaid gwybodus a swmpad bach slei.

Daeth cyfres o ddawnsfeydd i ben, gyda'r dawnswyr, yn cynnwys Dan wrth ymyl Megan, yn cymeradwyo'r band yn frwd. Cyhoeddodd Meistr y Seremonïau, gŵr busnes bochgoch a adwaenid yn lleol fel Ronnie Millionaire, y byddai yna doriad o ddeng munud ar gyfer lluniaeth. Arweiniodd Dan Megan mas i'r clos i'r stondin seidr agosaf. Fel roeddwn i wedi rhag-weld aeth Rhodri ar eu hôl nhw fel milgi o drap.

'Ti'm yn cael diod arall, wyt ti?' meddai wrth Megan, gan daflu cipolwg ar Dan yr un pryd, 'a tithau'n gyrru a chwbwl?'

'O'n i'n meddwl 'sen i'n gadael y fan,' atebodd Megan yn gwrtais.

'Paid bod yn ddwl. Fydd dy dad moyn hi peth cynta yn y bore.'

'Beth s'da fe i neud â ti, ta beth?' gofynnodd Dan, braidd yn ddiamynedd.

Hwn, wrth gwrs, oedd y ciw y bu Rhodri yn aros amdano.

'Beth?! Gwed 'na 'to!' gwaeddodd.

Yn sydyn fe dewodd y mân-siarad o'u cwmpas, fel trydar adar yn sydyn dawelu cyn storm. Wrth iddi synhwyro'r tyndra dywedodd Megan, 'Plîs, Rhodri, paid neud ffŵl o dy hunan'.

'Ti sy'n neud 'ny, yn dawnsio 'da'r ffrîc hyn trwy'r nos!'

Roedd Dan wedi cael digon. Taflodd ddwrn gwyllt tuag at Rhodri ond methodd â'i daro o gwbwl. Yn wir, misiodd ei darged i'r fath raddau nes iddo fwrw polyn teligraff tu ôl i Rhodri. Sgrechiodd Megan wrth i Dan wingo, yn dal ei law dde mewn poen, a chyn i Dan gael cyfle i adfer ei hun roedd Rhodri ar ei ben ef, gyda dau o'r meibion fferm wedi gwthio Dan i'r llawr a'i ddal i lawr fel bod Rhodri'n rhydd i roi crasfa go iawn iddo. Yn amlwg doedd hyn ddim yn deg. Yn llawn cyffro fe dynnais Rhodri oddi wrth Dan a rhoi dyrnod i'w drwyn nes bod gwaed yn tasgu dros ei wyneb. Trodd y ddau fab fferm eu sylw tuag ataf i nawr. Llwyddais i roi un hergwd uchel i ên un ohonynt ond wnaeth y llall, ei frawd, ddal pelen bert arnaf jest o dan fy llygad chwith. Trwy olwg digon niwlog sylwais fod Gareth wedi ymuno yn y sgarmes erbyn hyn hefyd, ynghyd â rhai o chwaraewyr hŷn y clwb rygbi, yn gwisgo gwasgodau llachar melyn stiwardiaid y noson, yn awyddus i atal yr anhrefn rhag lledu.

Yna, trwy gornel fy llygad dde, sylwais ar newydd ddyfodiad, yn gwisgo ffrog haf ysgafn ond trawiadol lliw *turquoise*. Jasmin.

Allen i ddim stopi nawr. Ro'n i'n ysu moyn dangos medrusrwydd fy nwylo chwimwth iddi. Bron fel pe bawn i'n dilyn prompt dales i ddwy ergyd galed ar Hywel Tew syn iawn yr olwg, un o'r stiwardiaid. Yn wir gwnaeth rhai o'r dorf oedd yn gwylio guro eu dwylo mewn cymeradwyaeth a bloeddio'u cefnogaeth i'm hysbryd heriol. Wedi'm calonogi gan hyn hyrddiais ddwrn dialgar i lygad y ffermwr oedd wedi fy nharo yn fy llygad. O fewn dim o'n i'n cael fy nghario yn yr awyr gan Hefin 'Tyres', Gwilym Dolnant a Ray 'Robot', sef rheng-ôl y tîm cyntaf! Maes o law cefais fy nhaflu'n ddiseremoni dros gât allanol y fferm – ac eitha reit hefyd!

Galwodd Gwilym draw at Gareth, a oedd wedi ein dilyn ni draw – 'Mwyn Duw, controla fe nei di? A cer â'r diawl dwl adre!'

'A gallu di gnycho bant o'ma hefyd!' ychwanegodd Ray wrth Dan, a oedd newydd gyrraedd i weld beth oedd yn digwydd ac yn dal ei wefus chwyddedig. Ond, yn rhyfeddol, roedd yn dal i chwerthin, serch hynny.

'Twpsod!' ysgyrnygodd Gareth, wrth iddo'i throi hi i'r maes parcio dros-dro yn un o'r caeau gwaelod.

Yna fe sylwais arni yn y cysgodion, yn llithro i ffwrdd o'r ddawns.

'Jasmin!' galwais.

Wn i ddim beth o'n i'n disgwyl. Gwên o gydnabyddiaeth, neu hyd yn oed arwydd o falchder yn y ffordd wnes i amddiffyn fy hun yn erbyn cymaint o wrthwynebwyr, efallai? Yn sicr ddigon, o'n i'm yn disgwyl yr ymateb a gefais.

'Paid ti meiddio siarad efo fi, yr anifail!' meddai mewn staccato o ddicter.

'Wy'n iawn, wir. Jest 'bach o sbort o'dd e,' fentrais yn ffôl, heb ddirnad hyd a lled y gwenwyn yn ei llais.

'O'n i'n meddwl mod i'n dŵad i ddawns, nid i ornest focsio! Oedd o'n erchyll. Hollol erchyll!'

Ysgydwodd ei phen yn llawn dirmyg wrth iddi ailadrodd y gair, yn methu dechrau deall sut allai rhywun yr un oedran â hi ymddwyn mewn modd mor ofnadwy. Wrth iddi ruthro i ffwrdd i lawr y lôn dechreuais gerdded ar ei hôl hi ond rhoddodd Dan ei law ar fy ysgwydd.

'Gad iddi fynd. Dyw hi ddim yn deall,' meddai'n syml, gan chwythu ar ei ddwrn dolurus.

'Eith dy fam yn nyts pan welith hi dy law di,' meddwn, gan ysgwyd fy mhen mewn cydymdeimlad.

'Yn enwedig pan ffeindith hi mas taw polyn teligraff nath e!' atebodd Dan.

Wrth i oleuadau Cortina Gareth ddal ein gwenau cysur cododd Dan ei law lan i gydnabod Megan ofidus yr olwg, a oedd wedi dod draw i chwilio amdanom.

'Wy'n sori,' alwodd hi draw.

'Mae'n iawn,' atebodd Dan. 'Nage dy fai di oedd e. Diolch am y dawnsio. Wela i ti 'to cyn bo hir!'

Gwenodd Megan a wafio. Wafion ni 'nôl arni wrth fynd mewn i gefn y Cortina. Gyrrodd Gareth mewn tawelwch llethol ar y ffordd 'nôl, hyd yn oed ar ôl gollwng Dan wrth fynedfa Glanrafon House. Unwaith o'n i 'nôl adref, fodd bynnag, eglurodd ddigwyddiadau'r noson yn fanwl iawn i Mam. Ymatebodd hi gyda'i blacmeil emosiynol arferol o dan y fath amgylchiadau – gan ddweud mod i'n bwrw'r hoelion olaf i'w harch hi gyda'r fath ymddygiad.

Mae'n rhyfedd ond y mae'n ffaith ddigamsyniol y gwnes i fwynhau pob eiliad o'r ffrwgwd ar fferm Cwmsiencyn. Do, cefais fy siomi gydag ymateb Jasmin ac roeddwn i'n rhyw led sylweddoli mod i wedi difetha unrhyw obaith o berthynas cyn hyd yn oed dechrau. Ond roedd rhyw ddiawlineb ynof i y noson honno, rhyw niwl coch, meddwol bron, y bydden i'n dod i'w adnabod fel cyfaill mynwesol nes ymlaen yn fy mywyd. Os ydw i'n onest, serch hynny, ro'n i'n dawel fy meddwl ac yn hollol esmwyth gyda digwyddiadau'r noson wrth i mi wylio *Match of the Day* ar fy mhen fy hun. Wedi dweud hynny ro'n i'n gwylio'r pêl-droed trwy stêcen oer yn cael ei dal gan elastig, gyda dau dwll pwrpasol wedi eu torri yn y cig, i leddfu ar chwydd fy llygad chwith. Dim ond het gowboi Dan wedyn ac fe fydden i'r un ffunud â'r *Lone Ranger*.

9

Dihunais drannoeth yn llawn penderfyniad i dreial eto gyda Jasmin. Doedd gen i ddim dewis go iawn. Gwyddwn o'r gorau na fydden i'n gallu ei hysgwyd hi o 'mhen. Y cyfan roedd ei angen oedd rhyw gynllun i'w galluogi hi i 'ngweld i mewn goleuni mwy cadarnhaol. Wrth reswm byddai hynny'n anodd gyda llygad chwith wedi chwyddo ac unrhyw enw da oedd gen i wedi hen ddiflannu. Ond does bosib roedd hi'n werth treial?

Wedi fy nghalonogi gan absenoldeb unrhyw geir yn nreif Glanrafon House tarais y cnociwr metal ar ddrws y ffrynt dair gwaith ac yna galwais enw Dan. Daeth Dan allan o ochr y tŷ gyda phwmp beic yn ei law. Chwarddodd nerth ei ben yn syth, gan bwyntio at fy sbectol haul.

'Beth sy'n bod arnyn nhw?' gofynnais, wedi fy nhaflu braidd.

'Ife dy fam sy bia' nhw? Ma' nhw mor naff!'

'Ffiles i ffindo rhai fi. A galla i byth mynd i'r comiwn yn

edrych fel hyn,' meddwn, gan dynnu'r sbectol lawr i ddatgelu fy llygad ddu.

'Am nosweth, ife?' meddai Dan, gan ysgwyd ei ben a chyffwrdd â'i wefus chwyddedig.

'Beth wedest di wrth dy rieni?' gofynnais.

'Mod i wedi cwmpo ar y ffordd adre yn y tywyllwch. 'Nath Mam ffŷs mowr ohona i!'

'Babi Mam!'

'Beth am dy fam di?'

'Wy'n credu bod hi'n dachre danto 'da fi.'

'Druan â Mrs P.,' meddai Dan yn feddylgar.

'Dim ots. Cwyd dy galon, ma' Mam a Dad wedi bygro o' ma i Ffrainc am yr wythnos. Allen ni gael 'bach o sbort fan hyn. Heddi,' os ti moyn. Allwn ni ddwyn o'r *drinks cabinet*, cael parti.'

''Se 'na'n syniad da 'sen ni'n gallu cael un gwestai arall,' atebais, gan edrych yn ymbilgar i lygaid Dan.

'Na. Nage'r ferch hipi 'na 'to. O'dd hi'n meddwl bod ti o Oes y Cerrig! Fydd dim diddordeb 'da hi.'

'Falle bydde 'na – 'set ti'n gweud y gwir wrthi. Taw stico lan dros ffrind o'n i.'

''Na beth o't ti'n neud 'te, ife Twp?'

'Paid galw fi 'na.'

'Sori,' meddai Dan gan daro ochr ei ben â'r pwmp beic wrth iddo ystyried fy nghais.

'Allet ti wahodd Megan Roberts draw hefyd, falle,' awgrymais, gan geisio peidio swnio'n rhy ddespret.

'Arna i ffafr i ti, ynta,' atebodd o'r diwedd, gan godi ei ysgwyddau. 'Ond paid codi dy obeithion.'

Pan gyrhaeddon ni'r comiwn allen i weld Jasmin tu fas i'w phabell fach, yn dal pyped maneg lan, yn chwarae gydag Arthur, y bleiddgi Gwyddelig. Wrth i ni ddod lan tu ôl iddi'n dawel bach fe welsom taw *Sooty* oedd y pyped. Yn wir, roedd Jasmin yn dynwared llais *Sooty* yn arbennig ar gyfer Arthur, a oedd wedi ei swyno'n llwyr ganddi.

'Chdi'n iawn, yndwyt? Wyddost ti'n iawn be wyt ti. Ond be ydw i? Ai tedi bêr dwi 'ta ci 'ta be?'

Yn sydyn trodd sylw Arthur oddi ar *Sooty* tuag atom ni, gan ysgyrnygu'n dawel ddrwgdybus. Trodd Jasmin rownd ac unwaith welodd hi pwy oedd yno cododd ar ei thraed a dechrau cerdded ymaith.

'Na, aros, plîs,' meddai Dan, gan ychwanegu, 'Plîs paid gadael i ni dorri ar draws dy sioe.'

'Nid "sioe" oedd o!' atebodd Jasmin yn siarp, gan stopi'n stond.

Ysgyrnygodd Arthur eto, yn uwch y tro hwn.

'Mae'n iawn, Arthur. Maen nhw'n mynd rŵan.'

'Ocê, fe ewn ni,' meddai Dan yn siomedig o glou, 'ond licen i i ti wbod wnest di gam mawr â'm ffrind i fan hyn, Trystan, neithiwr.'

'Dyma Daniel, Jasmin. Jasmin, Daniel,' ystumiais yn lletchwith wrth sylwi fod Jasmin a Dan yn syllu i fyw llygaid ei gilydd yn heriol, fel pe baent yn chwarae rhyw gêm gymhleth, cyn cydnabod ei gilydd gydag amnaid gynnil o'r pen.

Ar y pwynt yma, fel pe bai ef wedi synhwyro goslef ymosodol Dan, dechreuodd Arthur gyfarth arnom.

'Shwsh Arthur, mae'n oreit,' ceisiodd Jasmin ei dawelu.

'Roedd Trystan yn stico lan drosta i. Doedd dim rhaid iddo fe. O'dd e'n ddewr iawn,' parhaodd Dan.

Wrth fy mod yn clywed hyn edrychais yn eiddgar ar Jasmin am ei hymateb. Ond roedd gwell i ddod, wrth i Dan chwythu ar y cytiau ar ei ddyrnau a'u dangos nhw i Jasmin.

'Wy ddim yn dda iawn gyda rhain pan ddeith hi i ymladd,' meddai, gan wenu'n sardonig.

Roedd hi'n anodd darllen meddwl Jasmin ond synhwyrais ei bod hi'n dadebru felly ymunais i yn y sgwrs hefyd – 'Ond dylet ti weld beth ma' fe'n gallu neud â nhw ar y piano. Ma' fe'n wych!'

'Wyt ti?' meddai hi, gan daflu cipolwg tuag ato gan edrych yn syn.

'Allen ni fynd i'w dŷ e. Allet ti weld e'n whare,' parheais.

'Allet ti ddod â *Sooty* hefyd,' ychwanegodd Dan.

Am y tro cyntaf fe wenodd Jasmin. Aeth tu fewn i tipi ei chwaer ac yna dod mas eto yn dal tennyn Arthur. Yna fe glymodd hi'r ci i foncyff coeden gerllaw, gan siarad ag e trwy'r adeg – 'Bydd Sara a Jake ddim yn hir. Bydda di'n hogyn da rŵan Arthur, ti'n clywed?'

Sylwodd Dan arnaf yn edrych wrth fy modd â'r datblygiad hwn, gan ddal ei fawd lan yn obeithiol. Wrth i Jasmin fynd ar gefn ei beic aeth Dan lan ati.

'O ie, gyda llaw, mae Trystan fan hyn yn ffansïo ti. Nei di gymryd gofal ohono fe, yn gwnei di?'

Trodd Jasmin ei phen tuag ataf gan wenu'n braf arnaf. Gwenais innau 'nôl, gan felltithio sbectols haul Mam.

Pan gyrhaeddon ni Glanrafon House mynnodd Dan ein bod ni i gyd yn cael jin a tonics mawr gyda thalpau o iâ, wedi ei syrfio i ni mewn gwydrau hanner peint. Roedd Jasmin wedi dod ag ychydig o dôp ganddi hefyd. Roedd Dan wrth ei fodd â hynny. Ond roedd Jasmin yn benderfynol peidio rhannu'r dôp nes iddi glywed Dan ar y piano. Ro'n i'n dechrau teimlo ychydig yn anniddig am ei diddordeb brwd hi yn Dan felly gofynnais iddo a oedd e'n bwriadu ffônio Megan i'w gwahodd hi draw i ymuno â ni.

'Pwy ydy Megan?' gofynnodd Jasmin, wedi'i thaflu oddi ar ei hechel braidd.

'Fy nghariad i,' atebodd Dan yn glou, gan ychwanegu ei fod e'n syniad gwych i ofyn iddi hi ddod draw hefyd. Wrth i Dan fynd trwyddo i'r cyntedd i ffônio fe drodd Jasmin ei sylw tuag ataf.

'Dwi'm yn meindio dy lygad ddu di. Mae o'n eitha secsi, y milwr yn dychwelyd o faes y gad a ballu.'

'Ocê,' meddwn, gan fentro tynnu fy sbectol yn ofalus.

Craffodd ar y chwydd dan fy llygad, wedi codi i'r wyneb fel eirinen fach wlanog.

'O diar, druan â ti,' meddai, gan fwytho fy nhalcen â'i bysedd bregus. 'A tithau â'r fath lygaid hardd. Oedd 'na rywbeth tebyg yn dy lygaid di i rai Paul Verlaine y dydd o'r blaen. Secsi iawn.'

Edrychais yn falch, ond ar goll braidd hefyd, mae'n rhaid, gan i Jasmin fynd yn ei blaen i egluro taw bardd Ffrengig oedd Verlaine, un o'i hoff feirdd. Yna fe drodd y pwnc 'nôl at y noson anffodus ar fferm Cwmsiencyn.

'Ges i gymaint o sioc i weld yr holl ddynion yna a'r gwaed ymhobman,' meddai, gan ysgwyd ei phen.

'O'dd e'n edrych yn waeth nag o'dd e, siŵr o fod,' atebais, gan fwynhau'r profiad ohoni hi'n dal i fwytho fy ngwyneb. Wrth i Dan ddychwelyd gadawodd ei braich i orffwys tu ôl i f'ysgwyddau ar y soffa, gan syllu i fyw fy llygaid. Prin mod i'n gallu credu'r peth!

'Ma' hi'n methu dod draw, gen i ofn,' meddai Dan, gan fynd i eistedd ar stôl y piano.

'Trueni,' meddai Jasmin, gan edrych draw arno, 'ond 'na fo, mwy o jin a dôp i ni 'te?'

Bwrodd Dan mewn i'r darn Bach. Syllai Jasmin arno gan sipian o'i gwydr bob hyn a hyn ond wedi ei chyfareddu'n llwyr gan fedrusrwydd chwarae Dan, fel yn wir roeddwn innau. Wrth iddo ddod at ddiwedd y darn gwnaeth rhyw fosiwns cymhleth â'i fysedd mewn rhan arbennig o flodeuog cyn neidio oddi ar y stôl fel rhan o'i ffanfer a moesymgrymu'n rhodresgar gan chwerthin yn nodweddiadol wichlyd. Clapiodd Jasmin a minnau gydag arddeliad.

'Oedd hwnna'n wych. Be oedd o?' gofynnodd Jasmin.

''Bach o Bach. Ma' fe'n ddarn gosod yn yr Eisteddfod Genedlaethol.'

'Ti'n cystadlu?' gofynnodd mewn goslef llawn syndod.

'Ydw. Ti'n swnio fel 'set ti 'di cael sioc?'

'Dwi wedi, mewn ffordd. Ti'm i weld y teip, rywsut.'

'Mae'n arian da,' mentrais. 'Saith punt os enillith e.'

'A wnei di ennill?' gofynnodd Jasmin yn heriol.

'Wrth gwrs! Er ma' fe dan ddeunaw, felly rhaid i fi fod ar fy ngorau. A ta beth, dyw e ddim jest am ennill. Ma' un o'r beirniaid o'r Academi Brenhinol yn Llundain. Ma' Mam yn meddwl helpith e fi gael lle 'na.'

Chwarddodd Jasmin ryw chwerthiniad bach hollwybodus.

'Ie, wy'n gwbod. Ma' Mam yn boen yn y pen-ôl!' parhaodd Dan, cyn llyncu gweddill ei ddiod yn hegar.

'Ai Bach yw dy ffefryn?' gofynnodd Jasmin.

'Na, Rachmaninoff,' atebais ar ei ran, gan ychwanegu taw Rwsiad oedd e.

'Ma' Rachmaninoff yn hala Trystan i gysgu,' meddai Dan, yn gwenu.

'Y cwrw o'dd 'na, nage'r piano,' atebais yn onest.

'Licen i glywed 'chydig o Rachmaninoff hefyd,' ymbiliodd Jasmin.

Atebodd Dan y byddai'n well ganddo roi fy nghasét Edward H. Dafis ymlaen yn yr ardd ac ysmygu dôp. Ond cafodd Jasmin ei ffordd, trwy ddangos ei cherdyn gorau yn bryfoclyd o demtasiol ar ffurf pêl bapur arian yn ei bag llaw.

Â'i lygaid ar gau plymiodd Dan i mewn i agoriad dramatig y

Preliwd yn C leiaf a gwyliasom mewn rhyfeddod wrth iddo ymgolli yn y darn, bron fel pe bai wedi ei hypnoteiddio. Am y tro cyntaf gwelais y cysylltiad rhwng ei chwarae piano a'i gymryd risgiau gwallgo llawn adrenalin. Er ei fod e'n gwybod y darn i'r dim roedd hi'n glir bod hyn hefyd yn cymryd risg o fath, gan ddehongli'n ddewr amcanion y cyfansoddwr a gwthio ei hun i'r eithaf â'i allu fel pianydd.

Pan gyrhaeddodd Dan ddiwedd y darn sylwais fod llygaid Jasmin wedi llenwi â dagrau. Yn reddfol rhoddes fy mraich amdani a chwtsiodd hithau lan ataf ar y soffa.

'Roedd hynna'n wych,' meddai, â'i llais yn torri dan emosiwn wrth i Dan godi o'i stôl.

''Whares i gwpwl o nodau cam, fel mae'n digwydd. Ond diolch 'run peth.'

'Roedd o mor drist rywsut,' parhaodd Jasmin.

Ro'n i ar dân moyn ymuno yn y sgwrs, felly amneidias gan ychwanegu mod i'n meddwl taw'r elfen Rwsiaidd oedd hynny. Sylwais ar ryw fflach o ddireidi yn llygaid Dan ond, chwarae teg iddo, wnaeth e ddim fy nangos i fyny o flaen Jasmin. Yn wir, fe gytunodd â mi.

'Ie, wy'n credu bo ti'n reit. Mae gan wledydd y Bloc Comiwnyddol ryw elfen bruddglwyfus. Er mor osgeiddig yw Nadia Comaneci mae hyd yn oed hi â rhyw dywyllwch amdani.'

'O, dwi'n meddwl bod hi'n arbennig!' meddai Jasmin, yn sydyn yn llawn egni amddiffynnol.

Dechreuodd Jasmin rolio ychydig o *joints* ond dywedodd Dan na ddylsen ni eu cynnau nes i ni fynd allan i'r ardd, rhag i arogl melys y mwg aros yn gyhuddgar yn y tŷ.

'Ond ma' dy rieni bant am yr wythnos, nagy'n nhw?' gofynnais, wedi'm synnu braidd gan ei ofal annodweddiadol.

'O'n i'n meddwl mwy am dy fam,' atebodd Dan, yn gwgu.

Edrychai Jasmin yn ddryslyd, felly eglurodd Dan, er embaras i mi, taw Mam oedd yn glanhau Glanrafon House iddyn nhw. Mewn rhyw ffordd annelwig allen i synhwyro bod Jasmin yn tosturio tuag ataf, gan ddal fy mraich yn dynnach ar y soffa a gwenu'n swil arnaf.

Roeddem wedi helpu'n hunain i fwy o jin a thonic erbyn hyn hefyd ac roedd Jasmin wedi cael gafael ar lun o Nadia mewn papur newydd yn mynd trwy'i phethau. Ysgydwodd ei phen mewn anghrediniaeth wrth sylwi bod Nadia wedi plygu ei chorff i siâp a ymddangosai'n amhosib i'w gyflawni.

'Y bitsh fach, a dim ond un deg pedwar ydy hi.'

'Falle bod hi'n fwy hyblyg yr oedran 'na,' mentrais gynnig, mewn ymgais digon annelwig i gefnogi Jasmin.

'Beth?!' atebodd, gan edrych mewn penbleth.

'Wy'n credu beth ma' Trystan yn treial gweud yw bod dim *tits* gyda hi,' meddai Dan, yn cilwenu wrth sugno ciwb o iâ.

'Swapen i fy mronnau am ddeg perffaith unrhyw ddiwrnod,' meddai Jasmin.

Chwerthais, ychydig yn nerfus, wrth i mi sylweddoli ein bod ni'n mynd i lefydd yn y sgwrs a allai arwain yn hawdd i mi wneud ffŵl o'n hun trwy ddweud rhywbeth dwl fel, 'Ond wy'n rili lico dy fronnau di'. Diolch i'r drefn ymlaciodd Jasmin, gan wenu a chywiro'i hun – 'Na, faswn i ddim, ddim mewn gwirionedd. Er dwi wrth fy modd efo gymnasteg.'

Awr yn ddiweddarach, yn dilyn ychydig o sbliffs mas yn yr ardd a sesiwn fer o wrando ar *Hen Ffordd Gymreig o Fyw* cafodd Jasmin gyfle i ddangos ei hoffter o gymnasteg ar lawnt Glanrafon House. Er efallai y byddai ei alw'n rwtîn dawns yn fwy cywir, yn rhannol gymnasteg ac yn rhannol bale, cafodd y cyfan ei gyflawni tra oedd hi'n gwisgo slip o sgert denau a chrys-T i gyfeiliant Dan yn chwarae *'Bohemian Rhapsody'* ar y piano. Er bod y drysau

Ffrengig ar agor led y pen ni allai Dan weld ei pherfformiad hi ar y lawnt, felly'r peth mwyaf cyffrous i mi oedd bod Jasmin yn gwneud ei dawns, heb unrhyw amheuaeth, er fy mwyn i, fel rhyw ddefod garwriaethol. Hyd yn oed yn fy stad lesmeiriol *stoned* allen i ddim peidio teimlo rhyw gynnwrf corfforol, rhyw ystwyrian pleserus rhwng fy nghoesau. Roedd ei symudiadau yn fwriadol erotig. Dilynai'r gerddoriaeth gyda gwthiadau amlwg rhywiol wedi eu cyfuno'n berffaith gyda symudiau bach chwareus fflyrtlyd mwy cynnil. Cyfeiriai ei gwefusau powtlyd, pryfoclyd a'i hedrychiadau trachwantus tuag ataf, yn chwarae â'm hemosiynau fel hen law. Erbyn i'r gerddoriaeth gyrraedd uchafbwynt roedd fy mhen yn troi ac ro'n i'n teimlo fel rhyw frithyll wedi ei fesmereiddio, yn awchu am wefr poenus y bachyn, wedi rhoi lan unrhyw obaith o oroesi. Mae'n rhaid bod Jasmin wedi synhwyro fy atyniad tuag ati gan iddi ystumio'n wahoddgar i mi ymuno â hi yn y ddawns. Ro'n i wrth fy modd wrth gwrs gan adael iddi dynnu fy mreichiau cyhyrog wrth iddi ddod â mi draw ati mewn coflaid nwydus a gyrhaeddodd ei anterth mewn cusan a barodd am sawl munud cyn i ni sylwi ar y tawelwch a Dan yn aros wrth ein hymyl gyda photel newydd ei hagor o siampên.

Ro'n i'n methu peidio teimlo bod Dan yn gwsberen nawr ond gan ein bod ni yn ei gartref ef fe dorron ni'r gusan, ond cadwon ni ein llygaid ar ein gilydd fel pe bai'n bywydau yn dibynnu ar hynny. Sylwais fod Dan yn swrth ei olwg ac awgrymodd i ni fynd i fwynhau ein siampên yn y tŷ coeden. Tra oedd yn gwylio'r traffig dydd Sul cysglyd yn pasio oddi isod mi yfodd Jasmin ei siampên gydag arddeliad, gan wasgu top fy nghoes dde trwy'r adeg, reit o flaen Dan a chwbwl. Dywedais wrtho ei fod wedi colli sioe a hanner ar y lawnt.

'Ma' Jasmin yn well na Nadia Comaneci. Mae'n fenyw go iawn,' mwmialais, gan ganfod fy hun yn ei llygadu'n afrog fel rhyw hen wncwl brwnt. Mae'n rhaid bod fy nghanmoliaeth wedi cael rhyw effaith gan iddo dalu ar ei ganfed wrth iddi bwyso ymlaen i'm cusanu unwaith eto.

Yna'n sydyn fe ddiflannodd hi.

Clywais sgrech a sylwais ar ei chefn yn syrthio trwy'r dail i gyfeiliant chwerthin gwichlyd Dan wrth iddo'i gwylio hi'n glanio.

Yn wyrthiol llwyddodd Jasmin i lanio ar ei thraed heb fawr o niwed, yn sicr nid i'w thannau lleisiol gan iddi sgrechian 'nôl lan at Dan – 'Y bastard!'

Dechreuais sylweddoli yr hyn oedd wedi digwydd ac edrychais yn gyhuddgar ar Dan.

'Wps!' meddai Dan, gan ddod â chledr ei law i fyny at ei geg cyn byrstio mas i chwerthin, ac ychwanegu ei fod ef am weld sut gymnast oedd Jasmin go iawn.

Rhuthrais i lawr y dderwen mor glou ag y gallen i er mwyn dal Jasmin yn fy mreichiau a dweud wrthi fod popeth yn iawn nawr. Wrth iddi sylwi ar Dan yn dod lawr o'r goeden agorodd hi zip fy siorts a gwthio'i llaw i lawr blaen fy nhrôns, gan afael yn galed yn fy narn!

'Ffycin hel, Helen, tyfa lan!' meddai Dan yn gynddeiriog yr olwg.

A hithau'n dal i gydio yn fy nghala edrychodd Jasmin i fyw ei lygaid a gofyn iddo pwy yffarn oedd Helen. Oedodd Dan am rai eiliadau cyn ateb.

'Sori. Ti'n atgoffa fi o rywun, 'na i gyd.'

'Ydy hi'n dlws?' gofynnodd Jasmin, yn sydyn yn tynnu ei chrys-T i ffwrdd, gan ddangos ei bronnau gogoneddus.

'Plîs, paid. Dim o flaen fe,' ymbiliais. Anwybyddodd Jasmin fi, ac aros am ateb i'w chwestiwn.

'Ody, mae hi'n bert. Ond ma' hi'n meddwl bod hi'n bertach

nag yw hi. Ond y prif reswm ti'n atgoffa fi ohoni yw bod hi'n bitsh hefyd.'

'Hei, dere 'mla'n Dan, paid sbwylo pethe,' dechreuais, ond roedd Dan eisoes ar ei ffordd 'nôl mewn i'r tŷ.

'Aros yn union lle wyt ti,' gorchmynnodd Jasmin i mi cyn iddi slipo draw i ochor y lawnt i nôl y chwaraewr casét. Spŵliodd y tâp ymlaen ychydig a throi'r sain ymlaen i'r eithaf at y gân 'Pishyn' oddi ar dâp Edward H. Dafis. Yna daeth hi 'nôl ataf a gafael yn fy llaw, gan fy arwain at y dderwen cyn iddi wthio'i thafod i lawr fy nghorn gwddwg. Mae gen i frith gof ohoni'n gofyn dro ar ôl tro a o'n i'n meddwl ei bod hi'n 'bishyn' a minnau'n ateb yn gadarnhaol sawl gwaith wrth i mi fatryd yn manig braidd. Yna wedi i mi lio ei chlustiau, ei phengliniau, ei chluniau, ei bronnau, o bosib nid yn y drefn yna'n gwmws, fe ofynnodd i mi orwedd ar y gwair.

'Dwi'n hoffi bod ar y top,' mwmialodd, ei llygaid penderfynol yn llawn rhyw olwg paid-dadlau-â-mi erbyn hyn.

Uwchlaw curiad cras y gerddoriaeth ac ochneidiau Jasmin fe gollais ebychiad siarp rhywun trwy'r dail wrth y clawdd. Tra o'n i'n gorwedd yn braf ar fy nghefn, yn mwytho ei bronnau wrth iddi wthio lan a lawr arnaf sylwais ar farcud coch, lai na deg llath uwch ein pennau, yn drifftio'n urddasol osgeiddig i'w swper ar y domen ddwy filltir i ffwrdd ar hyd hewl Llambed. Rwyf hefyd yn cofio erbyn hyn bod Jasmin, wrth iddi adeiladu i uchafbwynt, yn hoelio'i sylw ar Glanrafon House.

10

Y diwrnod canlynol penderfynom weld sut oedd y gwynt yn chwythu ym Mryneglur erbyn hyn ac fe fachon ni lifft o'r fainc ar y sgwâr fawr gyda Ken Monk. Roedd arian yn dynn ac angen i ni wybod ble o'n i'n sefyll am weddill gwyliau'r haf. Afraid dweud y cefais fy nychu gan Dan am golli fy ngwyryfdod ac roedd hyd yn oed Ken wedi synhwyro bod rhywbeth wedi digwydd wrth iddo wenu'n hollwybodus a'n gollwng ni wrth y stand laeth.

Er bod colli eich gwyryfdod yn ddefod newid byd pwysig ym mywyd unrhyw un doedd gen i ddim awydd i'w drafod gyda Dan na neb arall. Ro'n i'n awyddus i weld Jasmin eto, wrth gwrs, ond yn y dyddiau cyn-ffônau-symudol hynny doedd pethau ddim yn hawdd eu trefnu, yn enwedig pan oedd eich cariad yn byw mewn cae.

Ta beth, y bore hwnnw yn wythnos olaf Gorffennaf, digwyddodd rhywbeth ym Mryneglur wnaeth dynnu fy sylw oddi ar Jasmin. Pan gyrhaeddon ni'r tyddyn sylwon ni ar bot piso tseina gwyn yn deilchion ger y cymysgydd sment, gyda staen oddi tano yn drewi o iwrin. Yn sydyn, fe glywson ni riddfan uchel o'r tu fewn i un o'r hen siediau. Griddfan erchyll, poenus, dynol. Taflom gipolwg ar ein gilydd a hyd yn oed bryd hynny allen i weld bod adwaith y ddau ohonom mor wahanol. Roedd gen i ryw bryder annelwig yn troi yn nhrobwll fy stumog a golwg llawn consýrn ar fy ngwyneb. Edrychai Dan yn llawn cyffro, gyda mymryn o wên, ie gwên, yn ei lygaid.

Wrth i ni fynd mewn i'r sièd yn dawel o ara deg trodd Rhys Edwards ei ben tuag atom i'n cydnabod mewn ffordd ffwrdd-â-hi, bron fel pe bai wedi bod yn hanner ein disgwyl ni. O'i flaen, wedi ei glymu fel anifail, gyda'i ddwylo wedi eu cadwyno tu ôl i'w gefn a macyn yn ei geg roedd dyn ar ei bengliniau. Ffermwr ydoedd, yn ôl golwg ei ddillad, yn hŷn na Rhys Edwards, o bosib yn ei chwedegau. Edrychai'n ofnus tu hwnt a chofiais yn sydyn pam y methodd Rhys ei dystysgrif dysgu – oherwydd ei dymer treisgar. Hyd yn oed wrth i ni gerdded draw atynt fel darpar achubwyr posib does gen i ddim amheuaeth bod yr hen ffermwr yn ofni am ei einioes.

'Dales i'r bastard wrthi!' sgrechodd Rhys wynepgoch, 'Hanner awr wedi pump y bore, yn mynd i arllwys ei biso mewn i'n cymysgydd sment!'

'Beth 'ych chi'n mynd i neud iddo fe?' gofynnodd Dan, yn amlwg wedi cynhyrfu.

'O'n i moyn 'i ladd e, ond stopes i'n hunan jest mewn pryd.'

Anadlodd Rhys yn drwm nawr, yn ebychu am aer, fel pe bai cofio ei gynddaredd gwreiddiol wedi ei orfodi i ail-fyw'r profiad. Aeth reit lan at yr hen ddyn, wyneb wrth wyneb, gan weiddi arno – 'Ffycin bastard o flaenor rhagrithiol!'

Neidiodd Dan yn llythrennol i fyny ac i lawr, wedi cyffroi drwyddo.

'Allech chi ddal i' ladd e!' meddai, gan ychwanegu'n anhygoel y gellid ei gladdu dan yr estyniad newydd, yn y sylfeini, a defnyddio'r digar JCB i'w orchuddio gan bridd. Fyddai neb ddim callach.

Allen i weld Rhys yn pwyso a mesur y posibilrwydd hyn, a gallai'r ffermwr druan hefyd, wrth iddo nadu'n druenus fel ci ar ei ffordd i'r milfeddyg i gael ei ddifa. Ni allai Rhys na Dan aros yn llonydd, wrth iddynt amgylchynu eu prae fel cŵn hela'n trachwantu'n ddiamynedd am wynt angau. Gwyddwn fod rhaid i mi wneud rhywbeth ar fyrder gan fod pethau ar fin mynd allan o reolaeth. Yn bennaf oll roedd rhaid i mi atgoffa'r ddau ohonynt bod y creadur cadwynog pathetig o ofnus y tu blaen i ni yn gyd-aelod o'r ddynol-ryw.

'Odych chi'n nabod e?' gofynnais i Rhys.

'Ydw, un o'm cymdogion i yw e,' meddai. Yna, gan droi 'nôl i wynebu'r hen ddyn, gwaeddodd i'w wep, 'Câr dy gymydog, dyna beth ma' dy Lyfr Mowr yn gweud 'thot ti am neud, nagefe? Nage pisha yn cymysgydd sment dy gymydog!'

'Bastard!' ychwanegodd Dan, gan rythu'n filain ar yr hen ffermwr.

'Mwyn Dyn, chi ffili gweld bod e 'di diodde digon?' gwaeddais innau 'nôl ar dop fy llais.

Yr union adeg hon dyma'r hen ddyn yn taflu'r fath edrychiad llawn diolch tuag ataf nes gyrru ias i lawr fy nghefn jest wrth feddwl am y peth ddegawdau yn ddiweddarach. Wedi ei synnu gan ffyrnigrwydd fy mloeddio edrychodd Rhys yn syn, fel pe bai'n ceisio ffocysu unwaith eto ar fywyd arferol bob dydd y tyddyn. Roedd Dan hefyd yn llonydd erbyn hyn, ond yn dal i graffu'n fygythiol ar yr hen ddyn.

'Beth 'yn ni'n mynd i neud 'te? Neith e sôn am hyn wrth y cymdogion er'ill, neu wrth yr heddlu hyd yn oed?' gofynnodd

Rhys, mewn cywair llawer mwy sobor, diolch i'r drefn. Ysgydwodd yr hen ddyn ei ben yn ymbilgar.

'Ie. Shwt 'yn ni'n gallu trysto fe?' ychwanegodd Dan, gan symud ei droed 'nôl ac ymlaen, symudiad cynnil ond hynod o fygythiol ar y pryd.

'Sdim dewis 'da ni. Gerdda i fe 'nôl i'w fferm a treial cŵlo fe lawr. Ga i fe i addo neith e byth weud dim byd am bore 'ma, byth. A neith e ddim arllwys ei biso i'ch cymysgydd sment chi byth eto.'

Amneidiodd yr hen ddyn druan mor frwd i gytuno â'm geiriau nes i mi fecso y byddai ei ben yn dod i ffwrdd. Craffodd Dan a Rhys ar ei gilydd, yn dal ddim yn siŵr a fedrent ymddiried ynddo fe.

'Gwed ti air wrth unrhyw un am hyn a ti 'di marw, ti'n deall?' meddai Rhys yn bwyllog.

Amneidiodd yr hen ddyn unwaith eto, yr un mor bwyllog, gan flincio ychydig o weithiau.

Syllodd Rhys yn syth i'w lygaid, i graidd ei einioes. Yna trodd tuag ataf.

'Sorta fe mas, Trystan.'

Amneidiais, gan deimlo rhyddhad o'r diwedd, yn enwedig o weld Rhys yna'n troi at Dan ac yn ei wahodd i'r tŷ i rannu whisgi gydag ef. Nodiodd Dan, fel pe bai hynny'r peth mwyaf naturiol yn y byd i wneud am ugain munud wedi wyth y bore.

Wedi i Rhys a Dan fynd i'r tŷ tynnais y macyn o geg yr hen ddyn a datodais ei gadwyni cyn rhoi fy niod sgwash oren iddo o'm casyn cinio. Yfodd y cwbwl yn awchus ac yna dechreuodd lefain. Arhosais gydag ef, heb yngan gair, yn sylweddoli bod rhaid iddo grio'r ofn allan ohono'i hun cyn i unrhyw beth ddechrau gwneud synnwyr. O'r diwedd dywedodd taw ei enw oedd Ifor a'i fod yn byw mewn fferm gyfagos, ychydig i lawr y cwm, Maeslyn. Roedd yr enw Ifor Maeslyn yn canu cloch ond ni wyddwn pa gloch yn gwmws chwaith. Gofynnodd a allai ysgwyd fy llaw ac atebais y gallai wrth gwrs. Ysgydwais ei law laith oedd yn dal i grynu a gofynnais iddo pam y gwnaeth ef y fath weithred. Pam cario'i biso mor bell, jest er mwyn ei arllwys i un o beiriannau ei gymydog? Onid oedd hi'n weithred gas ofnadwy i'w chyflawni?

Amneidiodd Ifor, ond yna eglurodd taw Duw oedd wedi gorchymyn iddo wneud, mewn breuddwyd a gafodd, oherwydd bod Rhys yn bechadur. Sylweddolais nad oeddwn i'n mynd i fynd yn bell iawn gydag ef, felly holais a oedd hi'n iawn i mi fynd ag ef 'nôl i'w fferm. Amneidiodd a gadawsom y sièd gan ddod mas i'r heulwen ddisglair braf, dim ond i gael ein cyfarch yn heriol gan baun llawn chwilfrydedd a syllai i fyw llygaid y dieithryn.

Er i ni gerdded mewn tawelwch trwy'r caeau i lawr i Maeslyn roedd fy meddwl ar garlam. Beth os na chadwai Ifor ei air? Beth pe bai'n galw'r heddlu wedi'r cwbwl? Roedd yn rhaid i mi ddwyn perswâd arno na fyddai hynny'n beth call iddo a gwneud hynny'n glou. Felly, pan wahoddodd e fi i mewn i'w dŷ am baned o de, fe gytunais yn syth, er syndod i Ifor mi dybiaf. Fel yn achos Rhys roedd hi'n glir bod Ifor yn byw ar ei ben ei hun, gyda'r lleiaf posib o bethau angenrheidiol yn ei gegin foel. Doedd ganddo ddim llaeth hyd yn oed ond mynnodd roi'r llaeth powdr mwya uffernol i mi. Roedd hwnnw wedi bod yno ers blynyddoedd wrth ei olwg ac wedi casglu'n gwlwm llwyd fel gwm cnoi ar wyneb y paned o de.

'Chi *yn* mynd i gadw at eich gair nawr, nag'ych chi?' holais yn nerfus. Nodiodd Ifor, ond ro'n i heb fy argyhoeddi. Felly pwysleisiais y byddai torri ei air yn gwneud lles i neb. Pe bai e'n dweud wrth yr heddlu am yr hyn wnaeth Rhys iddo fe yna byddai'n rhaid i Rhys yntau hefyd ddweud wrthyn nhw am gamymddygiad Ifor dros y misoedd diwethaf. Nid heddiw oedd y tro cyntaf iddo geisio arllwys ei biso i'r cymysgydd sment, ife?

A hyd yn oed os oedd e'n meddwl bod ganddo resymau digon cyfiawn i wneud y fath beth, does bosib y byddai'r blaenoriaid eraill yn ei gapel yn gwingo mewn cywilydd o glywed am y fath weithred? Roedd hi'n edrych fel petai hyn wedi taro deuddeg gydag Ifor gan iddo wenu am y tro cyntaf a dweud mod i'n fachgen da.

'Wy'n addo wna i gadw fy ngair. Ond licen i chi addo i mi hefyd, Trystan, na fyddwch chi'n gweithio ym Mryneglur am lot rhagor. Wnewch chi hynny i mi?'

Addewais ac yna aeth trwyddo i'r pantri bach oedd yn sownd i'r gegin i nôl anrheg i mi, am gymryd ei ochr yn gynharach. Dychwelodd gyda swejen a'i rhoi hi i mi fel pe bai hynny oedd yr union fath o bresant y byddai pobol o gwmpas ffordd hyn yn rhoi i'w gilydd. Ond dyna fe, ro'n i'n ddigon bodlon ei derbyn a gadewais Ifor ar delerau da, yn ei wylio'n wafio ei wafiad bach trist o ffenest ei gegin wrth iddo arllwys y te ro'n i wedi'i adael i bot blodyn ar y silff o'i flaen.

Pan ddychwelais i Bryneglur roedd Rhys a Dan yn dal i yfed whisgi wrth ford y gegin. Roedd Rhys yn awyddus i wybod sut oedd Ifor wedi bod gyda fi a llwyddais i leddfu ei bryderon. Allen ni i gyd dynnu llinell dan y digwyddiad nawr. Arllwysodd wydraid o whisgi i minnau ac ymunais â nhw ychydig yn nerfus wrth y ford. Mae'n rhaid bod Dan wedi synhwyro rhyw bryder o'm cwmpas gan iddo geisio ysgafnhau'r awyrgylch.

'Y marchog dewr yn dychwelyd o faes y gad!' meddai, gan daro'i wydr ef yn erbyn fy un i a chodi ei aeliau.

'Wnest di'n dda,' meddai Rhys yn ddwys, 'a wy'n gwbod bod ti'n meddwl bo' fi 'di bod yn llawdrwm ar Ifor, ond dales i 'nôl lot, cred ti fi. Blynydde 'nôl fydden i 'di tagu'r diawl.'

Sylwodd y ddau ohonom fod ei lais yn crynu a bod ei lygaid yn llawn dagrau.

'O'n i'n gwbod bo' chi'n gwbod amdana i. Wnes i sylwi bod rhywun wedi bod yn 'mela â'm cylchgronau lan stâr. Ma' hi wedi bod yn frwydr anodd dros y blynyddoedd. O'n i arfer bod mewn band pres yn y pentre wy'n hanu ohono yn y Rhondda. Ges i fy erlid, fy mhoenydio. Ga'th e effaith mawr arna i. Weithiau ro'n i'n methu ymdopi. Yn bwrw mas, yn dreisgar. Bron i fi gael carchar cwpwl o weithiau a bu raid i fi gymryd tabledi am gyfnod i reoli'r dicter ffyrnig y tu fewn i fi. O'n i'n meddwl allen i ddachre o'r newydd fel gofalwr yn Nhregors ac mae'r prifathro fan'ny wedi bod yn gefnogol iawn, chwarae teg iddo fe. Ma' pobol fel Ifor, wel, ma' nhw'n dod ag e i gyd 'nôl i fi. Ond wy'n gwbod erbyn hyn fod bwrw mas jest yn bwrw dy hunan yn y diwedd. Ma' hi 'di bod yn wers anodd i'w dysgu ond wy wedi fforso'n hunan i weld y darlun ehangach, i osgoi penne bach. O't ti'n aeddfed iawn ginne, Trystan. Diolch.'

'Wnaethoch chi roi gwaith i ni achos o'ch chi'n ffansïo ni?' gofynnodd Dan yn hollol ddigywilydd â gwên hy.

Gwenodd Rhys. 'Wna i ddim gwadu bod cyrff ifenc cyhyrog yn gallu bod yn demtasiwn,' meddai, gydag edrychiad heriol at Dan, 'ond fydden i byth 'di cymryd mantais ohonoch chi. Mae'r ddou ohonoch chi wedi bod yn help mowr i fi a licen i ddiolch i chi trwy roi tâl bonws olaf i chi, o bunt yr un.'

'Olaf,' meddwn, ddim yn deall.

'Ie, Twp. Ma' Rhys yn gadael i ni fynd, yn rhoi'r sac i ni, dim angen ni rhagor. Fydd raid i ni jest gwerthu'n hunen ar y strydoedd am weddill yr haf!'

'Ma' rhan fwyaf o'r gwaith elfennol wedi ei wneud a fydda i'n gallu manijo'r gweddill ar ben y'n hunan,' eglurodd Rhys wrth roi papur punt yr un i ni o'u cuddfan mewn jwg ar y dreser. 'O'n i wedi bwriadu ffôno chi, felly wy'n falch bo' chi 'di galw,' ychwanegodd.

A dyna ni. Diwedd disymwth braidd i'r haf ym Mryneglur. Wrth i ni gerdded lawr tuag at bentref Pontrhydygroes holais Dan am ei ymddygiad yn y sièd gydag Ifor. Pam oedd e wedi'i gynhyrfu cymaint?

'Wy'm yn gwbod,' meddai, gan godi ei ysgwyddau'n ddi-hid. 'Ti'm yn gweld y lefel 'na o ofn yn aml iawn, wyt ti? O'dd 'y nghalon i'n pwmpo'n wyllt. I weud y gwir o'n i'n meddwl bod ti'n 'bach o *spoilsport* i stopi Rhys. Falle o'dd yr Ifor bachan 'na'n haeddu diodde mwy.'

Cafwyd ychydig eiliadau o dawelwch wrth i mi dreulio ei eiriau rhyfedd cyn i chwerthin gwichlyd Dan darfu arnaf a'u gyrru nhw i ryw guddfan cyfleus yn fy meddwl.

11

Dros frecwast yn hwyrach yn yr wythnos cefais fy annog gan Mam i chwilio am ffynonellau eraill o waith. Mwy o waith labro ar ffermydd meddyliodd yn gyntaf. Neu hyd yn oed mewn siop yn Aberystwyth.

'Sa' i moyn ti dan draed fan hyn yn pwdru am weddill yr haf, na lan 'da'r ferch 'na yn Llanafan chwaith.'

Nawr o'n i'n cyrraedd calon yr hyn roedd hi moyn dweud. Ro'n i'n rhyw led-amau ei bod hi'n gwybod rhywfaint am Jasmin, efallai trwy Gareth, ond yn glou iawn sylweddolais ei bod hi'n gwybod mwy nag y tybiais.

'Paid edrych mor ddiniwed. Wy 'di clywed bod y groten 'na 'di bod yn rhedeg 'mbytu yn ardd Glanrafon House a hithe'n borcyn jest iawn. Aros di nes glywith rhieni Daniel amdani.'

'Na, plîs p'idwch gweud dim. Eith hi ddim 'na 'to. Jest ymarfer ei *gymnastics* o'dd hi.'

Cododd Mam ei haeliau yn ddrwgdybus.

'Pwy sy 'di bod yn pipo arnon ni, ta beth?' ychwanegais, yn llawn chwilfrydedd.

'Paid ti becso pwy. Mae'n ddigon i weud o'n i'n teimlo'n lletwith iawn am y cwmni ti'n cadw. Beth ma' Daniel yn meddwl amdani?'

'Bod hi'n hwyl.'

'Dylanwad drwg, yr hipis 'na. Paid ti 'mela ag unrhyw *drugs* ti'n clywed fi? Na *sex* chwaith, o ran hynny.'

'Ond ma' roc 'n rôl yn iawn, ody e,' meddwn, yn gwenu.

'Beth?' atebodd, heb werthfawrogi'r jôc ac yn dala'i tsiest yn dynn, gan ebychu am anadl.

'Chi'n oreit, Mam?'

'Ydw. Dim diolch i ti. Neud sbort ar ben popeth. Ti'n hala fi i fedd cynnar, wy'n gweud 'thot ti nawr. Ge's i ddim o'r trafferth hyn gyda Gareth.'

Wrth gwrs roedd ei hymgais i atal fi rhag gweld Jasmin dim ond yn 'y ngwneud i'n fwy penderfynol o'i gweld. Wrth i mi lywio fy meic mas i'r hewl fowr gwelais fod gen i ymwelydd, hefyd ar ei feic, sef Dan.

'O'n i'n meddwl falle 'set ti'n lico mynd am sbin i lan y môr. Jest uwchben Aber. Borth. Ma' fe i fod yn neis 'na.'

'Rhywbryd 'to falle,' atebais, braidd yn lletchwith.

Amneidiodd Dan yn hollwybodus ac yna ffocysu arnaf gydag edrychiad dwys o'n i heb weld o'r blaen.

'Cofia fi ati,' meddai gyda mymryn o edifeirwch yn hytrach nag unrhyw chwerwder.

Wrth i mi seiclo i Lanafan fe geisiais greu darlun i fy hunan o Jasmin yn ei phabell, heb ddihuno eto efallai. A hithau'n byw bywyd y teithiwr, dychmygais hi'n eistedd o amgylch tân barbaciw tan yr oriau mân, yn smocio dôp ac yn trafod pynciau pwysig y dydd ac wedyn cysgu tan amser cinio y diwrnod canlynol. Stopais yn swyddfa bost Ponthydfendigaid i brynu cwdyn o donyts ffres, yn y gobaith y byddai hi'n dal i gysgu.

Mewn gwirionedd roedd Jasmin wedi codi'n fore i fynd am wâc gyda Jake a'r ci ar hyd llwybr cyhoeddus a arweiniai o Lanafan i gyfeiriad Aberystwyth. Yn ffodus roeddynt yn dychwelyd i'r comiwn ar yr union adeg y cyrhaeddais i.

'Haia, Tryst,' meddai Jake, a oedd yn falch iawn i 'ngweld i gan daro fi ar f'ysgwydd yn galed fel pe baen ni'n hen ffrindiau.

'Chi 'di ca'l brecwast siŵr o fod, ond des i â 'chydig o donyts,' meddwn, gan agor y cwdyn i'w dangos. Allai unrhyw un feddwl mod i wedi'u pobi nhw fy hunan.

'Chwara teg, roedd hynna'n beth *sweet* iawn i neud,' meddai Jasmin, yn gwenu.

Dyna i gyd roedd angen iddi wneud, gwenu, a ro'n i'n bwti yn ei dwylo. Roedd e'n hurt. Dechreuodd Jake wneud coffi a cheisiodd ddihuno Sara, a galw arni o'r tu allan i'r tipi.

'Come on Sara, we've got a guest. Man on bike bring heap big donuts!'

'Lwcus bod ti wedi hefyd,' meddai Jasmin, 'doedd 'na fawr ddim i'w gael yn y gwrychoedd.'

'We though we might get some mwyar duon *or* cnau *but everything's so dry,'* meddai Jake, gan ychwanegu, 'Tydy e ddim yn naturiol, *man.*'

'You're just worried you won't get any magic mushrooms!' meddai Jasmin, gan rwtio cudynnau duon ei wallt yn chwareus.

'That's true enough. Thankfully Sara's brought loads of dried ones with her. Got them fairly cheaply off someone she knows in London. Have you ever had a 'shroom trip, Trystan?'

Ysgydwais fy mhen ond ceisiais edrych yn frwd.

'A chditha'n hogyn o'r wlad?' meddai Jasmin, gan fy nwrdio

â sŵn tytian. Ond doedd dim ots gen i. Ro'n i'n dwlu ar y ffordd roedd ei gwefusau'n crychu er mwyn gwneud y sŵn.

Aeth Jake ymlaen i ddweud os oeddwn i'n wyryf madarch yna roedd hi'n werth aros am achlysur arbennig, rhywbeth y byddwn i'n cofio am byth. Mae'n debyg roedd ei dro cyntaf ef yn uffernol ac roedd e heb fwynhau'r profiad o gwbwl. Yn grac â'n hunan teimlais fy hun yn gwrido wrth i mi sylwi ar ryw elfen chwareus yn llygaid Jasmin. A oedd hi'n meddwl amdanaf fel gwyryf mewn cyd-destun gwahanol? Ond sut fyddai hi wedi gwybod? A wnes i rywbeth o'i le? Ro'n i'n weddol siŵr nad oeddwn i wedi dweud wrthi. Efallai bod Dan wedi crybwyll y peth? Roedd fy meddwl ar ras, felly edrychais i ffwrdd, oddi wrthi, er mwyn tawelu rywfaint.

'Falle allen i dreial rhai o fadarch hud Sara wythnos nesa?' awgrymais, gan ychwanegu mod i'n cael fy mhen-blwydd yn ystod wythnos yr Eisteddfod. Holodd Jake a oeddwn i'n bwriadu mynd yno. Atebais innau mod i'n edrych ymlaen yn arw at weld Edward H yn chwarae'n fyw yng Nghastell Cilgerran.

'A bydd rhaid i ni fynd i gefnogi Dan hefyd,' meddai Jasmin, gan egluro i Jake bod ein ffrind yn bwriadu cystadlu yno.

'Waw, that's serious shit,' meddai Jake, yn goglais Arthur dan ei ên nes ei fod e'n cau ac yna agor ei lygaid mewn pleser pur, fel ci cartŵn.

Ddaeth Sara byth allan ac yn y pen draw cefais fy ngwahodd i babell fach Jasmin. Hyd yn oed gyda nifer o'r fflapiau ar agor roedd hi'n dal yn llethol o dwym yno, bron fel sawna, ond doedd fawr o ots gen i. Roedden ni gyda'n gilydd, ar ben ein hunain yn ein cocŵn oren, am y tro cyntaf ers y prynhawn gogoneddus hwnnw yn Glanrafon House. Bron yn syth wrth i ni gusanu fe deimlais siwgr melys ei gwefusau a blas toes ar ei hanadl. Er i mi fwynhau ei chusanu yn araf am amser hir ro'n i'n ysu clywed ei llais ac fe dorrais y gusan a gofyn iddi beth fuodd hi'n gwneud ers i ni gwrdd ddiwethaf.

'Sbio am ddŵr yn benna,' meddai, gan wenu ac ychwanegu fod pawb yn ysu eisiau 'molchi.

'Yn y diwedd aethon ni i'r pwll nofio cyhoeddus yn Aberystwyth, er mwyn i ni gael cawod!'

Ro'n i wrth fy modd â'i hacen ogleddol ecsotig a'r ffordd yr oedd ei gwên yn goleuo'i gwyneb, fel switsio coeden Dolig ymlaen.

'Be mae Dan yn neud heddiw?' gofynnodd, gan fwytho ochr ei gwyneb. Dywedais ei fod wedi mynd i lan y môr a'i fod e wedi dweud wrtha i am gofio ati.

'Ddeudodd o hynny?' gofynnodd, fel pe bai ddim yn fy nghredu.

'Do. Pam na fydde fe?' atebais.

Allen i synhwyro bod ei hwyl wedi newid ac er i ni gusanu eto ac i mi ddechrau anwesu ei bronnau tu fas i'w chrys-T gafaelodd yn fy llaw yn dynn a dweud nad oedd digon o breifatrwydd yn ei phabell.

'Dwi'm yn licio meddwl am fy chwaer jest 'chydig lathenni i ffwrdd,' meddai.

Synhwyrodd fy siom a phwysleisiodd y bydden ni'n cael amser gwych gyda'n gilydd yn Aberteifi.

'Wyt ti'n mynd i fynd â dy babell?' holais, yn awyddus i glywed ei hateb.

'Byddaf. Fydd o'n sbri. Fedri di aros efo mi. Os wyt ti isio.'

Wy'n siŵr i mi gau fy llygaid a'u hagor nhw led y pen unwaith eto, yn gwmws fel Arthur, jest yn meddwl am yr amser pleserus oedd ar y gorwel.

Yn yr Eisteddfod ei hunan ar y Sadwrn agoriadol fe gollon ni ragbrofion Dan, gan eu bod nhw ymlaen yn llawer rhy gynnar yn y bore. Cawsom ein plesio fodd bynnag wrth i ni sylwi ar ei enw ar hysbysfwrdd yn dangos ei fod wedi llwyddo i fynd trwyddo i lwyfan y pafiliwn yn hwyrach ymlaen y diwrnod hwnnw. Cadwais olwg mas amdano ond pan welais ef yn y pellter gyda'i rieni ar y maes roedd Jasmin yn gyndyn o fynd draw i'w cyfarch.

'Wnaen ni ei gynhyrfu o. Mae angen iddo fo ganolbwyntio. Welwn ni o nes ymlaen, i ddathlu neu i gydymdeimlo.'

Eisteddodd rhieni Dan yn agos at y blaen, felly mynnodd Jasmin unwaith eto i ni eistedd yn bell oddi wrthynt. Ar y pryd wnaeth hyn ddim fy nharo yn rhyfedd o gwbwl, ond cofiaf deimlo rhyw fymryn o siom nad oeddynt wedi gweld mod i wedi dod yno i'w gefnogi. Fel y disgwylid, chwaraeodd Dan yn odidog, ac edrychai'r rhan mewn trowsus glas tywyll a chrys cymen o gotwm gwyn. Wrth iddo foesymgrymu ar ddiwedd ei berfformiad safais ar fy nhraed i glapio, gan obeithio y byddai'n fy ngweld. Arhosom yn amyneddgar am y canlyniad, a gwylio cystadleuaeth frwd ar y ffidil a thri phâr o fenywod ifainc yn canu yn union yr un ddeuawd, am ryw dderyn du os gofia i'n iawn, gyda thelynores yn cyfeilio.

O'r diwedd daeth dyn bach o ran maint mewn siwt tsiec a dici-bo oren trawiadol i'r llwyfan i draddodi ei feirniadaeth. Ei enw oedd Michael Herbert ac roedd yn llawn canmoliaeth i'r ddwy ferch fu'n cystadlu yn erbyn Dan. Ond dywedodd fod gan Dan 'aeddfedrwydd rhyfeddol am rywun mor ifanc' a bu jest iawn i mi chwerthin yn groch ar y sylw hwn. Ar ôl ychydig mwy o falu awyr fe wenodd a chyhoeddi taw enillydd yr her unawd biano dan ddeunaw oedd Dan, gan ychwanegu bod hynny'n gamp anhygoel o feddwl ei fod cymaint yn iau na'r cystadleuwyr eraill ar y llwyfan. Ffrwydrodd y pafiliwn cyfan mewn cymeradwyaeth frwd ac ambell fonllef 'hwrê' o du estroniaid llwyr i Dan wrth iddo ddod i'r llwyfan ac ysgwyd llaw y beirniad. Ysgydwodd y merched ddaeth yn ail a thrydydd law â Dan hefyd ac edrychai mor cŵl, yn amlwg yn mwynhau pob eiliad.

Doeddwn i ddim moyn ei golli felly es i rownd i gefn y llwyfan yn syth a gwenu fy llongyfarchiadau hael wrth iddo gamu allan i'r heulwen. Gwenodd yn gynnes 'nôl arnaf.

'Diolch am ddod i 'ngweld i, Trystan. Mae e'n meddwl lot i fi. Wy 'di trefnu gweld fy rhieni nawr. Ond ti moyn cwrdd nes 'mla'n, am ddrinc?'

'Ie. O'dd Jasmin yn awgrymu'r Hope and Anchor yn y dre, tua saith?'

Wrth weld ei rieni'n nesáu nodiodd Dan a chodi ei fawd a llusgais i fy hunan yn weddol glou draw at fan ger stondin y BBC i fwynhau dathliad o hufen iâ gyda Jasmin.

Roedd yr Hope and Anchor dan ei sang, dynion tew bochgoch canol-oed yn bennaf, yn canu 'Delilah' Tom Jones gydag arddeliad. Ffeindion ni Dan yn y diwedd, yn dal yn ei ddillad llwyfan, allan yn yr ardd gwrw. Roedd ganddo grŵp o ferched newydd o'i gwmpas, yn hongian ar bob gair yr oedd yn ei yngan. Cyflwynodd e Jasmin a minnau i Hannah a Tegwen a Carol a Mari wy'n credu, neu allai hi fod yn Mair. Roedd Dan wedi closio at Hannah, a fynnodd brynu diod iddo am y rhan fwyaf o'r nos wedi i'r merched eraill ddiflannu. Unwaith aeth Jasmin lan gyda hi i'r bar a chefais ychydig funudau ar fy mhen fy hun gyda Dan.

Gan chwerthin i'w hun fe dynnodd ddarn crychlyd o bapur newydd mas o boced ei drowsus. Colofn fer o'r *Cambrian News* cyfredol ydoedd, gyda'r pennawd *'Police alerted over railway incident'*. Aeth ymlaen i adrodd sut y gwnaeth gŵr ifanc aros ar gledrau'r rheilffordd i'r gogledd o Borth yr wythnos ddiwethaf gan orfodi'r trên o Dyfi Jynction i wneud stop argyfwng a bron iawn achosi damwain ddifrifol. Gwnaeth y gŵr ifanc ffoi o'r digwyddiad a chafodd ei ddisgrifio fel gŵr tal ond gweddol dew gyda llond ei ben o wallt du, rhwng deunaw ac ugain oed, yn gwisgo siorts denim a chrys-T glas golau. Suddodd fy nghalon wrth i mi sylwi ar y cynnwrf yn llygaid Dan.

'Plîs gwed wrtha i nage ti o'dd e, Dan.'

'Sa' i'n deall y *fairly plump* wir! *Cheek*! Ond byddet ti 'di mwynhau, Twp. Sgrech y trên wrth iddo fe ddod i stop, jest troedfeddi oddi wrtha i!'

'Ond alle fe 'di dod oddi ar y reils. Alle pobol 'di cael eu lladd!'

'Nonsens. 'Na beth ma' brêcs dda. Dyle'r gyrrwr fod yn ddiolchgar. O'dd e fel ymarfer, mewn ffordd.'

'Gobeithio bod e ddim yn gwylio uchafbwyntiau'r Eisteddfod heno 'ma 'te,' meddwn.

'Hei, o'n i heb feddwl am 'na!'

Edrychodd yn llawn consýrn ffug, yna holodd fy marn am Hannah.

'Mae'n oreit. 'Bach yn hen i ti falle.'

'Nonsens. Wy rhwng deunaw ac ugen, mae'n gweud 'ny yn y papur. Wy'n credu bod hi'n real biwt fach. Ma' hi 'di gofyn i fi aros gyda hi heno'n barod. Draw yn y Lamb Inn. Mewn gwely iawn, dim cae. Beth ti'n meddwl, Twp? Ddylen i gysgu gyda hi?'

'Yffarn dân, ie, cer amdani!'

Mae'n rhaid bod y nifer sylweddol o beintiau cwrw wedi dechrau gadael eu hôl gan fod gweddill y noson yn y dafarn yn reit niwlog. Er, mi ydw i'n cofio Jasmin yn rhythu ar Hannah a Dan yn cusanu'n nwydus ac yna'n cydio ynof gan hwpo'i thafod i lawr fy nghorn gwddwg. Nes ymlaen, 'nôl yn ein cocŵn oren, wrth i ni garu'n nwydus yn ein sach wely, fe grafodd hi fi a thwrio'i hewinedd mor galed mewn i 'nghefn nes iddi godi gwaed ar fy nghroen a dagrau i'm llygaid, er rwy'n fodlon cyfadde roedd e'n reit bleserus ar y pryd hefyd. Ro'n i'n rhy ddiniwed yr adeg hynny i wybod a oedd y lefel honno o angerdd yn normal ai peidio. Dim ond wedyn des i ddeall y gwir. Nid angerdd mohono, ond dicter.

12

Y dydd Sul cyntaf hwnnw o'r Eisteddfod cawson ni afael ar sgrîn deledu mewn tafarn yn Llandudoch, yn sir Benfro. Roedd Ceredigion yn dal yn sych ar y Sul bryd hynny. Roedd y teledu'n bwysig, er mwyn gweld y *Grand Prix* o'r Almaen. Edrychai Dan a minnau ymlaen at y ras yn llawn cynnwrf, gyda Dan yn cefnogi'r Sais, James Hunt, a minnau'n bwriadu gweiddi dros Niki Lauda. Fodd bynnag, hwn oedd diwrnod sobraf ein 'Steddfod, wrth i Niki Lauda gael damwain ddifrifol. Yn dilyn llosgiadau erchyll bu ei fywyd yn y fantol. Roedd Dan yn llawn cydymdeimlad, yn sylweddoli pa mor ypsét yr oeddwn. Ceisiais yn galed i beidio gadael i'r digwyddiad ddifetha'r diwrnod ond roedd hi'n anodd diffodd y ddelwedd o'r car llawn fflamau o 'mhen. Er i Lauda dynnu drwyddi yn ystod y diwrnodau nesaf ni allwn beidio gweld yr hyn a ddigwyddodd iddo fel rhyw ddrwgargoel. Nes ymlaen yr wythnos honno roedd hi i fod yn ddiweddglo perffaith i ben-blwydd perffaith, sef gweld fy hoff fand yn chwarae'n fyw yn awyrgylch dramatig Castell Cilgerran yng nghwmni fy nghariad a'm ffrind gorau. Gwyddwn yn iawn fod Dan wedi bod yn yfed fodca am y rhan fwyaf o'r prynhawn, felly ro'n i'n nerfus iawn o'i weld yn llygadu maint y dibyn anferth i lawr i grownds y castell wrth iddo gydio yn y rhaff ddiogelwch.

'Dere o fan'na,' ymbiliais. 'Plis, paid sbwylio 'mhen-blwydd i.'

Anwybyddodd Dan fi, gan dynnu Hannah tuag ato a dechrau canu 'Don't Go Breaking My Heart'. Canodd Hannah 'nôl 'I couldn't if I tried'. Rhoddodd Jasmin ei bys tu fewn i'w cheg i ddynodi bod ymddygiad y ddau'n codi cyfog arni.

Medrem glywed ychydig o gerddoriaeth yn y pellter wrth i'r band dwymo lan.

'Dewch, well i ni fynd. Ni ddim moyn bod y dwetha 'na,' meddwn, gan dynnu Dan i ffwrdd o'r ymyl. Yn annisgwyl fe dynnodd e 'nôl gan achosi i mi golli 'nghydbwysedd ac fe gwympes i tuag ato.

'Aaa!' sgrechodd Jasmin, gan feddwl bod y ddau ohonom yn mynd i gwympo lawr y dibyn tywyll. Yn ffodus bu'r ddau ohonom yn ddigon call i ddal ymlaen i'r rhaff.

'Be sy mater efo chdi, Dan? Tyfa i fyny!' gwaeddodd Jasmin.

'Dim ond 'bach o sbort o'dd e,' meddai Hannah, yn cymryd ochr Dan.

Yna'n sydyn roedd ochenaid torfol o siom wrth i nifer o oleuadau ddiffodd. Meddyliais yn syth nad oedd hyn yn arwydd da ac ar ôl aros am dri chwarter awr aeth y gair ar led bod y gyngerdd wedi ei chanslo oherwydd toriad yn y cyflenwad trydan.

Pan gyrhaeddodd ein bws 'nôl yn Aberteifi aeth Hannah a Dan 'nôl i'w hystafell hi a synhwyrodd Jasmin maint fy siom ar golli mas ar gìg Edward H. wrth i ni araf ymlwybro 'nôl i'r maes pebyll. Arhoson ni ger mainc a dywedodd Jasmin wrthyf am eistedd gan fod ganddi sypréis pen-blwydd i mi. Gan edrych o gwmpas i sicrhau nad oedd neb yn ei gwylio fe dynnodd hi gwdyn bach polythen allan o'i bag llaw ac yn sydyn sylwais ar ddwy fadarchen fach wedi eu sychu'n grimp yn ei llaw.

'Wel? Be ti'n feddwl? Falle gawn ni 'chydig o hud heno 'ma, wedi'r cwbl?'

Syllais ar y madarch gan deimlo'n bryderus.

'Sa' i'n gwbod. Sa' i wedi neud hyn o'r blaen,' meddwn.

'Jest cliria dy feddwl o unrhyw beth gwael. Rho siom heno 'ma y tu cefn ichdi. Wnawn ni'm cymryd llawer, jest un fach yr un, rhyw gram yr un, 'na i gyd. Paid poeni, fydda i yma efo chdi.'

'Ond sa' i'n gwbod beth i ddisgwyl,' dywedais, gan obeithio nad oeddwn i'n swnio'n ormod o ynfytyn diniwed.

'Jest rho mewn i'r llif, dilyn teimladau braf,' atebodd, gyda golau'r lleuad yn dal y sglein yn ei gwallt a gwneud iddi swnio fel rhyw fam ddaear hynafol.

Ond ro'n i'n dal i deimlo rhyw gwlwm annifyr yn fy 'mysgaroedd.

'Sa' i'n anniolchgar. Wy'n gwerthfawrogi'r cynnig, ife . . . ' dechreuais, cyn i Jasmin dorri ar draws.

'Dwi'n cymryd un p'run bynnag. Mae o i fyny ichdi os ti isio cymryd dy un di. Pen-blwydd hapus.'

Rhoddodd Jasmin ei madarchen yn ei cheg gan daflu cipolwg gefnogol tuag ataf, yn fy ngwahodd i ddilyn ei hesiampl.

'Am faint barith e?' gofynnais, yn dechrau teimlo dan bwysau i'w chopïo.

'Mae'n dibynnu,' meddai hi. 'Mwy na thebyg deimli di ddim byd am yr awr gynta. Fel arfer mae o i gyd drosodd mewn rhyw bedair neu bump awr.'

Cymerais fy madarchen innau hefyd a chusanodd Jasmin fi'n dyner a rhyw olwg o undod braf arni. Fodd bynnag, waeth i mi gyfaddef, roedd yr holl brofiad yn ofnadwy o siomedig. Ro'n i wedi clywed bod madarch hud yn medru ad-drefnu patrymau a gwahanol liwiau ar yr hyn yr oedd rhywun yn gweld yn y byd real, neu hyd yn oed ysgogi rhithweledigaethau os oedd rhywun wedi cymryd digon ohonyn nhw. Ceisiais fy ngorau i beidio meddwl am gorff Niki Lauda'n llosgi. Yn hytrach, oherwydd ei fod wedi bod ar dudalennau blaen pob papur yr wythnos honno, fe ganolbwyntiais ar y *'Face on Mars'*, y ffotograff enwog o ddelwedd ar Mawrth a dynnwyd gan *Viking Orbiter 1* lai na phythefnos yn ôl, pan ganfuwyd creigiau siâp gwyneb dynol ar wyneb allanol y blaned. Doedd hi fawr o help mod i'n syllu ar y lleuad chwaith, ynta.

Ar y llaw arall roedd Jasmin fel pe bai hi wrth ei bodd, yn gwenu arnaf ac yn anwesu fy ngwallt o bryd i'w gilydd. Roedd hi'n dweud trwy'r adeg pa mor grêt yr oedd hi'n teimlo.

'Mae hyn yn grêt, tydy. Ti'n teimlo'n grêt?'

'Ie, grêt,' atebais yn gelwyddog.

'Grêt,' meddai hithau, gan nodio ei phen.

Rhywffordd neu'i gilydd dychwelasom i'n hafan oren ond methais gysgu am hydoedd, fy mhen yn troi i'r fath raddau nes bu'n rhaid i mi chwydu mor dawel â phosib ar ochr y babell. Wedi hynny syrthiais i drwmgwsg dwfwn. Yn wir ro'n i fel pe bawn i'n colli unrhyw synnwyr amser yn ein capsiwl oren breuddwydiol. Cefais fy nihuno yn y diwedd gan Dan tua dechrau'r prynhawn ac roedd ef am i ni fynd i nofio gydag ef a Hannah.

Ochneidiodd Jasmin gan agor ei llygaid gwaetgoch.

'Dewch,' parhaodd Dan yn ddygn, 'allai'r ddau o' chi neud tro â 'bach o ddŵr. Mae'r babell 'ma'n drewi!'

Ar fws yr arfordir roedd rhywun wedi gadael copi o'r *Western Mail.* Roedd yna lun o Niki Lauda, wedi goroesi ei ddioddefaint ac yn tyngu y byddai 'nôl yn rasio o fewn ychydig wythnosau.

Dywedodd Hannah fod yn gas ganddi rasio *Grand Prix*. Allai hi ddim meddwl am unrhyw beth mwy diflas. Roeddwn i'n dal i syllu ar olwg druenus Niki druan felly bu raid i Dan amddiffyn y gamp ar fy rhan.

'Na, dim o gwbwl. Mae'n gyffrous. Dychmyga'r *buzz* ti'n cael, mynd ar y cyflymder 'na. A 'se fe wedi marw, waw, am ffordd i fynd!'

'Ti'n real *sicko*!' meddai Hannah, gan ei daro ar ei fraich.

Rhoddodd Dan ei gamera i Hannah i dynnu llun ohona i gydag ef ar y bws. 'Llun cefnogwyr Grand Prix yn unig,' gwaeddodd Dan cyn rhoi gwên anferth i'r camera.

Yn y pen draw aethom i draeth Tresaith, yn canu caneuon Abba tra bod Jasmin yn dangos ei sgiliau gymnasteg ar y tywod. Allen i dyngu mod i wedi gweld dolffin yn y bae ond rhoddodd Jasmin y bai ar ôl-effeithiau'r madarch hud. O glywed iddo golli cyfle gyda'r madarch hud fe bwdodd Dan a diflannodd gyda Hannah i chwilio am grancod mewn pyllau nes lan y traeth. Cawsom ni'n dau ychydig o ddiodydd ar y ffrynt tu blaen i'r Ship, yn gwylio hwy yn y pellter. Yn y diwedd diflannon nhw'n gyfan gwbwl, i gael rhyw mwy na thebyg yn ôl Jasmin. Gan daflu ei fodca ag oren i lawr ei chorn gwddwg gafaelodd yn fy llaw ac awgrymu y dylen ni fynd ar eu hôl nhw.

Edrychom amdanyn nhw am gyfnod hir ond doedd dim golwg ohonynt yn unman. Yn y pen draw daethom ar draws cei bach tawel i gyd i ni'n hunain a thynnom ein dillad i ffwrdd mewn dim o dro. Roedd y teimlad o ryddid o fod yn hollol noeth yn anhygoel a chyn hir roeddem yn caru, dau ffigwr ynghlwm, dau smotyn ynghyd ar gynfas y traeth dan ehangder maith awyr las. Dim ond addfwynder tawel y llanw a thrai ac ambell wylan bell a hatgoffai ni am y byd go iawn. Tybiaf yr oedd Jasmin yn eithaf licio'r syniad y gallai rhywun ein gweld ni. Cafodd sigarét ôlgyfathrach yn hollol borcyn a chefais ryw chwiw annelwig fy mod i ynghanol ffilm dramor ecsotig. Sgwrsiodd hi am ei phrofiad madarchaidd. Un o'r goreuon erioed, meddai hi. Lliwiau ac emosiynau yn asio'n undod rhyfeddol. Yn enwedig lliw oren hyfryd o gyfoethog, mae'n debyg. Dyfalais p'un ai tu fewn y babell fu'n chwarae bêr â thu fewn ei phen. Gofynnodd a oeddwn i wedi clywed am Mark Rothko. Gwgodd pan ddywedais nad oeddwn. Roedd hi wrth ei bodd â'i waith. Gallai ymgolli'n llwyr yn ei fyd ef, ond roedd rhaid i rywun fod yn yr hwyl iawn. Tamaid bach fel caru, ychwanegodd, gan edrych yn ddwys. Roedd yr artist wedi lladd ei hun rhyw bedair blynedd yn ôl.

Yna aeth yn ei blaen i drafod Jackson Pollock. Roeddwn i wedi clywed am hwnnw. Doedd hi ddim cweit yn gymaint o ffan ohono fe. Teimlai fod arllwys paent ar gynfas ar hap a damwain yn ddwl yn y bôn. Yna, wrth iddi stwbio stwmpyn sigarét allan, cyfrannodd gwylan i'n cynfas ninnau ar hap a damwain gan gachu ar ei gwallt.

'Blydi aderyn!' felltithiodd hi i'r awyr.

'Mae e i fod yn lwcus,' meddwn.

Nid atebodd Jasmin. Yn grac, rhedodd i'r môr i olchi ei gwallt, ei chorff gosgeiddig yn diflannu'n araf deg i'r dŵr. Cerddais yn araf i ymyl y dŵr i ymuno â hi. Mwy na thebyg ewyn y môr neu ryw dric yn y meddwl oedd yn gyfrifol, ond allen i dyngu i mi deimlo ychydig ddafnau o law, y cyntaf o'r haf, wrth i mi fentro i'r heli.

13

Eisteddodd Mam gyferbyn â mi wrth ford y gegin gyda'i gwyneb dwys yn sôn ei bod hi wedi gweld arbenigwr a bod ei hangina'n gwaethygu. Roedd yn dechrau effeithio ar ei gwaith. Cafwyd sgwrs gan reolwyr y tri banc lleol yn barod a gyda rhieni Dan hefyd ac roedd pawb wedi bod yn amyneddgar a chefnogol iawn. Gan fod angen brêc bach arni roedd hi wedi penderfynu ymweld â'i chwaer Olwen ym Mhorthmadog.

'Fyddi di'n iawn ar ben dy hunan, os lanwa i'r ffridj? Ma' Gareth yn mynd bant hefyd, t'wel, gyda'i ffrindiau i'r Isle of Man.'

'Ie, fydda i'n iawn, peidiwch becso amdana i,' meddwn, yn gweld posibiliadau difyr yn barod.

Nid oedd angen rhyw lawer o berswâd ar Jasmin i symud mewn gyda fi am yr wythnos, er wy'n credu taw'r bath oedd yr abwyd pennaf yn hytrach na'r gwely. Doeddwn i erioed wedi cysgu gyda merch yn y tŷ o'r blaen ac roedd newydd-deb y sefyllfa honno yn gwneud yn iawn am agwedd braidd yn nawddoglyd Jasmin tuag at ei haelwyd newydd. Llwyddais i yrru ei hagwedd od i gefn fy meddwl am y tro fel rhywbeth dibwys. Er bod yna sôn am gynlluniau'r llywodraeth i gyflwyno dogni llym ar gyflenwadau dŵr, mynnodd gael bàth ddwy waith y dydd. Pan awgrymais y dylwn i ymuno â hi doedd hi ddim yn rhy awyddus. Yn ôl Jasmin roedd y bàth yn rhy fach i un, heb sôn am ddau. Hefyd roedd matres gwely dwbwl Mam yn anghyffordus a signal BBC 2 yn wan a'm casgliad recordiau yn anniddorol. Ac o ystyried bod Mam yn lanhawraig roedd lefel y llwch yn y tŷ yn syfrdanol. A'r llith hyn i gyd gan rywun oedd wedi treulio'r haf mewn cae!

Ond mae cariad yn ddall. Mwynheais goginio ychydig o brydau bwyd rhamantus iddi ac yfwyd poteli a photeli o win cartref Mam. Disgrifiodd Jasmin yfed y rhain 'fel yfed asid' er na rwystrodd hynny ddim o'i hawch i'w hyfed chwaith. Ac erbyn meddwl allai'r gwely ddim bod mor anghyfforddus â hynny, gan ei bod hi'n rhochian fel mochyn wedi pesgi pan lwyddai yn y pen draw i gysgu. Ond pan mae'r bod dynol yn deisyfu gweld ochr orau pethau mae'n llwyddo gan amlaf i wneud hynny. Neu o leiaf dyna wnâi'r bod dynol hwn. Chwyddwyd pob awgrym lleiaf o ganmoliaeth neu sylw cadarnhaol allan o unrhyw reolaeth a dyna'n gwmws beth ddigwyddodd pan ganmolodd Jasmin fy narnau crochenwaith.

'Maen nhw'n dlws, tydyn. Ti'n siŵr taw chdi wnaeth nhw?'

'Ie, wna i fwy i ti os ti moyn.'

'Na, dwi'm isio chdi fynd i unrhyw drafferth.'

Yr wythnos ganlynol, gyda Jasmin wedi dychwelyd i'r comiwn, fe ddes i ar draws Twm Celf unwaith eto yn y pentref a'i atgoffa am yr hyn ddywedodd wrtha i ar ddechrau'r haf. A oedd dal croeso yng nghrochendy'r ysgol?

'Ie ie, dere di ar bob cyfri, Trystan bach. Fydden i wrth fy modd yn cael 'bach o gwmni,' daeth ei ateb soniarus.

Y bwriad gwreiddiol oedd gwneud ychydig o blatiau syml patrymog, i greu argraff ar Jasmin. Ond wrth i ni sgwrsio am yr haf a minnau'n sôn am lwyddiant Dan yn yr Eisteddfod awgrymodd Twm y dylwn i wneud darn arbenning i Dan i ddathlu ei fuddugoliaeth. Fel mae'n digwydd bu'n arbrofi gyda cherfluniau rai wythnosau ynghynt, gan ddefnyddio amryw o weiars a'u gorchuddio â bandejis i'w chwyddo. Soniais efallai y byddai pâr o ddwylo wedi eu codi ar blinth, fel pe baent ar fin chwarae'r piano, yn anrheg addas. A does bosib na fydde hynny'n creu argraff ffafriol ar Jasmin hefyd? Efallai y gallen ni roi'r anrheg iddo ar y cyd o bosib?

Chwarae teg iddo rhoddodd Twm yr holl ddefnyddiau roedd eu hangen arnaf yn rhad ac am ddim i mi. Er ei bod hi'n heulog y tu allan ac ychydig yn annaturiol i gael ein caethiwo tu fewn yn ystod haf mor fendigedig, hedfanodd yr amser yn y crochendy. Roedd yn waith cymhleth a thrwyadl nad oeddwn wedi mentro ar unrhyw beth tebyg iddo o'r blaen. Yn gyntaf hoeliais y weiar agorfa i'r plinth pren a gweithio'r weiar yn ofalus i siâp dwy law gan ddefnyddio gefel. Yna fe drwchais y llaw a'r bysedd trwy ychwanegu cryn dipyn o weiar cwt ieir. Helpodd Twm fi i dorri'r bandejis i mewn i stribedi a'u dipio mewn hylif plastar cyn eu gosod ar y weiars gwahanol. Roedd e'n dal i geisio fy mherswadio i aros ymlaen yn yr ysgol.

'Ma' 'da ti dalent naturiol gyda chrochenwaith ac mae'r cerflun hyn yn dod 'mla'n yn dda iawn 'da ti,' meddai'n garedig, gydag acen Wyddelig Terry Wogan yn y cefndir ar Radio 2 yn gyfeiliant i'w lais dwfwn. Gwyliais fy nghyn-athro wrth iddo roi ei gyffyrddiadau olaf i fâs syml ond effeithiol, yn amlwg yn ei elfen.

'Ti'n bwriadu bwrw prentisiaeth, dysgu crefft gyda Nwy Cymru 'te, wyt ti?'

'Ydw. Ond ma' lot yn dibynnu ar fy nghanlyniadau lefel-O. Os ga' i chwech, yn cynnwys Mathemateg a Ffiseg, yna mwy na thebyg gymeran nhw fi 'mlaen fel prentis. Wy'n gobeitho bod yn beiriannydd gwres canolog yn y diwedd, yn rhedeg busnes fy hunan.'

Gwenodd Twm gan ysgwyd ei ben.

'Wel, ti wedi cynllunio dyfodol i ti dy hunan, whare teg. Pob lwc i ti.'

'Diolch, syr.'

'A llai o'r "syr" 'fyd. Nawr bo' ti 'di gadael ysgol alli di alw fi'n Twm os ti moyn. Dyna'n enw i, wedi'r cwbwl.'

'Diolch, Twm,' meddwn, yn teimlo wedi tyfu lan yn sydyn reit.

Wrth i'r bandejis galedu a'r plastar seto fe ddefnyddiais rai o dŵls Twm. Cefais fenthyg ffeiliau a chyllyll a *spatula* fach effeithiol iawn i weithio graen y wyneb cyn o'r diwedd ei sandio lawr i ansawdd cain, caboledig yr oeddwn yn ddigon balch ohono. Cymerodd y gwaith bump sesiwn o bedair awr i gyd ond fe fwynheais bob munud, yn enwedig sgwrsio gyda Twm, a ymddangosai'n llawer mwy hamddenol ac agos-atoch y tu allan i gyfyngderau'r dosbarth ysgol.

Ar ôl ei sandio unwaith yn rhagor safais o'r neilltu i edmygu fy ngwaith. Daeth Twm draw hefyd gan graffu'n ofalus ar y cerflun a gwyro ei sbectol ar ei drwyn.

'Arbennig. Da iawn ti, Trystan. Wyt ti'n mynd i alw fe'n rhywbeth?'

'Wel, mae'r dwylo bach yn fwy nag o'n i 'di bwriadu ond wy'n gwbod odd dwylo mowr gyda Rachmaninoff ac mae Dan yn dwlu arno fe, felly o'n i'n meddwl "Dwylo Rachmaninoff".'

'Teitl gwych!' meddai Twm, gan chwerthin yn foddhaus yn ei lais soniarus fel rhyw gawr hapus.

Es i â'r cerflun adref i ddangos i Mam ac roedd hi'n llawn canmoliaeth am fy ymdrechion, chwarae teg iddi. Gan ei bod hi'n dal yn weddol gynnar yn y prynhawn fe osodais y cerflun yn ofalus yn fy mag cynfas ac anelu am y mynyddoedd ar fy meic. Wrth i mi nesáu at dipi Jake synhwyrais arogl melys cryf dôp yn dod o'r tu fewn iddo.

'*Ah, the lover!*' meddai Jake gan ysgwyd fy llaw wrth i mi ddod mewn a thaflu cipolwg at Jasmin a orweddai ar y llawr gyda sbliff anferth yn ei cheg.

''Bach yn gynnar i'r mwg drwg, nagyw hi?' gofynnais, yn gobeithio nad oedd Jasmin allan o'i phen yn barod. Cododd ar ei heistedd a syllu arnaf, ei llygaid llaith yn ddryslyd a'i phen yn siglo 'nôl a 'mlaen gyda'r awgrym lleiaf o wên ar ei gwefus. Roedd Sara yno hefyd, mewn gwaeth cyflwr na'i chwaer hyd yn oed.

Holodd Jake beth oedd gen i yn fy mag. Penderfynais y byddai hi'n beth ffôl i ddangos y cerflun i Jasmin nawr. Doedd dim brys. Wnelen i ddangos e iddi pan fyddai hi mewn cyflwr mwy normal.

'*Nothing important*, Jake,' atebais.

'Ti ddim arfer cario bag mawr fel'na,' meddai Jasmin, â golwg syn. Yna gyda llais llawn panic dywedodd ei bod hi'n gobeithio nad oeddwn i'n bwriadu aros. Erbyn hyn roedd Sara fusneslyd wedi pipo mewn i'r bag.

'Ma' gynno fo ryw fath o gerflun,' meddai mewn goslef anghrediniol, fel pe bai'r peth ddim yn gwneud unrhyw synnwyr.

'Wrth gwrs. Anrheg Dan,' meddai Jasmin, wrth iddi sylweddoli beth oedd e.

'Dere i ni gael golwg arno fo.'

Ychydig yn anfodlon fe dynnais y cerflun allan o'r bag yn dra gofalus. Jake wnaeth y sylw cyntaf. Roedd e'n meddwl ei fod yn hardd, yn wirioneddol hardd. Parhau i edrych yn ddryslyd oedd

Sara, cyn gofyn i mi pam wnes i'r fath beth?

'Wy'n lico neud pethe yn y crochendy,' meddwn, yn ddig bod yn rhaid i mi egluro fy hun.

'Ie, mae o'n reit dda fel arfer. Dwi 'di gweld peth o'i stwff o,' meddai Jasmin, yn rhoi ei phig i mewn.

Ceisiodd Jake gael rhyw air o glod am y darn o enau Jasmin gan ofyn iddi beth roedd hi'n meddwl ohono, ond er mawr siom i mi wnaeth hi jest codi'i hysgwyddau'n ddi-hid.

'Well I think it's great, mate. Well done, really beautiful,' meddai'r Sgowsar drachefn, yn teimlo embaras braidd gyda diffyg ymateb Jasmin.

Yn sydyn fe gododd Jasmin ar ei thraed gan ddatgan ei bod hi'n mynd allan. Pan ofynnais i ble fe gododd ei hysgwyddau unwaith eto a cherdded allan o'r tipi. Rhoddodd Jake rhyw fraich o gysur ar fy ysgwydd a dweud wrthyf am beidio cymryd sylw ohoni; roedd hi'n *stoned*, 'na i gyd.

Ar ôl paned o de mewn tawelwch llethol dychwelais adref. Wrth i mi gerdded trwy'r gât fach ar flaen y tŷ teimlais ryw bwniad ysgafn ar fy ysgwydd. Troais i weld Bethan yn syllu ar y bag cynfas.

'Ody e mewn fan'na? Dy gerflun? Wedodd Mr Rees Celf bod ti 'di bennu fe. Alla i weld e, Trystan?'

Tynnais y dwylo allan o'r bag yn ofalus unwaith eto. Goleuodd llygaid Bethan gydag edrychiad o edmygedd llwyr. Gwyddwn ei bod hi'n hoff iawn o gelf ac yn dipyn o giamster yn y crochendy ei hun felly fe werthfawrogais ei hymateb yn fawr.

'Ma' fe'n lyfli, ma' fe mor glyfar 'da ti,' meddai, gan ychwanegu bod Dan yn lwcus iawn i gael cystal ffrind. Gan gymryd hyn fel ciw oddi wrthi gofynnais yn lletchwith sut oedd Rhodri y dyddie yma.

'Ma' fe'n iawn,' meddai, gan oedi am ychydig yn fwriadol cyn ychwanegu, 'Ond ni i gyd yn gweld dy eisiau di. Wy'n gwybod mod i, ta beth.'

Amneidiais yn lletchwith, gan ddweud wrthi am gofio fi at ei brawd.

14

Gysgais i ddim yn dda o gwbwl y noson honno. Wrth i mi syllu ar amlinelliad 'Dwylo Rachmaninoff' ar y silff trwy wyll yr oriau mân fe wrandawais ar dwrw'r glaw trwm yn tasgu ar do fy ystafell wely, cymaint o law yn wir fel na fedrai'r bargodion ymdopi, fel pe baent wedi anghofio'u pwrpas, y dŵr yn tywallt lawr cefn y tŷ fel rhaeadr.

O gwmpas chwech y bore o'r diwedd fe stopiodd a cheisiais grafu rhyw ddwy awr o gwsg. Arogl ddihunodd fi o'm trwmgwsg haeddiannol, sef gwynt cig moch fy mrecwast arfaethedig yn ymlwybro i fyny o'r gegin. Ond allen i ddim wynebu bwyta unrhyw beth felly fe wisgais yn glou a slipo mas trwy ddrws ochr y tŷ. Wrth i mi fynd trwy'r gât fach ar fy meic daeth Mam at ddrws y ffrynt gan alw fy enw'n ofer mewn llais bach main, gwichlyd.

Er nad oedd hi'n bwrw glaw rhagor roedd fel pe bai rhyw ffresni ar y daith lan i Lanafan oedd yn iachus. Yn sicr roedd mwy o drydar adar i'w glywed yn y cloddiau a mwy o wiwerod a chwningod yn rhuthro ar hyd yr hewlydd hefyd. Ac arogl cryf glesni, yn finiog fel paent, yn gwthio'i hun lan trwy'r tir. Cyrhaeddais y comiwn·yn gynt nag erioed, yn bennaf fe dybiais oherwydd egni y grymoedd natur newydd-anedig a fu'n gwmni i mi ar hyd fy siwrnai fywiog. Ond pam mod i mor awyddus i weld Jasmin? A oedd yna ryw bryder dan yr wyneb am ei hymddygiad tuag ataf yn ddiweddar, pryder yr oeddwn yn gyndyn i'w gydnabod?·

Profiad rhyfedd oedd gweld y tipis a'r pebyll mor wlyb nes oeddynt bron iawn â newid eu lliw. Sylwais fod pabell Jasmin ynghau a bod Sara tu fas i'w thipi yn gwasgu'r dŵr allan o grys-T gwlyb sopen ac yna'n ei hongian lan i sychu ar un o'r rhaffau a ddalai'r tipi i fyny. Gwenodd wrth iddi sylwi arnaf yn nesáu ati.

'Am noson!' meddai.

'Ie. Dramatig, nago'dd e?'

'Mae Jake yn 'styried symud i wlad fwy poeth yn barod. Mae gan ei dad o fila ym Mhortiwgal. Mae'n pathetig. Un noson o law ac mae o am 'i heglu hi o' 'ma!'

'Ble ma' pawb 'te?' gofynnais yn nerfus.

'Mae Jake 'di mynd ag Arthur am dro,' atebodd Sara'n ofalus.

'A Jasmin? Ody hi lan 'to?'

Syllodd Sara i fyw fy llygaid, gan roi edrychiad a chymaint o dosturi ynddo fel y gallai rhywun dybio mod i'n gardotyn ar y stryd neu'n wahanglaf.

'Ody hi yn ei phabell?' wnes i ddyfalbarhau.

'Ddeffrodd hi'n gynnar. Gafodd hi dacsi i Dregors. I dŷ Daniel dwi'n meddwl.'

Amneidiais yn bwyllog, ond roedd fy stumog yn troi. Mae'n rhaid bod Sara wedi synhwyro rhywbeth gan iddi ddod draw a gafael yn fy mraich yn llawn cydymdeimlad.

'Tydy o'm i fyny i mi, Trystan. Ond dwi'n meddwl 'sa' chdi'n well off o lawer hebddi. Mae hi'n dipyn o freuddwydiwr yn y bôn 'sti.'

Wrth i mi wibio ar ras wyllt i lawr un o'r rhiwiau tuag at Bontrhydfendigaid roedd y gair yn chwyrlïo o gwmpas fy mhen fel top troelli. Breuddwydiwr. Beth roedd hi'n ei olygu? Rhywun oedd yn byw mewn byd ffantasi? Rhywun na allai wynebu realiti bywyd bob dydd? Mewn gair, celwyddgi?

P'un ai oherwydd i mi banicio neu o achos yr aer ffres llaith oedd yn fy ysgyfaint roeddwn i'n teimlo'n sâl at fy stumog wrth i mi barcio fy meic ar y dreif yn Glanrafon House. Teimlai fy nghoesau yn drwm, fel pe baent yn gwrthod mynd â mi i ben fy siwrnai dyngedfennol. Llwyddais i adael fy hun i mewn yn ddistaw bach trwy ddrws y bac. Clywais 'Bohemian Rhapsody' yn chwarae yn y pellter, lan lofft rhywle. Roedd fy mhen yn troi erbyn hyn, yn ofni beth fyddwn i'n canfod. Wrth i mi basio'r lluniau haniaethol ar y wal a dringo'n ofalus i lan y grisiau fe glywais chwerthiniad croch nodweddiadol wichlyd Dan a llais ychydig mwy meddal, llais Jasmin. Teimlais boen yn fy mrest yn syth, fel pe bai rhywun yn ceisio rhwygo fy nghalon mas. Hyd yn oed gyda'r gerddoriaeth yn uwch wrth i mi nesáu at yr ystafell wely allen i glywed nhw'n cilchwerthin a thrafod mewn ffordd aneglur. Yn wir, ar y landin, daeth hi'n amlwg eu bod nhw'n siarad Ffrangeg i'w gilydd. Fedrwn i ddweud o lefel isel eu cilchwerthin a'u mân sgwrsio a gwegian gwichlyd y sbrings eu bod nhw ar wely Dan. Cefais fy nhemtio'n arw i droi 'nôl. Wedi'r cwbwl, gwyddwn ym mêr fy esgyrn pe bawn i'n mentro mewn i'r ystafell yna y buaswn fwy na thebyg yn cael siom arteithiol gan yr hyn a welwn. Ond cedwais i fynd yn fy mlaen. Wrth i Freddie Mercury gyrraedd uchafbwynt yn y gân cerddais trwy'r drws agored a sefyll yn stond, yn eu gwylio am ychydig eiliadau, fy nghalon yn taro i rythm y miwsig a'm corff yn synhwyro rhyw elfen annelwig o ddolur rhydd. Roedd Jasmin noeth â'i chefn tuag ataf yn arllwys ychydig o seidr ar frest Dan ac yn llio'r hylif lan. Cilchwarddodd Dan, yn amlwg yn teimlo'r profiad yn ogleisiol yn ôl ei olwg. Rhywffordd neu'i gilydd mae'n rhaid ei fod wedi synhwyro fy mhresenoldeb oherwydd fe sythodd yn sydyn a syllu arnaf gyda golwg llawn arswyd ar ei wyneb. Trodd Jasmin hefyd, gan gymryd llwnc hamddenol o'r fflagon seidr, a hyd yn oed rhoi rhyw wên fach 'smala.

Troais 'nôl ar fy union i lawr y grisiau, gan ruthro mas trwy ddrws y ffrynt. Wedi drysu, mae'n rhaid mod i wedi llithro oddi ar y stepen wlyb a syrthio, gan taw'r peth nesaf i mi wybod oedd mod i'n sodro fy nwylo yn y graean gwlyb i atal fy nghwymp. Rhoddodd hyn amser i Dan ddal lan â mi oherwydd wrth i mi godi i 'nhraed daeth lan ataf yn ei drôns a cheisio fy rhwystro i rhag cyrraedd fy meic.

'Plîs paid mynd. Dere mewn. Jyst 'whare 'mbytu o'n i. Dyw e'm yn golygu unrhyw beth!'

'Shwt alli di weud 'na?' gofynnais, gan dynnu fy meic o'wrth y wal a'i droi i gyfeiriad yr hewl.

'Ti ddim yn deall. O'n i'n arfer mynd mas gyda'n gilydd. Llynedd. Mae ei rhieni hi'n byw yn Llanymddyfri nawr. Wnaeth hi fwy neu lai ddilyn fi 'ma, moyn mynd 'nôl mas 'da fi. Ond sdim gobaith o 'ny.'

Erbyn hyn, wedi'm syfrdanu gan y newyddion yma, roeddwn wedi rhoi fy llaw i fyny gan ysgwyd fy mhen yn ffyrnig. Nid oeddwn am glywed rhagor. Doedd e ddim yn gwneud synnwyr. Beth ddiawl oedd e'n siarad 'mbytu?

Y prynhawn hwnnw daeth mwy o law i mewn o'r gorllewin ac fe yrrais Ford Cortina Gareth ar gyflymder peryglus o uchel o amgylch maes parcio'r mart, gyda 'Tŷ Haf' Edward H yn diasbedain o'r system sain a'r weipars yn chwarae ar spîd-dwbwl, fel rhyw ysbryd o ddrymiwr manig i'r band. Es o un *hand-brake turn* i'r llall, gan yrru'n ddwl o agos ac yn nes ac yn nes at y coed ar gyrion y maes parcio. O'r diwedd fe wyrais i'r dde i osgoi yr hyn a feddyliais oedd yn flwch post, nes i'r 'blwch post' yn sydyn symud tuag ataf.

Oeddwn i'n dechrau mynd yn wallgof?

Yna clywais rap-tap-tap ar y ffenest wrth fy ymyl a sylwi ar Bethan yn sefyll yn syn a'r glaw'n pistyllio dros ei chot goch hir a'i sanau duon. Weindiais y ffenest lawr a mwy neu lai gyfarth arni'n swrth.

'Beth wyt ti moyn?!'

'Plîs, Trystan. Stopa dreifo. Wy'n ofan 'nei di grasio mewn i goeden a lladd dy hunan.'

Hyd yn oed trwy'r glaw gallwn weld bod ei hwyneb yn diferu â dagrau. Meddyliais am ei llaw glwyfedig. A oedd yn teimlo'n wahanol wrth i'r tywydd newid? Efallai ei bod hi'n teimlo pinnau bach heddiw, yn y gwlybaniaeth. Neu falle bod ei chroen yn llaith fel croen Niki Lauda.

'Gad fi i fod,' meddwn, gan windio'r ffenest ynghau.

Tynnais y Cortina mas eto, gan godi cyflymder cyn cyflawni *hand-brake turn* arall a dod i stop sydyn fwy neu lai ynghanol y maes parcio. Fflachiodd mellten gerllaw. Dyrnodd taran fy nghlust, gan fudanu cerddoriaeth y car. Meddyliais am Mam yn dweud wrthyf pan o'n i'n fach bod dim angen ofan storm, dim ond Duw yn symud y celfi ydoedd. Meddyliais am ei hangina'n gwaethygu. Ond yn y diwedd fe ddiffoddais y gerddoriaeth a gorfodi fy hun i ystyried geiriau Dan. Wrth i mi ail-fyw'r wythnosau diwethaf roeddynt yn gwneud mwy a mwy o synnwyr i mi. Sut y bu Dan yn byhafio ym Mryneglur ar ymddangosiad cyntaf Jasmin, yn wreiddiol yn gwadu iddo ei gweld hi o gwbwl, ond yna'n cyfaddef. A'r adeg y gwthiodd ef hi lawr o'r dderwen yn Glanrafon House ac yntau'n mynd yn gynddeiriog wrth iddi ei nychu ef wrth ddal fy nghala yn ei llaw. Yn wir, aeth Dan mor grac nes iddo ei galw hi yn enw arall. Rhywun o'r enw Helen, ife? Ie, Helen. Efallai taw Helen oedd enw iawn Jasmin? Os bu Jasmin yn mynd mas gyda Dan yna byddai hynny'n egluro pam nad oedd hi'n awyddus i gwrdd â rhieni Dan hefyd, gan ei bod hi'n eu nabod nhw'n barod a ddim am ddangos hynny i mi. Po fwyaf y meddyliwn i am y peth mwya crac yr oeddwn i'n teimlo. Bu'r ddau'n chwarae gyda mi am wythnosau, yn chwerthin tu ôl i'm cefn. Pam? Beth oeddwn i wedi gwneud i gael fy nhrin mewn ffordd mor greulon?

Teimlais ryw niwl coch yn disgyn reit ar groes fy llygaid, gyda ffiniau annelwig oren a gweadau haenog ar yr ochrau. Ymdebygai i un o ddarluniau Rothko y baswn yn eu gweld nifer o flynyddoedd yn ddiweddarach. Roedd fy nhalcen yn gwneud dolur a fy ngheg yn sych a dyrnais yr olwyn lywio dro ar ôl tro nes i mi dynnu gwaed o'm dyrnau. Syllais ar fy nwylo amrwd, wedi blino'n lân wrth feddwl mod i wedi bod cymaint o ffŵl.

Ymhlith y coed wrth i'r storm ostegu fe wenodd Bethan yn dawel fach i'w hun wrth iddi ddechrau amgyffred beth oedd wedi digwydd.

15

Yn hwyrach y diwrnod hwnnw fe galliais rywfaint ac ro'n i wrthi'n dechrau pwmpio teiars fy meic wrth flaen y tŷ pan sylwais ar Jasmin yn sefyll ger y gât fach. Edrychais arni ac yna 'nôl ar y teiar blaen gan bwmpio'n fwy ffyrnig, yn ceisio fy ngorau i'w hanwybyddu. Clywais wich cyfarwydd y gât wrth iddi ddechrau dod tuag ataf.

'Wy ddim moyn siarad 'da ti.'

Cafodd ei thaflu rywfaint gan yr ymateb hwn. Safodd yn ei hunfan yn ei ffrog binaffôr werdd gyfarwydd a rhyw esgidiau fferau nad oeddwn wedi'u gweld o'r blaen. Sylwais fod ganddi freichled drwchus arian ar ei garddwrn dde hefyd. Anrheg efallai? Oddi wrth Dan?

'Doeddwn i ddim isio dŵad,' meddai o'r diwedd. 'Wedi'r cyfan 'dan ni'm yn blydi briod, nac 'dan.' Ac rown i'n meddwl mod i 'di rhoi amser reit dda ichdi.'

Roedd hi'n anodd gwadu hynny ond fe geisiais ymladd y tueddiad yma i fod yn rhesymol gyda hi.

'Tydy Dan a minna ddim 'nôl efo'n gilydd, os ydy hynny'n dy ypsetio di. Ffôniais trwyddo i gael fy nghanlyniadau lefel-A bore 'ma ac rown i isio dathlu, 'na i gyd. Paid bod mor sgwâr.'

'Lefel-A?' gofynnais, yn diawlio fy chwilfrydedd.

'Ie. Dwi'n ddeunaw, nid un deg chwech. Ges i dri A, os ti isio gwybod. Dwi'n mynd i Rydychen mis nesaf i astudio Ffrangeg.'

'Oes rhywbeth arall ddyliwn i wbod? Wy'n cymryd nage Jasmin yw dy enw iawn di?'

'Na. Helen. A tydy Sara ddim yn chwaer i mi, dim ond ffrind teuluol.'

Teimlais fy stumog yn dechrau corddi eto wrth i mi sylweddoli bod Sara a Jake wedi bod yn rhan o'r twyll hefyd.

'Beth o'n i 'te? Rhyw fath o arbrawf cymdeithasol? *Upstairs, Downstairs* neu beth?'

'Paid bod mor galed arna i, nac arnach chdi dy hun. Gawson ni 'chydig wythnosa o hwyl, yndo?'

'Ond ro't ti'n treial mynd 'nôl at Dan trwy'r adeg?'

'Na, ddim go iawn. Wyddwn i doedd gynno fo ddim diddordeb ynddo i rhagor. Roedd hynny'n her, mewn ffordd.'

'Wnest di ffansïo fi o gwbwl 'te?' gofynnais, yn dyfaru uniongyrchedd anghenus y cwestiwn bron yn syth.

'Wrth gwrs y gwnes i. Tydw i'm rhyw slwten sy jest yn cysgu efo unrhyw un!' meddai'n siarp, yn amlwg yn teimlo mod i'n gwneud cam â hi.

'Ddeudis i, yndo,' ychwanegodd, 'bo' chdi'n fy atgoffa o Paul Verlaine, y bardd Ffrengig, jest o amgylch y llygaid. Secsi iawn.'

Roedd hi'n gwenu arnaf nawr, yn chwarae â mi.

'Iwsest di fi,' meddwn, mewn cywair chwerw.

'O, tyrd o' 'na Trystan, paid bod mor *teenage* amdano fo. Wna i fyth anghofio chdi 'sti.'

Roedd hi'n troi ei gwallt gyda'i bysedd, ychydig yn nerfus ro'n i'n meddwl ac yn syllu arnaf gyda'r llygaid anferth llwydlas. P'un ai roedd hi'n meddwl y peth ai peidio wyddwn i fydden i byth yn ei hanghofio hi. Yna, gan synhwyro nad oedd lot mwy i ddweud fe gusanodd hi mi yn ysgafn ar fy nhalcen. Cofleidiais hi yn dynn er fy ngwaethaf. Yna fe drodd hi a cherdded at y gât.

'Wela i chdi o gwmpas, mae'n siŵr,' meddai, gan edrych arnaf dros ei hysgwydd.

Trannoeth ffôniodd Dan fi yn ymbil arnaf i gwrdd ag ef yng Nghaffi Ifan yn y pentref. Ildiais, yn bennaf oherwydd mod i'n awyddus i weld sut yn y byd y byddai'n ceisio amddiffyn ei hun. I gychwyn roedd e'n ffurfiol iawn, yn diolch i mi am gytuno i'w gyfarfod. Mynnodd y byddai'n trêtio mi i ginio ac archebodd y ddau ohonom yr un peth, sef ffa pob ar dost. Gwnaeth y ddau ohonom ryw dindroi o amgylch y pwnc am ychydig. Soniodd Dan am lythyr y derbyniodd y bore hwnnw oddi wrth y Coleg Cerdd Brenhinol yn ei dderbyn fel myfyriwr er nad oedd e'n ddeunaw, ar gymeradwyaeth un o diwtoriaid y coleg, Mr Michael Herbert FRCM, y beirniad a welwyd ar y llwyfan yn yr Eisteddfod yn Aberteifi. Mi fyddai'n cychwyn ar ei antur yn Llundain fis nesaf ac roedd yn amlwg wrth ei fodd. Soniais innau fy mod i braidd yn nerfus am y canlyniadau lefel-O fyddai'n cael eu cyhoeddi wythnos nesaf.

'Paid becso, wy'n siŵr fyddi di'n iawn. Ni i gyd yn gwbod nad wyt ti'n dwp go iawn, Twp.'

'Sa' i mor siŵr am 'ny. Wy'n credu mod i wedi byw lan i'r enw yn arbennig o dda yn ystod yr wythnosau diwetha 'ma,' atebais.

'Wy'n sylweddoli mod i wedi byhafio'n ofnadw ac wy'n sori. Gobeithio bod 'na'n golygu rhywbeth i ti,' meddai Dan yn ddwys, gan edrych draw arnaf yn groes y ford yn ddifrifol iawn wrth falanso ffa pob ar ei fforc.

Sylweddolais innau mod i ond wedi ei nabod ers llai na deufis a rhywsut wedi gadael fy hun i gael fy mesmereiddio dan ei swyn, felly mae'n rhaid bod rhan ohonof wedi bod yn naif iawn i ddelfrydu y bachgen hynod yma gyda saws tomato yn dripian oddi ar ei fforc. Codais fy ysgwyddau, gan geisio ymddangos yn ddi-hid.

'Tries i rybuddio ti amdani, i gadw draw,' parhaodd, 'a wnaethon ni ond bennu lan yn y gwely unwaith, dim ond ddoe. O'dd hi wedi cyffroi, am gael y graddau oedd angen arni i fynd i Rydychen. Nid fod hynny'n unrhyw esgus,' parhaodd drachefn, 'Ond mae hi'n lico'r gêmau meddyliol hyn, nagyw hi. A ti'n nabod fi. Wy'm yn lico cadw at reolau. 'Bach o sbort o'dd e, aeth yn rhy bell.'

'Jest dôs pathetig arall o adrenalin o'n i i ti,' meddwn, gan ysgwyd fy mhen ychydig, mwy mas o siom na cherydd.

'O'n i wir ddim moyn dy frifo di, Trystan. A do'dd Helen ddim chwaith. Wir.'

Wnaeth clywed Dan yn galw Jasmin wrth ei henw iawn ddim ond yn tanlinellu maint y twyll i mi unwaith eto. Roedd fel pe bai wedi sylweddoli ei gam ar unwaith gan iddo sôn am gyngerdd Nadolig posib gan Edward H. Dafis yn Llambed.

'Ga i docynne i ni. Fydde gas 'da fi golli cysylltiad. A fydda i 'nôl o Lundain dros Nadolig wrth gwrs. Allen i 'sgrifennu at ein gilydd. Alli di weud wrtha i am Nwy Cymru. Ti'n meddwl gei di iwnifform yn syth? Alla i jest gweld ti nawr, yn helpu rhyw wragedd priod rhwystredig, dod â 'bach o gynhesrwydd i'w bywydau!'

Gwnes i ryw led-wenu, er fy ngwaethaf.

'Wy'n gobeitho fyddwn ni'n gallu tynnu llinell dano hyn. Ti'n gwbod beth licen i neud? Mynd am sbin lan i Gyrn y Diafol 'to, i'r pwll 'na wnest di sôn amdano?'

'Pwll Dwfwn,' meddwn.

'Ie, 'na ni. 'Falle neith e haeddu'r fath enw erbyn hyn.'

'Wy'n amau hynny,' atebais. 'Dyw un diwrnod o law trwm ddim yn mynd i neud lot o wahaniaeth. Mae'n mynd i gymryd hydoedd.'

'Ond fe ddei di, ie? I rowndo'r haf bant? I ddangos bo' ti ddim yn dal dig. Ti, fi a Helen. Wedodd hi 'se hi'n dod â madarch 'falle. Gelen ni bicnic arbennig. Achos alli di'm gwadu, ni 'di cael haf a hanner gyda'n gilydd, nagy'n ni?'

'Na. Sa' i'n credu alla i ddod. Wy dal i deimlo'r dolur, i'r byw os ti moyn gwbod,' atebais ychydig yn swrth.

Yna fe gododd Dan i'w draed a rhuthro draw i'r cownter, gan roi rhywfaint o arian i'r fenyw wrth y til, cyn dychwelyd yr un mor glou ataf i.

'Twll dy din di 'te, Twp. Dy golled di fydd hi. A galli di dalu am dy blydi ginio dy hunan hefyd!'

A chyn i mi gael cyfle'n iawn i ymateb i'w lith roedd wedi diflannu o'r caffi gan slamio'r drws allanol ar ei ôl yn glep.

Ni welais e eto am bron i wythnos gyfan, ar ddiwrnod cyhoeddi fy nghanlyniadau lefel-O fel mae'n digwydd. Fues i'n pendroni am ei ddianc disymwth o grac o'r caffi a des i i'r casgliad fod y fath ymddygiad mympwyol yn hollol nodweddiadol ohono. Mae'n rhaid bod yr ymdrech i fod yn glên gyda mi am gyhyd wedi bod yn straen aruthrol, yn enwedig mewn ffordd mor wasaidd. Er y gallai fod yn *charming* weithiau doedd llio tin ddim yn natur Dan a'r peth mwyaf rhyfedd oedd nad iddo chwythu ffiws ynghynt.

Ond pe bawn i'n onest roedd rhyw dinc edifar gen i mod i wedi gwrthod y gwahoddiad am bicnic i Gyrn y Diafol hefyd.

123

Roedd yr hyn a ddywedodd Dan yn wir pob gair. Mi fyddai defod allanol ar ddiwrnod heulog braf yn ddiweddglo teilwng i'n haf rhyfeddol gyda'n gilydd. Gyda'r gwaddol yma o edifeirwch yn bwrw gwreiddiau yn fy nghalon a minnau newydd dderbyn y newyddion da o basio wyth lefel-O, gan gynnwys y Mathemateg a Ffiseg hollbwysig, des i ar draws Dan ar y sgwâr fach. Roedd eisoes ar ei feic ac fe frêcodd nesaf ata i.

'Shwt dest di 'mlaen?' gofynnodd.

Dywedais wrtho'r newyddion da ac edrychodd yn wirioneddol falch ohona i. Er nad oedodd yn ormodol ar y pwnc dywedodd yntau ei fod wedi pasio ei holl bynciau, er ni ddaeth hynny fel sioc i mi o gwbwl. Bu saib lletchwith rhyngom wedyn a atgoffodd fi o'n cyfarfod cyntaf ar y fainc yn y sgwâr fawr wrth aros i gael lifft i Fryneglur gan Ken Monk. Tarfodd Dan ar y tawelwch o'r diwedd.

'Pryd 'yf i'n cael gweld y cerflun hyn ti 'di neud 'te? Y dwylo?'

'Wy wedi towlu fe,' atebais yn gelwyddog.

Yn teimlo ychydig o embaras holais beth oedd ei gynlluniau am y dydd.

'Gan fod hi'n ddiwrnod mor braf o'dd Helen a finne'n meddwl y bydde heddi cystal ag unrhyw ddiwrnod i fynd lan i Gyrn y Diafol. Wy'n cwrdd â hi ar y sgwâr fawr mewn deg munud. Dyw hi'm rhy hwyr i ti newid dy feddwl, os ti 'whant dod gyda ni. Weden i bo' ti'n haeddu dathliad bach?'

Nodiais gan ddweud mod i'n slipo 'nôl adref i nôl fy meic ac y bydden i'n ymuno ag ef gynted ag y gallwn i. O edrych 'nôl roedd e'n benderfyniad mor ffwrdd-â-hi, di-daro. Penderfyniad yng ngwres y foment. Penderfyniad y byddwn i'n dyfaru am weddill fy oes.

Pan gyrhaeddodd Helen ar ei beic ar y sgwâr fawr edrychai'n siomedig i 'ngweld i yno a bu bron i mi dynnu 'nôl o'r daith. Mae'n rhaid bod Dan wedi synhwyro fy anniddigrwydd gan iddo roi ei fraich o'm cwmpas mewn cwtsh anferth, gan ddweud wrth Helen ei fod wrth ei fodd bod trydydd aelod o'r *Three Musketeers* wedi penderfynu ymuno â nhw wedi'r cwbwl.

Seiclon ni i fyny hewl serth Abergwesyn mewn tawelwch twym stecslyd, dim ond stopi mewn cwpwl o lei-beis ar y ffordd i yfed dŵr. Gynted y cyrhaeddon ni Dolawelon ar waelod Cefn Cnwc pwyntiodd Dan at greigiau pen ein taith yn y cefndir i Helen a gadwon ni'n beics ar y gwaelod er mwyn dringo i fyny Cyrn y Diafol. Cyn i ni gychwyn ein hesgyniad, tynnodd Helen flwch bach plastig o'i bag cynfas a dangos cnwd o fadarch sych mewn amrywiol siapau a maint. Taflodd Dan gipolwg ar y madarch ac yna edrychodd ar yr olygfa fendigedig. Dalais y cip nodweddiadol o gyffro yn ei lygaid.

'Well i ni gymryd peth rŵan, os 'dan ni bron â bod yno,' meddai Helen yn syml.

Dechreuon ni fwyta'r ffwng hud mor ddidaro â bwyta creision ac yfon ni fwy o ddŵr eto i olchi'r madarch lawr i'n cyrff disgwylgar. Cerddon ni'n araf deg i gyfeiriad pen y daith a chefais sioc o weld cyn lleied o ddŵr a redai i lawr o'r nant a arweinai o Pwll Dwfwn.

'Wy'n amau gewn ni gyfle i nofio,' meddwn yn goeglyd, gan bwyntio at ddrifl pitw y nant.

'Dwi'n reit falch,' meddai Helen. 'Sdim isio gormod o brysurdeb corfforol pan mae rhywun mewn i *overdrive* yn feddyliol.'

'O'n i'n meddwl 'se mwy o ddŵr na hyn lan 'ma,' meddai Dan yn siomedig.

'Dim ond cwpwl o fodfeddi sydd yn afon Brithig yn y pentref mor belled!' ceisiais ymresymu, gan ychwanegu y byddwn i'n amau a oedd mwy o ddŵr yn Pwll Dwfwn na'r tro diwethaf buom yno.

Pan gyrhaeddon ni Pwll Dwfwn ei hun o'r diwedd gwireddwyd fy mhroffwydoliaeth, gyda dim ond cwpwl o fodfeddi o ddŵr yn y man mwyaf dwfwn. Ein penderfyniad nesaf oedd dewis ble i eistedd a mwynhau'r olygfa o Fwlch Abergwesyn. Yn hollol nodweddiadol ohono roedd Dan yn awyddus i fynd lan Cyrn y Diafol. Teimlais dyndra mwyaf sydyn yn fy ngwddwg, fel pe bai rhywun wedi gwasgu botwm panig. Edrychai Helen yn weddol ddi-hid felly gadawyd i mi y dasg anodd o ddwyn perswâd ar Dan i beidio mynd lan i ben un o'r creigiau.

'Ma' fe rhy beryglus, Dan. Wir nawr. Gyda'r madarch yn dy ben fyddi di moyn jwmpo o un clogwyn i'r llall. Wy'n nabod ti rhy dda. Fyddi di ffilu amseru dy naid a fennu di lan yn cael codwm a torri dy wddwg.'

Gan anwybyddu fy nghyngor yn y modd mwyaf rhodresgar posib dechreuodd Helen frasgamu tuag at un o'r creigiau yn ei hesgidiau ffêr lledr newydd.

'Dewch. Sdim pwynt dŵad yr holl ffordd i fyny os nad ydan ni'n mynd i gael yr olygfa orau oll, nacoes?' galwodd 'nôl arnom.

Gwenodd Dan, gan fynd ar ei hôl hi'n syth. Galwais ei enw mewn goslef difrifol. Trodd i'm gwynebu.

'Wy o ddifri,' meddwn. 'Wy ond yn dod lan 'da ti os ti'n addo jest eistedd ar y copa a gwerthfawrogi'r olygfa. Dim 'whare 'mbytu.'

'Wrth gwrs mod i'n addo. Sa' i'n idiot, Twp. Sdim diddordeb 'da fi mewn rhedeg 'mbytu'r lle yn y gwres 'ma. Wy jest moyn bod fel un gyda Natur.'

Winciodd yn hy arnaf wrth ddweud y frawddeg olaf yma. Felly, yn llawn pryder, dilynais hwy i fyny i'r copa, gan aros 'nôl rywfaint gyda'r bwriad yn y pen draw o sodro fy hun ar y glaswellt sych a chanolbwyntio ar rywbeth mwy difyr na'r *Face of Mars* y tro hwn.

P'un ai oedd y madarch yma yn gryfach neu, yn fwy tebygol, mod i wedi cymryd llawer mwy, cefais eu heffeithiau rhithweledol yn frawychus o glou. Medrwn glywed Dan yn cilchwerthin yn blentynnaidd gan ailadrodd dro ar ôl tro 'Nagyw hyn yn ffantastig, chi'n gwbod, rili ffantastig?' ond prin y medrwn i ymateb iddo gan fy mod i'n sownd i'r llawr yn tsieco fy nwylo. Edrychais arnynt unwaith yn rhagor, eu cwato nhw tu ôl i'm cefn, cyn eu tsieco nhw eto. Doedd dim amheuaeth. Roedden nhw wedi troi'n wyrdd llachar!

'Wyt ti'n iawn?' gofynnodd Helen, gan anwesu ochr fy mhen.

'Paid neud 'na!' meddwn, gan wthio'i llaw i ffwrdd.

'O'n i'n caru ti, Trystan, wir ichdi,' meddai, cyn lledu ei llygaid mewn i wên dreiddgar, filain, 'am 'chydig o eiliadau hwnt ac yma!' ychwanegodd yn wenwynig.

Roedd rhywbeth mawr o'i le. Roedd ei llygaid hi wedi troi'n wyrdd hefyd. Roedd rhaid i mi tsieco fy nwylo yn erbyn rhywbeth nad oedd yn wyrdd. Daliais hwy i fyny at yr awyr las. Yna wnaethon nhw newid lliw unwaith eto, gan gymryd lliw yr awyr, gan greu'r argraff o fewn eiliadau nad oedd gen i ddwylo o gwbwl! Teimlais fy anadlu yn mynd yn fwyfwy ffrantig wrth i mi ddechrau panicio go iawn. Yna sylwais fod Dan ar ei draed ac yn cerdded draw at ymyl y dibyn.

'Na!' gwaeddais yn reddfol. Edrychodd Dan 'nôl arnaf fel crwt drwg pump oed wedi ei ddal yn camfyhafio ond cadwodd i fynd i gyfeiriad ymyl y graig serch hynny. Yn wir, mewn dim o dro eisteddodd unwaith eto reit wrth y dibyn, a'i goesau'n hongian oddi ar yr ymyl. Yn sydyn, cododd Helen i'w thraed gan fynd draw yn araf deg at Dan, gan droi 'nôl i wynebu fi hanner ffordd draw i ddweud 'Aros di fan'na. 'Dan ni'm isio chdi draw fan hyn.'

Amneidiais, yn cydsynio'n llwyr. Yna sylwais fod Helen hefyd wedi eistedd ar ymyl y dibyn, yn hongian ei thraed oddi ar yr ochr.

Roedd fy ymennydd ar garlam, yn synhwyro bod yna rywbeth mawr o'i le, ond yn methu lleoli yn union achos fy mhryder paranoid. Daeth lliwiau yn llawer mwy eglur, gydag ochr y mynydd yn enwedig yn ffurfio'r melynwyrdd mwyaf hyfryd, yr awyr yn las cyfoethog a'r haul yn y pellter yn goron euraidd ar y cyfan â'i wres iasol, croesawgar.

Mae gweddill y prynhawn, rhaid cyfaddef, yn annelwig iawn. Cofiaf weld Dan yn ystumio arnaf â'i fysedd i ddod draw tuag ato fe a Helen. Yna y tri ohonom yn eistedd ar yr ymyl, yn edrych lawr ar Bwll Dwfwn oddi tanom. Helen yn y canol. Yna Helen yn edrych wedi'i chynhyrfu, yn siarad gyda mi mewn goslef ymosodol, ond doedd y geiriau ddim yn glir, fel pe baent yn cael eu hyngan dan ddŵr. Ma' gen i ryw frith gof o glywed barddoniaeth Ffrengig yn cael ei grybwyll a Helen yn edrych yn watwarus tuag ataf, yn fy mychanu gan na wyddwn i unrhyw beth am y pwnc. Yna Dan yn edrych yn ddifrifol iawn ac yn dweud wrthi am gau'i cheg. Cau dy geg. Cau dy geg. Yna Helen yn llithro a minnau'n dal ymlaen i'w llaw, yn ei thynnu hi lan yn ddiogel, cyhyrau fy mraich yn gwneud dolur. Yna llaw Dan yn ymuno â'm llaw i a llaw Helen, gyda golwg wyllt yn ei lygaid. Yna minnau'n gadael llaw Helen yn rhydd wrth iddi sadio ar y tir unwaith eto. Yna'n sydyn yn llithro eto. Pam y llithrodd hi eto? Ai ei hesgidiau newydd sgleiniog oedd yn gyfrifol? Neu a adawodd Dan ei llaw hi'n rhydd, neu hyd yn oed ei gwthio hi? Pam oedd e'n chwerthin? Ie. Stopa chwerthin. Stopa Helen. Golwg frawychus o frad yn y llygaid hardd, glas a llwyd yn gymysg. Glaslwyd, mor ddisglair. Yna Dan yn chwerthin wrth iddi syrthio, chwerthin, yn dweud wrthyf fod pob dim yn iawn, ei bod hi'n gymnast benigamp, bydd pob dim yn iawn, fydd hi'n iawn, yn iawn.

16

Ychydig oriau wedi cwymp angheuol Helen cafodd y ddau ohonom ein holi ar wahân yn swyddfa'r heddlu yn Nhregors. Ym mhresenoldeb rhieni Dan a fy mam innau rhoesom samplau gwaed a fyddai maes o law yn dangos lefelau uchel o psilosybin. Oherwydd ein cyflwr meddyliol ni chawsom fawr o gyfle i gadarnhau y manylion i'n gilydd o'r hyn oedd wedi digwydd. Serch hynny, cafwyd fersiynau tebyg iawn o'r digwyddiad gan y ddau ohonom, mae'n debyg. Roedd Helen wedi slipo dros ochr Cyrn y Diafol i mewn i'r Pwll Dwfwn, a oedd bron yn sych, gyda thrawiad y cwymp wedi ei lladd yn syth. Pan rhoddwyd ni dan bwysau i egluro'r madarch hud, er i'r ddau ohonom geisio dweud ein bod ni wedi'u pigo nhw ar y mynydd, gwyddom o'r gorau na fyddai Sarjant Williams yn derbyn hyn a hithau'n haf mor sych. Yn y pen draw cyfaddefodd y ddau ohonom taw Helen ei hun fu'n gyfrifol am y madarch. Cadarnhawyd ein stori wrth iddynt chwilio ei bag cynfas hi a chanfod mwy o'r madarch sychion mewn blwch bach plastig. Er bod y ddau ohonom wedi bod dan ddylanwad y madarch roedd tebygrwydd ein hadroddiadau yn mynd i brofi'n allweddol nes ymlaen yn y Cwest i'w marwolaeth.

Cafwyd cyrch ar y comiwn yn Llanafan gan garfan gyffuriau Heddlu Dyfed Powys a gwasgarwyd yr hipis i rannau eraill o'r canolbarth o fewn dyddiau. Ar ôl y post-mortem rhyddhawyd corff Helen i'w theulu ar gyfer yr angladd. Er taw peth teuluol gweddol breifat oedd yr angladd mewn capel bach yng Nghilycwm ger Llanymddyfri cafodd Dan a minnau ein gwahodd yno, wrth i rieni Helen gydnabod trawma'r digwyddiad ar y ddau ohonom ni hefyd. Ffeindiais y gwasanaeth yn un emosiynol iawn, yn enwedig gweld Jonathan, brawd tair ar ddeg oed Helen, yn beichio llefain. Talwyd teyrnged dyner iddi gan ei thad, Islwyn, gŵr moel ond ffit yr olwg, yn ei bedwardegau. Ar fin torri lawr unrhyw eiliad llwyddodd yn stoicaidd i gadw i fynd a sôn am ba mor falch ydoedd o'u hunig ferch. Sut y bu iddi lwyddo ym mhob maes. Roedd ganddi ddyfodol disglair o'i blaen ac mi ffôniodd ei thad ar fore ei marwolaeth i ddweud cymaint yr oedd hi'n edrych ymlaen at fynd i Rydychen i astudio ei hannwyl feirdd Ffrengig.

Wedi'r angladd, yn y festri fach lle darparwyd te a brechdanau, cefais fy nghyfle cyntaf go iawn i siarad â Dan ers y ddamwain. Wedi i ni setlo ar ford fach breifat yn un o gorneli'r adeilad syllodd Dan ar fy ngwyneb trist gan wenu'n sydyn arnaf cyn sibrwd, 'Paid edrych mor ddiflas, Twp. Wy'n credu llwyddon ni i dwyllo pawb!'

Teimlais yn sâl at fy stumog a chraffais ar fy ffrind gydag atgasedd llwyr. Gwyddwn ei fod wedi croesi rhyw linell aniffiniadwy o wedduster. Does bosib bod marwolaeth Helen yn golygu rhywbeth iddo? Allai digwyddiad mor erchyll â hynny hefyd gael ei gategoreiddio fel rhyw fath o ruthr adrenalin, antur cyffrous fyddai'n goron gynhyrfus ar ei haf? Wrth iddo graffu 'nôl arnaf yn hy â'i lygaid yn llawn diawlineb, edrychais i ffwrdd, yn anfodlon cymryd rhan yn ei gêmau meddyliol dinistriol. Wyddwn i ddim o hynny ar y pryd ond fyddai rhai blynyddoedd yn mynd heibio cyn i ni drafod marwolaeth Helen eto, blynyddoedd llawn gwewyr meddwl i mi a difaterwch llwyr iddo yntau.

Bu marwolaeth annhymig Helen nid yn unig yn destun trafod i'r *Cambrian News* ond hefyd i'r wasg genedlaethol yng Nghymru, gan hyd yn oed ysgogi cwpwl o erthyglau golygyddol ar drasiedi marwolaethau y to ifanc a fu'n arbrofi â chyffuriau ac yn galw am ddeddfwriaeth dynnach o lawer. Ni chafodd yr holl stŵr unrhyw effaith ar gynlluniau Dan o gwbwl. Gadawodd i ddilyn ei astudiaethau piano yn Llundain yn union fel y trefnwyd. Bu rhai'n sôn am gyfnod byr ein bod ni'n mynd i gael ein cosbi am flasu'r madarch hud ac o bosib gael ein hanfon i uned troseddwyr ifanc i lawr yn y De. Ond rhowyd taw ar y fath glecs, yn rhannol gan i deulu Dan gael cyfreithiwr disglair ar eu hochr yn gynnar iawn rhag ofn i'r awdurdodau droi'n frwnt. Roedd rhieni Helen yn awyddus i dynnu llinell dan y farwolaeth ac yn wir disgleiriodd Islwyn unwaith eto yn ei ffordd ddidwyll, fonheddig yn y Cwest pan draethodd yn huawdl ar wastraff bywydau cynifer o'r genhedlaeth iau ar allor erchyll camddefnydd cyffuriau. Er ei bod yn anodd gwrando arno fe, fe ganmolodd ef onestrwydd Dan a minnau a gobeithiodd yn ddiffuant ein bod ni'n dau wedi dysgu gwersi pwysig o'i golled bersonol druenus ef. Diolchodd hefyd y pobol leol yng Nghilycwm am eu cefnogaeth a'u cydymdeimlad, a hwythau fel teulu dim ond wedi symud yno o Ddinbych ers dwy flynedd. Dyfarnodd y Crwner fod Helen wedi marw trwy 'farwolaeth ddamweiniol' a'r farn gyffredinol nawr oedd i bobol geisio 'symud ymlaen' â'u bywydau bob dydd ar ôl y Cwest.

Yn fy achos i roedd hi'n fater o haws dweud na gwneud. Er

iddynt wadu bod gan eu penderfyniad unrhyw beth i wneud â'r cwmwl du oedd yn hongian uwch fy mhen yn fy mywyd personol trodd Nwy Cymru fy nghais am brentisiaeth i lawr, gan honni bod mwy nag arfer wedi ceisio am le eleni.

Am rai diwrnodau wedi derbyn y llythyr negyddol o du Nwy Cymru fe wnes i ystyried y posibilrwydd o ddychwelyd i'r ysgol wedi'r cwbwl. Ond erbyn hyn roedd ffactorau pwysig eraill i'w hystyried yn fy mhenderfyniad. Roedd y dirywiad graddol yn iechyd fy mam yn golygu na allai weithio mor aml ag yr arferai. Yn wir, roedd ein perthynas â'n gilydd wedi cyrraedd y gwaelodion. Teimlwn yn euog a dywedais y baswn i'n cael swydd rhywle ac y byddwn i'n talu fy ffordd o fewn dim o dro. Wedi'r cwbwl roedd Gareth, a weithiai mewn argraffty yn Llambed, eisoes yn cyfrannu'n ariannol at yr aelwyd ac wedi awgrymu'n gryf y dylwn innau wneud yr un peth. Trwy ffrind i'r teulu cefais waith mewn siop ddillad dynion yn Aberystwyth, sef Morris & James. Trefnwyd lifft 'nôl a 'mlaen gyda Brian Llewelyn a oedd yn gweithio mewn fferyllfa yn Aber. Enillwn dri deg dwy bunt yr wythnos. Doedd e ddim yn ffortiwn ond roedd e'n ddigon i roi rhyw flas o annibyniaeth i unrhyw fachgen un deg chwech oed. Rhoddwn hanner y cyflog i Mam a phedair punt yr wythnos i Brian fel fy nghyfraniad at ei betrol. Ar yr ochr gadarnhaol do'n i ddim yn mynd mas lot rhagor, felly gallwn i safio rhai punnoedd bob wythnos, gyda'r bwriad o'u rhoi tuag at y gost o brynu car pan fydden i'n ddigon hen i yrru.

Er bod fy ngwaith yn Morris & James yn ddiflas ar y naw ro'n i'n gwerthfawrogi'r amser a gefais yno, oriau gwag gyda fawr i'w wneud, yn enwedig ar y dydd Llun, gan y rhoddodd hynny gyfle i mi geisio sorto fy mhen a chynllunio rhywfaint i'r dyfodol. Cadwais fy mhen i lawr yno, ond weithiau byddai rhywun neu'i gilydd yn gwybod mod i yno ac yn gofyn i mi eu syrfio hwy. Roedd y rhain yn cynnwys Ned Ellis o'r neuadd snwcer a Ken Monk, am unwaith yn siaradus tu hwnt ac yn fy nghyfarch fel hen ffrind.

Synhwyrais fod Mam yn sylweddoli mod i'n ceisio'n galed i ddod dros farwolaeth Helen a'r sen yr oeddwn wedi dod ag ef i'r aelwyd yn sgil pennod anffodus y madarch hud. Ro'n i wedi mynd yn eithafol o fewnblyg a gwyddwn o'r gorau ei bod hi'n becso amdanaf. Ar ei chais hi fe alwodd Rhodri heibio un noson i geisio fy mherswadio i fynd gydag ef i'r ymarfer rygbi gyda thîm lleol Tregors. Mae'n debyg bod yr ail dîm mor brin o chwaraewyr fel eu bod mewn perygl o orfod rhoi'r ffidil yn y to os na fyddai pethau'n gwella'n go glou. Gwrthodais ei gynnig yn gadarn gan beidio dangos un iot o ddiddordeb, ond diolchais iddo am feddwl amdanaf.

'Beth am gêm o snwcer 'te?' gofynnodd yr un noson. 'O't ti arfer dwlu ar snwcer, o't ti'n dda hefyd.'

'Falle wna i roi'n enw lawr ar gyfer y Twrci,' meddwn, yn bennaf er mwyn cael gwared ohono fe.

'Ie, syniad da. Ond os ti'n mynd i gael siawns o ennill aderyn yna ma' ise i ti ymarfer, nago's e Trystan.'

'Co, sdim diddordeb 'da fi, iawn!' meddwn yn siarp, yn snapio o'r diwedd.

Er tegwch iddo parhaodd Rhodri yn amyneddgar iawn, gan geisio cynnig help.

'Co, ti 'di bod trwy uffern yn ddiweddar. Ti ffilu cadw fe i gyd yn dy ben. Os ti byth moyn siarad 'mbytu fe, ti'n gwbod ble 'yf i, jest lan yr hewl. Unrhyw bryd, iawn?'

Diolchais iddo, gan ddeall i'r dim bod ei gynnig yn un dilys ac ro'n i'n ei edmygu am beidio ymfalchïo mewn rhyw ffordd 'ddywedais i, yndo' o ran agwedd Dan a Helen tuag ataf.

Cynigiodd Gareth wrando ar fy mhenbleth meddyliol hefyd, ond er tegwch i'r ddau ohonynt roeddwn i'n achos anadferadwy erbyn hyn. Roedd Rhodri'n iawn pan soniodd fy mod i wedi 'bod trwy uffern'. Yr hyn nad oeddwn i wedi disgwyl oedd y byddai pethau'n gwaethygu yn hytrach nag yn gwella gydag amser. I ddechrau roedd fy ymennydd fel pe bai wedi gwahardd yr holl ddigwyddiad rhag llechu yn fy mhen a gwneud hynny'n tu hwnt o effeithiol. Ond, yn anffodus, nid gwaharddiad am oes mohono ac erbyn diwedd mis Hydref ro'n i'n cael trafferth cysgu, gan ddioddef o nifer o ôl-fflachiadau i'r prynhawn hunllefus hwnnw. Canfod corff Helen yn Pwll Dwfwn, ei gwaed tywyll yn lledaenu trwy'r ychydig ddŵr oedd yno a Dan yn swisian trwy'r hylif â'i law gyda gwên orfoleddus ar ei wyneb ysgeler. Llygaid gwaetgoch cyhuddgar Helen ar agor led y pen yn hoelio'n sylw ni'n dau fel pe baent yn gofyn y cwestiwn 'pam?'

Wrth i nosweithiau tywyll, diflas Tachwedd gau mewn am y gaeaf cynyddodd pryder Mam amdanaf. Holodd hi i mi fynd yn gwmni iddi i yrfa chwist. Neu fyddai hi'n digwydd sôn bod yna ddawns clwb ffermwyr ifainc ar y gorwel. Byddai Gareth hefyd yn ceisio fy nenu allan gydag ef i chwarae dartiau. Ond ofer fu ymdrechion y ddau. Gynted ag y bydden i mewn trwy'r drws ar ôl dychwelyd o'r gwaith bydden i'n bwyta fy swper a mynd lan yn syth i'm hystafell wely, i wrando ar gerddoriaeth gan amlaf, ond yn amlach na pheidio jest yn syllu ar y wal yn ceisio gwneud synnwyr o'r haf.

Wrth i mi ddod adref un noson yn Rhagfyr roedd Bethan yn aros amdanaf wrth y gât yn ei chôt dyffl nefi gyda darnau o bapur yn ei llaw.

'Ni'n mynd i ganu carolau nes ymlaen, i godi arian i'r ysgol gynradd. Ti moyn dod? Mae'r geiriau 'da fi fan hyn. Wnes i roi rhai dan drws Glanrafon House hefyd. Ni'n fyr o ddynion.'

Teimlais yn benysgafn o glywed enw tŷ Dan yn cael ei grybwyll mor agored. Sylweddolais y byddai fe 'nôl dros y Nadolig a'r unig ffordd i'w osgoi oedd i beidio mynd mas o gwbwl. Atgoffodd Bethan fi o gìg Edward H. Dafis yn Llambed a chofiais fod Dan wedi sôn amdano hefyd, a'i fod wedi addo prynu tocynnau i'r ddau ohonom.

'Wy wedi blino gormod i fynd i ganu, Bethan, ond diolch am feddwl amdana i.'

'Alla i weld e yn dy lygaid di, Trystan. Ti'n diodde. Plîs paid ynysu dy hunan. Ma' dy fam yn becso'n ofnadwy amdanot ti. R'yn ni i gyd.'

Gwyddwn fod hyn yn wir, ond y cyfan y llwyddais fel ateb oedd 'Wy'n iawn, wir i ti' brysiog cyn rhuthro i ffwrdd i'r tŷ.

Roedd Bethan, fodd bynnag, wedi tanio fy chwilfrydedd ynglŷn â hynt a helynt Dan erbyn hyn. Holais ychydig o gwestiynau gweddol gynnil i Mam, a oedd yn dal i lanhau'n achlysurol yn Glanrafon House. Canfyddais fod Dan 'nôl yn barod, wedi cyrraedd ar drên o Lundain i Aberystwyth y penwythnos blaenorol. Fel y digwyddai yn aml gyda Dan aeth fy chwilfrydedd yn drech na mi ac o fewn ychydig nosweithiau ro'n i draw yng ngardd Glanrafon House yn llechu tu ôl i'r dderwen fawr, yn yr union fan lle y gwelais ef am y tro cyntaf hwnnw ar ddechrau gwyliau'r haf. Allwn i ei glywed yn ymarfer ei biano, darn newydd anghyfarwydd i mi, darn tywyll y byddwn i mewn blynyddoedd i ddod yn ei adnabod fel darn o waith Mahler. Profiad hynod oedd aros yno, yn gwylio'r eira ysgafn yn lluwchio'r ardd fel eisin ar gacen Nadolig, yn gwrando ar y rhyfeddod yn mynd trwy'i bethau. Jest wrth i mi lwyddo i argyhoeddi fy hun nad oeddwn wedi gweld ei eisiau o gwbwl fe stopiodd y gerddoriaeth. Ychydig funudau'n ddiweddarach daeth allan yn ei siwmper hir i nôl rhyw fag neu'i gilydd o fŵt car ei dad. Chwiliais yn ddyfal am unrhyw arwyddion cydwybod yn gwasgu arno, ond chwilio'n ofer. Oedd, mi oedd wedi twchu rywfaint, ond roedd e'n amlwg wrth ei fodd, yn bownsio'n hapus ar y graean gwyn, gan hyd yn oed ysgafn chwibanu'n braf i'w hun.

Sut oedd hynny'n bosibl? Doedd dim amheuaeth yn fy meddwl i erbyn hyn taw Dan wthiodd Helen i'w marwolaeth ar y prynhawn tyngedfennol hwnnw i fyny Cyrn y Diafol, a hynny'n hollol fwriadol.

Yn waeth, ro'n i'n hollol argyhoeddiedig ei fod wedi mwynhau'r profiad.

17

Blwyddyn newydd a chyfle newydd fe dybiais, i ddechrau o'r newydd. Dyna roeddwn yn credu o ddifri ar gychwyn mil naw saith saith. Roedd Rhodri ar fy mhen yn fy mhlagio'n feunyddiol i fynd i'r ymarfer rygbi gydag ef. Erbyn hyn ro'n i wedi dod i'r casgliad y byddai unrhyw beth fyddai'n tynnu mi i ffwrdd o'r delweddau afiach a lechai'n ystyfnig yn fy mhen fel rhyw ysbrydion nychlyd yn beth da.

Ar y dechrau aeth y rygbi'n lled dda. O'r gorau, daliais rhai o'r bois yn sibrwd amdanaf a sylwais ar yr ystafell newid yn tawelu wrth i mi gyrraedd ond ro'n i wedi disgwyl rhywbeth felly, yn enwedig yn yr wythnosau cyntaf. Yr hyn nad oeddwn wedi paratoi ar ei gyfer oedd tynnu coes diddiwedd Elfed Dolnant, sef brawd iau y Gwilym Dolnant a helpodd dowlu fi mas o fferm Cwmsiencyn ar noson y sosej a seidr. Yn ein gêmau oddi cartref yr arferiad oedd cael pryd bwyd gweddol elfennol wedi ei baratoi i ni gan y tîm cartref. Fel arfer rhywbeth syml fel sosejis a thatw stwmp. Yn ddi-ffael byddai Elfed yn gofyn a oedd ganddynt ychydig o fadarch i mi.

'Dyw bwyd plaen ddim yn neud y tro i Trystan, ch'wel. Ma' fe'n lico rhywbeth sy'n herio'r dychymyg 'm bach, os chi'n deall beth s'da fi! Yn enwedig ar drips oddi cartre, ma' fe'n un da am ei *trips*,' y byddai'n datgan mewn llais croch, cyn rhoi pwniad hegar i mi yn fy asennau, yn mynnu mod i'n gweld ochr ddoniol ei sylwadau.

Allen i ddygymod â'r pryfocio digon diniwed hyn yn y bôn. Ond yn ystod gêm ym Mhenybanc ger Rhydaman gwnaeth Elfed gamgymeriad mawr trwy grybwyll Helen yn benodol. O linell tu fewn pump ar hugain Penybanc daeth y bêl mas yn bert ar hyd y tri-chwarteri gyda'r cefnwr yn y lein i greu'r dyn ychwanegol. O'r diwedd daeth y bêl i mi allan ar yr asgell ond yn fy awydd i sgorio tynnais fy llygaid oddi arni a'i chwympo hi. Cais pendant wedi ei daflu o'r neilltu oherwydd fy niffyg. Pasiodd Elfed rhwystredig mi ar y cae gan ysgwyd ei ben yn ddirmygus.

'Tro nesa dychmyga taw un o fronnau'r hipi 'na yw'r bêl, i'w dala'n ofalus, a chydio'n sownd!' meddai'n haerllug. Taflais i ddwy ergyd i'w wyneb, un â'r dwrn de a'r llall â'r chwith. O fewn eiliadau roedd ei waed yn pistyllio dros y gwair barugog. Cefais fy anfon oddi ar y cae a chyrhaeddodd y digwyddiad dudalen flaen y *Cambrian News* gyda'r pennawd *'Rugby player banned as he breaks nose of fellow player!'*

Ni wyddwn ar y pryd fod tad Elfed, Henry Charles, yn is-gadeirydd Clwb Rygbi Tregors. Wedi iddo ymgyrchu'n ddiwyd i geisio cael gwaharddiad oes i mi, bu raid iddo setlo yn y pen draw am waharddiad tymor cyfan wrth i aelodau eraill y pwyllgor geisio dal pen rheswm ag ef. Roedd fy egin-yrfa ar y cae rygbi eisoes ar ben.

Sdim pwynt gwadu nad oedd hyn yn gam mawr yn ôl, oherwydd yn y diwedd fe orfododd hyn i mi adael cartref a chychwyn ar flynyddoedd lawer o fyw ar fy mhen fy hun. Teimlais yn euog am adael fy mam i lawr, a Rhodri hefyd, a oedd wedi cymryd fy ochr er mwyn helpu rhoi siawns arall o'r newydd i mi. Ro'n i wedi gwastraffu fy nghyfle ac roedd Gareth yn enwedig yn dweud ei fod e wedi cael llond bola o'm camau gweigion. Er fy mod i'n dal ddim ond yn un deg chwech teimlwn fel dafad ddu y gymuned. Byddai hi'n well i bawb pe bawn i'n dechrau gyda llechen lân yn rhywle arall a gadael Tregors.

Roedd Mam yn erbyn y syniad, reit o'r cychwyn cyntaf. Gareth lwyddodd i'w pherswadio efallai y byddai ychydig o amser tu fas i'r pentref yn rhoi cyfle i mi anadlu ac edrych ar fy sefyllfa yn fwy gwrthychol. Roedd e'n gwirioneddol gredu y byddwn i'n dychwelyd o fewn deufis, wedi sortio fy mhen mas ac yn eu gwerthfawrogi nhw'u dau fwy, heb sôn am gofleidio yr ysbryd cymunedol, cartrefol a gynigiai Tregors i mi heb os mewn amryw o wahanol ffyrdd.

Ar un wedd roedd Gareth yn iawn ac y byddwn i'n dychwelyd un diwrnod i werthfawrogi'r rhinweddau niferus yr oedd gan Tregors i'w cynnig. Yr hyn na wyddai oedd y byddai hi'n cymryd dros chwarter canrif i mi wneud hynny.

Aberystwyth oedd y lle amlwg i fynd i fyw iddo a byddai'r arian y buaswn yn safio oddi ar bres petrol Brian yn helpu tuag at y rhent. Symudais i dŷ yn Heol Cambrian, gan rannu'r cartref pedair ystafell wely gyda thri myfyriwr ail flwyddyn. Yn anffodus roedd un ohonynt, Gogleddwr o'r enw Dylan, yn edrych yn eithaf tebyg i Dan, i'r fath raddau y gwnes i ystyried symud mas ar un adeg oherwydd hynny.

Ond wnes i ddim symud, gan fod pethau amgenach ar fy meddwl. Roedd tad Elfed, Henry Charles, wedi dod i siopa yn

Morris & James ac wedi gosod casgliad trawiadol o grysau, sanau, trowseri a theis ar un o'r cownteri, yn barod i'w pacio. Ni wyddwn fod hyn yn rhyw ddefod achlysurol o du Mr Charles, fel un o gwsmeriaid pwysicaf y siop. Wrth i mi ddod lawr o lan stâr, lle y bues i'n tendio cwsmer arall, dywedodd Henry Charles wrth Mr James ei fod e'n synnu gweld bod siop gydag enw o safon fel Morris & James yn iselhau eu hunain trwy gyflogi llabwst cyffredin fel mi. Yn wir, roedd yn ddrwg ganddo, ond fyddai fe heb ddod mewn i'r siop heb sôn am brynu cymaint o nwyddau pe bai wedi sylweddoli fod baw isa'r domen fel fi'n dal i weithio yno. Gan droi ar ei union dywedodd 'Hwyl fawr' swrth wrth Mr James ac aeth allan trwy'r prif ddrws gan adael casgliad dillad gwerth bron gan punt ar y cownter.

Er bod Mr James yn hen ŵr digon caredig gwyddwn yn fy nghalon o'r olwg syn ac ofnus ar ei wyneb y prynhawn hwnnw fod fy nyddiau yn y siop ar fin dod i ben. Ceisiodd ychydig o'r to iau, gan gynnwys ŵyr Mr James, Roger, roi gair da i mewn ar fy rhan. Ond pan wnaeth rhai o ffrindiau amaethyddol Henry Charles fygwth torri 'nôl ar eu gwariant sylweddol hwythau hefyd yna fe wthiwyd yr hen ŵr druan i gornel annymunol. Trefnodd i gwrdd â mi yn y gegin fach ar y llawr gwaelod lle y byddai'r staff yn gwneud te. Naill ai o embaras neu o ddicter roedd Mr James yn biws ei wyneb wrth iddo roi amlen frown yn fy llaw. Roedd yn cynnwys cyflog mis mewn arian parod ynghyd â darn o bapur swyddogol yr olwg yn dangos fy mod i nawr yn ddi-waith. Diolchais iddo am yr ychydig fisoedd o waith a roddwyd i mi eisoes a dywedais yn gwrtais fy mod i'n deall ei sefyllfa anodd. Edrychai yn llawn rhyddhad wrth iddo ysgwyd fy llaw yn lletchwith, gan ddal ei law arall ar fy arddwrn wrth siglo fy llaw'n grynedig. Roedd hon yn wers gynnar yn ffyrdd dyrys y byd ac fe dyngais lw i'n hunan y byddwn yn ceisio canfod gwaith newydd cyn gynted ag y medrwn.

Cefais jobyn mewn bwcis, oddi ar Great Darkgate Street. Digwyddodd Dylan ddweud wrthyf eu bod nhw'n chwilio am staff dros-dro. Dywedais gelwydd wrthynt, gan ddweud mod i'n ddeunaw oed, er eu bod yn tybio taw dyna fy oed ta beth, gan mod i eisoes wedi bod yn betio yno sawl gwaith gyda fy nghyd-letywyr, er byth mwy nag ugain ceiniog ar unrhyw beth.

Heb os roedd hwn yn gyfnod rhyfedd yn fy mywyd. Wrth i mi gadw fy hunan i'n hunan des i ddeall rhywfaint ar y meddylfryd gamblo, digon i wybod taw colli oedd enw'r gêm go iawn. Wedi'r cwbwl roeddwn i'n gweld yn feunyddiol faint o'r pyntars fyddai'n colli'n dawel a thrist o'i gymharu â'r buddugwyr swnllyd prin. Yr un oedd y cip cyffrous yn eu llygaid â'r hyn a welais yn llygaid Dan droeon, yr un math o ruthr adrenalin am wn i. Byddai rhai o'r trueiniaid hyn yn betio eu cyflog wythnosol yn y gobaith o ennill digon i dalu benthyciad drudfawr neu gadw'r morgais ar eu cartref wrth iddynt o'r diwedd gario'r dydd a threchu'r bwci.

Aeth cwpwl o flynyddoedd heibio yn Heol Cambrian gyda rhai o'r myfyrwyr yn newid ond Dylan a minnau yn aros yr un fath, er bod Dylan yn fyfyriwr ymchwil Hanes erbyn hyn. Roeddwn i wedi pasio fy mhrawf gyrru ar fy ail gynnig ac wedi cynilo digon i brynu Vauxhall Viva hynafol o ail-law. Gallai Mam weld fy mod i'n gweithio'n galed ac yn ceisio cychwyn pennod newydd yn fy mywyd ac roedd ei hangina hi fel pe bai'n well erbyn hyn hefyd. Roedd Ken Monk newydd ysgaru a symud i Aber ac wedi chwilio amdanaf i lusgo fi mas gydag ef i'w dîm dartiau yn yr Angel. Er ei fod e bron dwbwl fy oedran roedd y ddau ohonom yn dod ymlaen yn lled dda gyda rhyddid bod yn sengl eto wedi llacio ei dafod o'r diwedd!

Yn fras, felly, ar y wyneb roedd pethau'n mynd yn reit dda. Yr unig berson a wyddai yn wahanol oedd Dylan, a oedd yn cysgu ar yr un llawr â mi. Weithiau byddwn yn sgrechen yn fy nghwsg, neu'n gweiddi yn ingol ynghanol y nos. Byddwn yn dihuno gyda fy ngwallt yn wlyb sopen, er na fyddwn yn cofio rhyw lawer. Un diwrnod magodd Dylan ddigon o ddewrder i'm herio am fy hunllefau. I ddechrau, er mwyn cael gwared ohono, fe ddywedais mod i wedi cael amser caled yn grwt. Ond yn raddol daeth yn weddol amlwg na fyddai'r fath gelwydd noeth yn gwneud y tro. Dywedodd fy mod i'n galw 'Jasmin' drosodd a throsodd. Fedrai e ddim dioddef y peth lawer yn rhagor. Roedd angen ei gwsg arno. Os na fyddwn i'n stopi nadu gyda'r hwyr yna fyddai ganddo ddim dewis ond fy riportio i'r landlord.

Wrth sylwi ar fy ngolwg siomedig gofynnodd a oeddwn i erioed wedi ystyried cael help meddygol. Cofiaf ei union eiriau – 'Yli, dwi'n licio chdi Trystan, wir yr. Ond mae isio ichdi wybod, be bynnag ydy'r cythreuliaid yna sy'n dy boenydio di, tydi o ddim yn normal 'sti.'

Bu raid i mi symud mas yn y pen draw, ond nid oherwydd unrhyw sŵn chwaith. Fe dorrais ên Dylan. Yn raddol, roedd wedi cymryd mwy a mwy o ddiddordeb ynof a gallwn i synhwyro ei fod yn gweld fy mod i'n dal yn rhyw ddirgelwch iddo. Roedd hi'n gyfnod cynhyrfus i fod yn ifanc yn Aberystwyth, gyda'r ymgyrch am Sianel Gymraeg yn ei hanterth a'r penderfyniad mawr am Ddatganoli ar y gorwel ar Ddydd Gŵyl Dewi. Fel nifer o'r myfyrwyr Cymraeg roedd Dylan yn weithgar iawn yn wleidyddol ac yn gofyn i mi byth a hefyd fynd gydag ef ar wahanol gyrchoedd, boed hynny i ddosbarthu pamffledi neu i gefnogi rhyw gyd-fyfyriwr mewn achos llys. Gwrthod wnawn i bob tro. Wn i ddim pam yn iawn. Mae'n debyg mod i'n gweld fy hun fel gweithiwr cyffredin, un o'r werin mas yn y byd go iawn, lle y gallai myfyrwyr fel Dylan fforddio porthi eu hegos sylweddol trwy ymgyrchoedd diddiwedd i greu 'gwell' Cymru. Ar y pryd mae'n debyg bod eu clyfrwch hefyd yn dân ar fy nghroen. Heb unrhyw reswm go iawn o gwbwl ro'n i wedi adeiladu rhyw fath o gymhleth y taeog. Roedd gen i bentwr o tsips ar fy ysgwydd, yn bennaf am addysg gan y gwyddwn ym mêr fy esgyrn na ddylwn fod wedi gadael yr ysgol ar gymaint o hast. Hefyd, daeth yr elfen honno ag atgofion o ddiwedd yr haf 'nôl i mi, yn enwedig y Ffrangeg yn llifo'n ddryslyd o ystafell wely Dan a chwerthin gwatwarus Helen ar Gyrn y Diafol. Ta beth, roedd e i gyd yn gymhleth, felly pan ddaeth Dylan 'nôl yn hwyr un noson yn dilyn cyfarfod gwleidyddol tanllyd yn y Neuadd Fawr fe osododd nifer o sticeri melyn 'Ie Dros Gymru' ar ddrws fy ystafell. Tynnais i nhw i lawr yn syth. Ro'n i'n bwriadu pleidleisio 'Ie', oeddwn, ond roedd yn gas gen i rywun yn dweud wrthyf beth i feddwl.

'Cachwyr fel chdi sy ddim yn haeddu'r Gymru newydd,' meddai, ei lais yn dew o gwrw.

'Ie ie, gwed wrtha i yn y bore,' atebais, yn ceisio cael ef i'w wely.

'Ti'n galw dy hun yn Gymro?' gofynnodd drachefn, mewn cywair bygythiol nawr.

Anwybyddais ei gwestiwn, ond roedd Dylan yn ei elfen erbyn hyn.

'Na, ty'd 'laen. Ti'n dŵad o'r wlad hon, yn Gymro Cymraeg, a ti heb godi oddi ar dy din mawr diog i wneud unrhyw beth i helpu'r achos! Ai oherwydd dy fod ti'n dwp, dyna ydy o? Am fod ti'n dwp?'

Rwyf eisoes wedi sôn am ei debygrwydd o ran golwg i Dan, ond roedd crybwyll y gair 'twp' wedi atgyfodi rhyw stôr beryglus o emosiynau na wyddai ef unrhyw beth amdanynt a bod yn deg. Ond ar adegau fel hyn nid yw fy meddwl yn un rhesymegol.

Teimlaf ruthr pwerus o liwiau cryfion, teimlaf dan fygythiad, mae'r adrenalin yn pwmpio mewn i eiliad 'ffoi ynte ffeit'. Ac yn anffodus nid yw ffoi ar y radar. Clywais yr asgwrn yn cracio wrth i mi ddyrnu ei ên. Un ergyd rymus ac roedd ei wyneb yn gryndod gogoneddus. Yn lwcus i mi fe syrthiodd fel sach o datw yn gryman ar garped y landin yn hytrach na chwympo lawr y stâr.

Symudais i fflat ger y môr ar Heol y De. Er i mi ymddiheuro a dweud fy mod i wedi cael fy mhryfocio mynnodd Dylan fynd ymlaen â'r cyhuddiad o 'niwed corfforol difrifol' yn fy erbyn. Plediais yn euog, gan nodi'r amgylchiadau pryfoclyd. Chwarae teg iddo gwnaeth fy mòs yn y bwcis, Len, siarad o'm plaid fel tyst o'm cymeriad, fel y gwnaeth Rhodri o adre. Ond doedd pethau ddim yn edrych yn dda. Cafodd cyfreithiwr Dylan hyd i'r stori rygbi torri trwyn a chreu fersiwn ohonaf fel rhyw ffrîc peryglus. Wy'n credu oherwydd fy mod i'n dal ond yn ddeunaw oed roedd y Barnwr yn fodlon rhoi un cynnig arall i mi. Cefais ddedfryd o ddwy flynedd o garchar wedi ei gohirio a dirwy o gant a hanner o bunnau. Ro'n i yn y *Cambrian News* unwaith eto, ond ar y dudalen Llys y tro hwn, nid enwogrwydd y dudalen flaen.

Ychydig fisoedd yn ddiweddarach ymddangosodd enw cyfarwydd arall yn y *Cambrian News*, rhyw Daniel Harris a oedd wedi graddio o'r Coleg Cerdd Brenhinol yn Llundain. Roedd llun ohono wrth y piano mewn rhyw gyngerdd crand. Aeth yr erthygl yn ei blaen i sôn bod Mr Harris, â'i deulu yn byw yn Nhregors, yn un o raddedigion ieuengaf y coleg erioed a bod ganddo yrfa ddisglair o'i flaen fel unawdydd piano. Byddai'r cyn-enillydd yn yr Eisteddfod Genedlaethol yn teithio America yr haf hwnnw, gan roi cyngherddau mewn amryw o ddinasoedd, yn cynnwys Boston, Chicago, Efrog Newydd a Washington. Torrais yr erthygl a'r llun yn ofalus mas o'r papur, y cyntaf o gannoedd y byddwn yn casglu dros y blynyddoedd nesaf wrth i mi fwydo obsesiwn afiach, dinistriol.

18

Am y ddwy flynedd nesaf es i'n fwyfwy o feudwy. Roedd fy encilio i'r cyrion hyd yn oed yn effeithio ar fy ngwaith, gyda Len yn sylwi mod i'n fwy tawedog ac yn dweud wrthyf am fod yn fwy dymunol gyda'r pyntars. Gwnaeth un ohonynt, Hywel Jenkins, lwyddo i'm denu o'm cragen rywfaint. Roedd e'n byw rownd y gornel i mi mewn fflat ar lan y môr. Yn sicr roedd e'n deall ei geffylau ac yn un o'r ychydig gwsmeriaid rheolaidd a oedd yn elwa'n ariannol o'i ymweliadau â'n cangen ni o Ladbrokes. Ond dyna ni, fe wyddai Hywel dipyn am bob dim.

Nid ceffylau ddaeth â ni at ein gilydd chwaith, ond cerddoriaeth. Roedd e'n gwneud doethuriaeth mewn cerddoriaeth ar y pryd, yn arbenigo yn symffonïau Haydn. Roedd e'n frwd iawn am gerddoriaeth piano ac wedi clywed am Dan a hyd yn oed wedi ei gyfarfod cwpwl o weithiau. Roedd wedi dilyn egin yrfa hwnnw â diddordeb mawr, er nad hanner cymaint â mi, wrth gwrs.

Yn union fel y gwnaeth Dan a mi gymharu bandiau roc yr wythnos gyntaf honno yn haf mil naw saith chwech bu Hywel a minnau'n cymharu'n hoff bianyddion a chyfansoddwyr. Ro'n i'n ffafrio Ashkenazy a Hywel yn fwy o ffan Brendel. Ro'n i'n hoff o Rachmaninoff, Scriabin, Debussy a Lizst lle y carai ef y mawrion mwy traddodiadol: Chopin, Beethoven, Mozart, Haydn. Ymddiddorai'r ddau ohonom mewn cyfansoddwyr *avant-garde* am gyfnod hefyd, fel Birtwistle a Maxwell Davies, yn union yn yr un ffordd y mae rhai dynion ifanc yn ffynnu wrth ganfod bandiau *indie* arbrofol.

Wrth gwrs ni fedrwn i fforddio prynu'r gerddoriaeth. Roedd gan lyfrgell y dref stoc lled dda o gasetiau ond gan amlaf byddwn yn gwrando ar gerddoriaeth draw yn fflat Hywel, weithiau tan yr oriau mân. Ar yr achlysuron hyn byddai Hywel yn smocio dôp ac yn derbyn yn ddigwestiwn nad oeddwn i mewn i gyffuriau. Cofiaf iddo ddweud fod y mwg drwg yn ei helpu fe i werthfawrogi ambell gyfansoddwr yn well, fel Glass neu Stockhausen. Efallai ei fod e'n gwybod am y digwyddiad madarch hud. Ta beth, wnaeth e erioed sôn am y peth a doedd e byth chwaith wedi dangos unrhyw chwilfrydedd am fy niffyg diddordeb mewn cyffuriau, diolch i'r drefn.

Yn wir wy'n credu roedd e'n reit hoff ohona i, gan iddo fynd i'r drafferth o dâpio nifer o albwms piano gwych i mi a'u rhoi i mi am ddim. Neu falle y gwnaeth e hynny am ei fod e'n meddwl mod i'n dechrau galw'n rhy aml erbyn y diwedd ac yn ymyrryd ar ei breifatrwydd yn ormodol. Roedd Hywel yn un am y menywod a byddai wrth ei fodd yn rhoi adroddiad i mi ar ei goncwest ddiweddaraf. Mae'n rhaid bod e'n meddwl mod i braidd yn od, heb gael unrhyw wedjen ers symud i Aber. Wyddwn i taw'r dolur a deimlais yn dilyn twyll Helen a'i marwolaeth ddisymwth oedd yn gyfrifol am hynny. Roedd y clwyf yn dal yn agored, yn dal yn ffres. Ond allen i ddim sôn am hynny wrth Hywel. Allen i ddim sôn wrth neb. Roedd e fel cael carreg drom yng nghraidd eich hunaniaeth, yn eich angori i'ch gorffennol.

Yn ogystal â bod yn ddysgedig roedd gan Hywel lais tenor ysgafn, swynol. Cafodd ei gastio yn rhan Lensci mewn cynhyrchiad myfyrwyr o *Eugene Onegin* Tsiaicoffsci. Es lan i Theatr y Werin ar y bryn i weld y perfformiad. Roedd y canu'n ardderchog, yn enwedig y bariton a gymerai'r brif ran ond roedd yr actio braidd yn brennaidd os cofia i'n iawn. Mynnodd Hywel fy mod i'n mynychu parti'r noson olaf, yn y clwb sboncen uwchben y siop chwaraeon.

'Fydd rhywun 'na sy jyst â marw moyn cwrdd â ti,' meddai, gyda'i lygaid yn pefrio'n ddrygionus.

Y 'rhywun' oedd Gwenno Reynolds, merch ffarm fochgoch â gwallt cwta du, myfyrwraig a ddeuai o Ruthun a oedd yn astudio'r gyfraith. Wrth i'r tri ohonom balu mewn i'r brechdanau stêl a'r creision diflas fe ddwrdiodd Gwenno Hywel yn ysgafn am geisio chwarae Ciwpid. Er i minnau deimlo ychydig o embaras fod ei gynllun mor amlwg fe ddaliais fy nhir yn y parti a mwynhau cwmni Gwenno, ond gan adael yn weddol gynnar drwy ddefnyddio fy ngwaith y bore wedyn fel esgus cyfleus. Mynnodd Gwenno gerdded 'nôl gyda mi a gwnaeth hynny i mi deimlo ar bigau drain. Wrth i ni gerdded fe synnais ei chlywed hi'n dweud ei bod hi eisoes wedi clywed lot amdanaf, oddi wrth Hywel.

'Dwi'n gweld cymaint o fyfyrwyr mor anaeddfed,' meddai, gan wthio'i braich chwith tu fewn i'm braich dde â rhyw bendantrwydd a gynyddodd fy nerfusrwydd.

'Rwyt ti'n wahanol,' ychwanegodd.

Ni atebais. Syllais ar y lleuad pell a gwrando ar y tonnau'n taro'r wal wrth ein hymyl, gan feddwl sut fyddwn i'n ymateb pe bai hi'n 'y nghusanu i.

'Dwi'n credu bod Hywel yn poeni amdana' chdi. Mae o'n deud bo' chdi'n cadw dy hun i dy hun.'

'Os rhwbeth yn bod ar 'na?' gofynnais, gan geisio cadw mewn cywair ysgafn.

Ysgydwodd Gwenno ei phen.

'Mae'n ychwanegu at y *mystique*. Dyn y dirgel!' meddai'n chwareus.

Roedd yn gas gen i'r pwnc hwn felly newidiais y cywair, gan ofyn i Gwenno a oedd hi wir moyn bod yn gyfreithwraig.

'Mae'r cwrs yn fwy diflas nag o'n i'n ddisgwyl. Ond, ia, mi ydw i am fod yn gyfreithwraig yn y pen draw, debyg.'

Wrth i ni droi'r gornel tuag at Draeth y De cawsom ein synnu gan awel gref yn taro'n gwynebau. Rhoes hyn gyfle i Gwenno gwtsio'n nes ataf i gadw'n dwym. Teimlais ei chlun esgyrnog, blentynnaidd bron, yn erbyn f'un i.

'Oeddat ti'n gwybod bod Hywel yn gadael am America yn yr haf?' gofynnodd yn sydyn. 'Mae o 'di ennill ysgoloriaeth i astudio ym Mhrifysgol Columbia.'

Nodiais mewn ymgais wan i esgus mod i'n gwybod yn barod. Ond allen i weld mod i heb lwyddo i dwyllo Gwenno. Roedd y busnes Ciwpid yma'n gwneud mwy o synnwyr nawr. Os oedd Hywel am adael Aber yna roedd e'n synhwyro y bydden i'n dychwelyd i'm cragen eto unwaith y byddai wedi mynd. Sylweddolais fod ei fwriad yn un clodwiw ond ro'n i'n grac 'run fath. Yn benwan a dweud y gwir. Yn hunanol iawn anelais fy nicter i gyfeiriad diniwed Gwenno, gan ddweud 'ta-ta' digon swta wrthi wrth i ni gyrraedd fy nrws ffrynt, heb brin edrych arni a heb sôn am ei chusanu.

Cefais gyfle i wneud lan am fy anghwrteisi ym mharti ffarwél

Hywel ganol Mehefin. Prin mod i'n fodlon cyfadde'r peth i fy hun ond roedd ambell arwydd clir fy mod i'n gobeithio y byddai Gwenno yno ac y cawn i gyfle i'w bachu. I ddechrau cefais fàth hir. Ro'n i hefyd wedi eillio fy hun â rasel iawn a sblasio digonedd o *aftershave* ar fy ngwyneb a 'ngwddwg am y tro cyntaf ers blynyddoedd. Ro'n i hyd yn oed yn hymian a chwibanu wrth i fi fynd ar y siwrnai fer rownd y gornel i fflat Hywel. Cerddoriaeth y ffilm *Chariots of Fire* os cofia i'n iawn. Ie, yn bendant. Mae'r cof yn ffrind mor anwadal ond fe gofiaf o rywle yn selar y meddwl mod i hyd yn oed wedi rhedeg i'r parti mewn rhyw *slow motion* dros ben llestri, fel Ian Charleston yn y ffilm.

Teimlais yn siomedig bod Hywel yn gadael ond, ar ryw lefel, ro'n i hefyd yn gweld cyfle i dorri'n rhydd. Er, erbyn meddwl, falle taw dylanwad Toyah oedd hynny, gyda'i hit *'I want to be Free'* yn taranu'n ddiddiwedd ar lawr disco'r ystafell ffrynt. Cafwyd croeso nodweddiadol frwd gan Hywel yn y parti wrth iddo arllwys ei *punch* eithafol o gryf i bawb. Ymddiheurais i Gwenno am fod mor anfoesgar iddi ar ddiwedd y parti Onegin ar y ffordd adref. Edrychodd yn wag arnaf a chodais fy llais uwchben y miwsig croch ac ymddiheuro iddi unwaith yn rhagor.

'Allwn i feddwl hynny hefyd, y bastard!' gwaeddodd. Neu'n hytrach wnaeth hi ynganu 'bastard' fel 'bwstard', yn odli â chwstard, ei llygaid hanner ynghau wrth iddi bwyso 'nôl a 'mlaen yn simsan ar flaenau bysedd ei thraed. Roedd yn amlwg bod y *punch* wedi dechrau ei llorio hi. Er nad oedd hi wedi tywyllu tu allan eto cynigiais ei hebrwng hi adref, cynnig a wrthodwyd ar ei ben. Fel pe baem ni mewn rhyw gomedi sefyllfa eilradd ar y teledu synhwyrodd y ddau ohonom po fwyaf y dadleuem â'n gilydd y mwyaf tebyg oedd hi y bydden ni'n bennu lan yn y gwely gyda'n gilydd. O'r diwedd fe grasion ni mas yn fy ngwely a chofiaf â gwên ein bod ni wedi treulio'r tridiau nesaf wedi ein cynnal yn gyfan gwbwl ar ryw a bocsys pizza a gludwyd i'r drws.

Hedfanodd yr haf gyda Gwenno'n dychwelyd i Ruthun, er y galwodd hi gwpwl o weithiau i'm gweld i hefyd yn ystod y cyfnod. Yn wir, parhawyd â'n perthynas ysbeidiol yn ystod yr hydref ac fe wnaethom hyd yn oed wneud cynlluniau am gyfnod byr i ymweld â Hywel yn Efrog Newydd. Cafodd y ddau ohonom gardiau post oddi wrtho ac roedd hi'n amlwg ei fod wrth ei fodd yno. Ddaeth dim byd o'n taith arfaethedig fodd bynnag a gallwn i synhwyro fod Gwenno'n blino taw hi fu'n gorfod gwthio'n perthynas trwy'r adeg, gan drefnu i fynd allan neu i gwrdd â ffrindiau eraill. Ro'n i wedi dechrau derbyn mod i'n licio bod ar fy mhen fy hun a dim ond mater o amser fyddai hi cyn i ni ymwahanu'n iawn.

Aeth pethau i'r pen yn Ionawr mil naw wyth dau. Cafodd Gwenno afael ar adolygiad o gyngerdd yr oedd Dan wedi ei chynnal fel rhan o daith cyngherddau o amgylch Prydain. Bu cryn ganmol, yn enwedig ar ei ddehongliad deheuig o sonatas piano hwyr Scriabin. Roedd beirniad y *Guardian* yn nodweddiadol o'r ymateb cyffredinol – '*technically difficult, belligerent, almost Mephistolean music, is here mastered, tamed, but also set free in a thrilling manner. Do not miss Daniel Harris's tour on any account. He is someone to look out for not just in the future but in the present, here and now.*'

Gwyddwn i am yr adolygiad yn barod wrth gwrs ac ro'n i wedi ei ffeilio'n drefnus gyda'r gweddill niferus. Y pwynt roedd Gwenno'n ei wneud oedd bod Dan yn dod i'r Neuadd Fawr yn Aberystwyth fel rhan o'r daith ddiwedd y mis hwnnw. Gan wybod yn iawn y bydden i, creadur 'styfnig ag yr ydw i, heb drafferthu prynu tocyn i'w wylio aeth hi yn ei blaen i archebu tocynnau ar fy rhan, y seddau gorau heb fod yn bell o'r llwyfan. O wynebu'r posibilrwydd o'i weld unwaith eto fe deimlais ryw gorddi nodweddiadol yn fy ymysgaroedd. Ond allen i ddim tynnu mas chwaith. Diolchais Gwenno am feddwl amdanaf a mynnais dalu am fy nhocyn fy hun. Cysgais yn wael am y rhan fwyaf o'r mis Ionawr, gan boeni am y gyngerdd. Ar un adeg, oherwydd eira anghyffredin o drwm, edrychai fel pe bai'r gyngerdd yn mynd i gael ei chanslo. Cofiaf y teimlad o ryddhad a deimlais wrth i mi ddarllen am hynny yn y *Western Mail*, gan gladdu rôl bacwn a sosej yng Nghaffi Morgan gydag arddeliad.

Diflannodd yr eira fodd bynnag ac fe es gyda Gwenno i weld Dan yn perfformio yn y Neuadd Fawr. Brasgamodd ar y llwyfan â'i gerddediad bownslyd arferol a atgoffai rhywun o'r teigr *Tigger* yn *Winnie the Pooh*. Roedd ei wên lydan wrth iddo ddod lan atom i foesymgrymu mor gyfarwydd unigryw. Yn wir doedd e heb newid fawr ddim. Os rhywbeth falle'i fod e wedi colli rhywfaint o bwysau ac edrychai'n iachach nag erioed. Roedd ei chwarae wedi mynd lan cwpwl o gêrs hefyd, yn enwedig yn ei angerdd dwys, wrth iddo ymgolli yn y gerddoriaeth i'r fath raddau nes iddo gau ei lygaid yn llwyr ar adegau, wedi ei lesmeirio gan gyffro rhai o'r darnau. Cododd pawb ar eu traed i'w gymeradwyo ar ddiwedd ei berfformiad, gyda nifer sylweddol yn gweiddi 'hwrê' ac *encore*. Derbyniodd Dan eu clod yn ddiffuant, gan ailchwarae'r *Black Mass Sonata* yn ei chyfanrwydd i gymeradwyaeth brwd y gynulleidfa. Fy unig ofid oedd ein bod ni'n weddol agos at y llwyfan ac efallai y byddai Dan yn fy adnabod. Rhythodd Gwenno arnaf gan ysgwyd ei phen yn siomedig wrth iddi sylwi arnaf yn curo fy nwylo ond gan edrych i lawr ar fy esgidiau ar yr un pryd.

Yn nes ymlaen, yn nhafarn y Cŵps ar waelod y rhiw, gwnaeth Gwenno ladd arnaf, gan feirniadu fy swildod yn hallt ac yn methu deall pam na faswn i wedi cwrdd â Dan wedi i'r gyngerdd orffen.

''Swn i'n ffrind iddo fo 'swn i 'di mynd rownd i'w stafell wisgo fel siot a tharo ar y drws!' meddai, wedi 'laru ar fy chwiwiau mympwyol.

'Dyw e ddim mor syml â 'na,' atebais, ychydig yn gloff.

Yn anochel fe dyfodd y mân gweryla i mewn i ffrae go iawn, gyda Gwenno'n llythrennol yn cerdded mas arnaf. Yn allweddol, fodd bynnag, roedd ein byst-yp cyhoeddus iawn wedi cael ei weld gan newyddiadurwr a drigai yn Aberystwyth, sef Glyn Oliver. Byddai Glyn yn cyfrannu erthyglau i'r *Cambrian News* o bryd i'w gilydd ac roedd e'n cofio'r adroddiad am farwolaeth Helen bum mlynedd a hanner 'nôl. Prynodd beint i mi, a golwg llawn cydymdeimlad ar ei wep chwilfrydig.

'Dy ffrind di. Helen, ife? Mae'n rhaid o'dd ei marwolaeth hi yn ergyd fowr i ti,' meddai'n ddwys.

'O'dd,' atebais, gan gymryd y peint yn ddiolchgar.

'O'dd heno'n od 'fyd, bownd fod. Gweld dy hen ffrind? Dod â'r cwbwl 'nôl.'

'O'dd. 'Na pam o'n i ddim moyn siarad 'da Dan. Ni 'di mynd ein ffyrdd gwahanol erbyn hyn. O'n i ddim moyn agor hen grachen.'

'Alla i ddeall 'na,' cytunodd Glyn, gan amneidio fel hen broffwyd a llio rhywfaint o ewyn y cwrw a oedd wedi llechu yn 'styfnig ar ei ên.

Mae gweddill y noson yn bytiog iawn. Es i 'nôl i dŷ Glyn yn bendant, gan gwrdd â'i wraig Beti. Yfais gryn dipyn o'i whisgi Jac Daniels. Roedd gweld Dan eto wedi fy nghynhyrfu, does dim dwywaith am hynny. Ond ro'n i hefyd yn falch o'r cyfle i drafod gyda rhywun eto yn oriau mân y bore, heb unrhyw gyd-destun rhywiol. Ro'n i wedi gweld eisiau Hywel mwy nag ro'n i'n meddwl y byddwn i. Ac yntau'n ddilynwr brwd o jazz rhoddodd Glyn record gan Duke Ellington ymlaen yn ysgafn yn y cefndir. Ar ryw bwynt fe gynigiodd yn garedig iawn i mi aros dros nos yn yr ystafell wely sbâr.

Fe wrthodais a rhywffordd neu'i gilydd cyrhaeddais adref yn

ddiogel. Sylwais ar nodyn i mi ar lawr y cyntedd, oddi wrth Gwenno. 'Mwynheais y gyngerdd ond fedra i ddim esgus rhagor. Mae dy *moods* tywyll yn fy niflasu. Dwi'n meddwl y dylwn ni stopi gweld ein gilydd.'

Yn rhyfedd fe deimlais ryddhad anferth. Roedd y peth yn anochel ac ro'n i'n benderfynol o beidio meddwl gormod amdani. Yn wir fe gysgais fel twrch y noson honno ond cefais freuddwyd gofiadwy iawn, y gallaf ei hatgyfodi nawr fel 'se hi'n ddoe. Ro'n i'n dringo lan rhiw ddiddiwedd, yn debyg i riw Penglais, ond gyda rhyw goedwig o'r neilltu ar y top. Yn fy llaw roedd pistol hen ffasiwn a sylweddolais mod i wedi gwisgo'n debyg iawn i gymeriad Hywel yn yr opera *Eugene Onegin*. Yn y goedwig ro'n i'n mynd i gymryd rhan mewn *duel*. Roedd fy ngwrthwynebydd yn yr ornest wedi ei wisgo mewn dillad crand cyngerdd ac roedd e â'i gefn tuag ataf. Wrth iddo droi o'r diwedd sylwais fod ei wyneb yn goch a bod ganddo gyrn bach yn tyfu o'i ben, fel diafol. Wrth iddo syllu'n syth tuag ataf roedd yn wyneb cyfarwydd, ei ben yn pwyso ymlaen ychydig wrth iddo chwerthin yn ei lais gwichlyd nodweddiadol uchel.

19

Roedd y dirwasgiad wedi gadael ei ôl o ddifri yn ystod y gwanwyn hwnnw a bu sôn ar led y byddai'n cangen ni o Ladbrokes yn torri 'nôl ar nifer y staff. Parhaodd y sibrydion yn ysbeidiol trwy gydol yr haf ond ymddengys nad oedd sail iddynt. Yna, wrth i ni i gyd feddwl bod ein swyddi'n saff, caewyd y siop fetio lle y bûm yn gweithio am rai blynyddoedd erbyn hyn yn ddisymwth o sydyn.

Ro'n i'n ddwy ar hugain oed ac ar y clwt, i ddefnyddio'r ymadrodd cyfredol poblogaidd. Cydymdeimlodd Gwenno â mi, gan brynu ambell goffi i mi pan fyddai'n taro ar fy nhraws ar y stryd. Pryderai fy mam a'm brawd amdanaf hefyd, gan geisio fy annog i ddychwelyd i Dregors. Ceisiais am gwpwl o swyddi, un yn catalogio cerddoriaeth yn y Llyfrgell Genedlaethol ac un arall fel cynorthwy-ydd labordy dan hyfforddiant i'r Weinyddiaeth Amaeth yn Nhrawscoed. Ni chefais gyfweliad gan yr un ohonynt.

Tua'r adeg yma cynyddodd diddordeb Glyn Oliver ynof. Y

Cŵps oedd ei dafarn leol a byddwn i'n hongian 'mbytu'r bar ar nosweithiau Gwener gyda Glyn yn ddigon parod i dorri fy syched. Ar y pryd ro'n i'n meddwl taw jest cydymdeimlo â rhywun i lawr ar ei lwc roedd e. Dylwn i fod wedi synhwyro'n gynt bod gydag e gymhelliad ehangach i feithrin ein 'cyfeillgarwch'. Ar ddiwedd y nos arferai droi'r sgwrs 'nôl i'r cyfnod y bûm yn ffrind i Daniel Harris. Ar un nos Wener ddiflas, laith o Hydref cefais fy nghornelu ganddo yn y bar cefn.

'Ti'n siŵr o fod yn gwbod yn barod fod Daniel Harris yn chwarae yn y lle newydd 'na yng Nghaerdydd, Neuadd Dewi Sant, mis nesaf,' meddai, gan grafu ei ên a syllu arnaf. Amneidiais mewn ffordd ffwrdd-â-hi, gan obeithio y byddai'n nodi fy nghywair di-hid ac yn gollwng y pwnc.

'Ti'n meddwl mynd lawr i weld e?' parhaodd.

'Na.'

'Pam 'te?'

'Alla i ddim fforddio mynd am un peth.'

'Beth 'sen i'n prynu'r tocyn i ti?'

'Pam fyddet ti'n neud 'ny, Glyn?'

'Wel, dyw e'm yn ddrud iawn. Cyngerdd awr ginio yw e, nagefe?'

Nodiais unwaith eto. Yna pwysodd Glyn ymlaen, gan ddod â'i wyneb gyferbyn â fy un i.

'Falle 'nele fe dalu ffordd i ti. Enwedig 'set ti'n ca'l ffoto gydag e.'

Aeth yn ei flaen i egluro ei fod yn gobeithio cyfrannu cyn bo hir i *Y Sul*, papur dydd Sul newydd yn yr iaith Gymraeg a oedd yn despret am storïau gydag ongl Gymreig.

'Beth yw'r stori?' holais, wedi'm drysu braidd.

'Ti'm yn cofio, wyt ti?' meddai Glyn, yn gwenu. 'Sa' i'n synnu cofia,' ychwanegodd gan ysgwyd ei ben.

Edrychais yn wag arno ac aeth ymlaen i egluro am y noson ar ddechrau'r flwyddyn yr es i 'nôl i'w dŷ a'i yfed e'n sych o'i Jac Daniels. Mae'n debyg i mi ddweud bod 'na fwy i farwolaeth Helen nag yr oedd pobol yn ei feddwl. A bod Dan yn dipyn o foi gwyllt, ddim byd tebyg i'r ddelwedd lân ohono mewn siwt gyngerdd a werthwyd i'r cyhoedd.

Teimlais fy hun yn oeri ac yna'n poethi eto. Roedd fy ngheg yn sych ac ro'n i'n teimlo awydd chwydu.

'O'n i 'di meddwi,' mwmianais maes o law. Yna, gan fy meddiannu fy hun, edrychais i fyw ei lygaid a dweud ei bod hi'n ddrwg gen i mod i wedi ei gamarwain ond yn bendant doedd 'na ddim 'stori' i'w hadrodd.

Ac yntau'n hen law ar sefyllfaoedd o'r fath clinciodd Glyn ei wydryn yn erbyn fy un i a gwenu.

'Iawn Trystan bach. Ond os ti byth yn newid dy feddwl a moyn neud 'bach o bres, arian parod cofia, yn dy law, rho wbod i fi.'

Yn ddiarwybod iddo bu ei sôn am elwa'n ariannol yn sbardun i blannu hedyn peryglus yn fy nychymyg rhemp. Yn amlwg doedd gen i ddim awydd i ailgodi'r gorffennol mewn ffordd gyhoeddus. Ond mewn ffordd breifat? Wyneb yn wyneb â Dan. Gyda'r bygythiad o fynd yn gyhoeddus? Roedd hynny'n rhywbeth arall.

Ro'n i'n ei ffeindio hi'n fwyfwy anodd i'm cynnal fy hun ar chwe phunt ar hugain a deugain ceiniog y pres dôl. Felly fe drawais ar gynllun i lwgrwobrwyo Dan. Ei fygwth y baswn i'n fodlon mynd at yr heddlu a dweud wrthyn nhw taw fe wthiodd Helen dros y dibyn i'w marwolaeth. Byddai'n cael ei erlyn heb unrhyw amheuaeth, am hunanladdiad os nad am lofruddiaeth. A hyd yn oed os dele fe i ffwrdd yn ddieuog rywsut neu'i gilydd byddai'r cwmwl o amheuaeth uwch ei ben yn ddigon i roi'r farwol i'w yrfa fel pianydd. Wrth gwrs roedd posibilrwydd y byddwn innau'n cael fy erlyn ar gyhuddiad o *perjury*, am gamarwain yn ystod y Cwest. Ond fyddai hi ddim yn dod i hynny, does bosib? Roedd e'n bownd o chwarae'r gêm. Yr unig gwestiwn o bwys oedd faint o arian y dylwn i hawlio fel pris teg am fy nhawelwch?

Cyrhaeddais Neuadd Dewi Sant yn gynnar. Roedd y bar wedi cau ar gyfer y perfformiad gyda chadeiriau wedi eu gosod yn bwrpasol ar yr ochor, yn wynebu'r piano ar onglau igam-ogam. Doeddwn i ddim am dynnu sylw, felly eisteddais ar un o'r cadeiriau pellaf. Fe dynnais i hi mas hyd yn oed yn fwy pell fel fy mod i wedi'm cuddio rywfaint o'r llwyfan tu ôl i bilar. Bu'r ymdrech hyn yn ofer fodd bynnag oherwydd er mawr arswyd i mi adnabu Dan mi yn syth wrth iddo gerdded at y piano. Gwenodd yn hael a winciodd arnaf cyn moesymgrymu i gymeradwyaeth groesawgar y gynulleidfa. Yna, yn waeth byth, dechreuodd siarad a phwyntio tuag ataf.

'I'd like to dedicate today's performance to an old friend of mine in the audience, Trystan Pugh.'

Cafwyd stacato byr o gymeradwyaeth, gyda dwsinau o wynebau'n troi i edrych i'm cyfeiriad. Oerais y cochni sydyn ar fy ngwyneb drwy ddefnyddio fy rhaglen fel gwyntyll. Perfformiodd Dan ddarnau gan Debussy a Lizst a darn newydd gan rywun nad oeddwn wedi clywed amdano, cyfansoddwr newydd addawol o'r enw Alun Rees. Wrth i Dan dderbyn ei gymeradwyaeth olaf un fe alwodd ar Alun i ddod lan ato i dderbyn ei glod haeddiannol oddi wrth y gynulleidfa. Hyd yn oed bryd hynny roedd Dan yn gwenu'n braf i'm cyfeiriad. A fyddwn i'n medru cyflawni fy nghynllun ysgeler? Roedd yn rhaid i mi wynebu mod i'n cael traed oer difrifol. Wnes i geisio ei heglu hi oddi yno ond, yn y pen draw, cefais fy nal 'nôl gan ryw ddyn moel o ddarlithydd cerdd a ofynnodd pa mor dda roeddwn i'n adnabod Dan. Yn ystod yr oedi hyn daeth Dan draw ataf gan ysgwyd fy llaw yn wresog.

'Braf gweld ti 'ma, diolch am ddod,' meddai, gan wenu arnaf drachefn.

'Cyfaill siort orau, Henry,' meddai wrth y moelyn wrth fy ymyl. 'Ro'n i arfer gwrando ar Ashkenazy 'da'n gilydd, gyda sgons a *hot chocolate*!'

'Swnio'n hyfryd,' atebodd y darlithydd cerdd.

Yna, gan dawelu ei lais mymryn, dywedodd Dan wrthyf ei fod yn gorfod mynd i ryw dderbyniad yn y Coleg Cerdd a Drama am ychydig o oriau ond y byddai wrth ei fodd yn dala lan gyda mi y noson honno.

'Ma' 'na fwyty Indiaidd da iawn yn Nhreganna ar Cowbridge Road. Yr *Eurasian*. Wela i ti 'na am saith heno 'ma, ocê?'

A chyn i mi gael cyfle i leisio unrhyw amheuon cafodd Dan ei dywys yn frysiog i ffwrdd i'r gweithgarwch nesaf gan ddau ŵr mewn siwtiau tywyll, yn union fel pe bai'n Arlywydd America.

Doeddwn i ddim wedi meddwl aros dros nos yng Nghaerdydd ond penderfynais fwcio mewn i lety rhad ar Cathedral Road. Eisteddais ar y gwely gwichlyd a syllu i ddrych y ford wisgo ychydig droedfeddi i ffwrdd. Teimlais ym mêr fy esgyrn y byddai'r pryd bwyd gyda Dan heno yn un tyngedfennol, y naill ffordd neu'r llall. Roedd hi'n bwysig fy mod i'n dal fy nhir yn gadarn ac yn mynnu cael arian oddi arno fe. Meddyliais na fyddai pedwar can punt yn swm rhy eithafol. Wedi'r cwbwl roedd ei fam yn dod o deulu cefnog ac roedd Dan ei hun hefyd siŵr o fod yn ennill cyflog sylweddol a fyddai'n cynyddu'n fwy fyth maes o law.

Pan gyrhaeddais y bwyty Indiaidd ychydig funudau yn gynnar er mwyn tawelu'r nerfau cefais siom o weld bod Dan eisoes yn eistedd wrth y ford, yn darllen y fwydlen ac yn sipian o'i beint o lager.

'Wy'n ofni taw dim ond lager s'dan nhw ar tap,' meddai wrth i mi eistedd, gan bwyntio at fy mheint, wedi ei osod yn barod, 'ond ma' fe'n beint cryf. Cic deche 'dag e.'

'Mae'n iawn. Iechyd da,' atebais.

Roedd e'n gwisgo jîns a siwmper cashmîr gwddf polo lliw lemwn ac yn edrych wedi ymlacio'n llwyr.

'Joiest di'r sioe?' gofynnodd.

'Do, lot.'

Cafwyd saib fer wrth i mi agor fy mwydlen. 'O't ti i weld yn mwynhau 'fyd,' ychwanegais yn lletchwith.

'O'dd y stwff newydd 'bach yn anodd. Rhy ffyslyd o'n i'n meddwl. Ond mae'n dda i neud darnau newydd. A chael y cyfansoddwr 'na hefyd. Ma' fe'n dod â mwy o'r pyntars mewn.'

'Ti 'di creu itha enw i dy hunan,' meddwn.

'Welest di fi ar y teledu llynedd, yng nghystadleuaeth y *Leeds International*?' gofynnodd yn frwd.

'Do. Llongyfarchiadau.'

'Na'th e fyd o les i 'ngyrfa i. Ges i gynnig llwyth o gìgs a ma' 'na sôn am record hir yn y flwyddyn newydd falle. Concerto Piano Scriabin, o bosib gyda Cherddorfa Genedlaethol yr Alban. Os lwydda i neud 'ny wna i alw amdanot ti mewn *sports car* pan fydda i 'nôl yn y gorllewin gwyllt nesa. Ewn ni am sbin rownd maes parcio'r mart!'

'Wy ddim yn byw yn Nhregors rhagor.'

'Wy'n gwbod 'ny. Wy wedi cadw tabs arnot ti tamed bach trwy Mam. Joiest di'r sioe yn Aber?'

'Do. Shwt o't ti'n gwbod bo' fi 'na?'

'Weles i ti yn y pellter, gyda rhyw ferch. O'n i ddim moyn torri ar draws. O'dd hi'n edrych yn bishen fach boeth!'

Chwarddodd ei staccato gwichlyd, mor nodweddiadol ohono, a fedrwn i ddim peidio gwenu 'nôl. Roedd popeth mor gyfarwydd, rywsut. Roedd e heb newid dim. Ond ceisiais ganolbwyntio ar yr orchwyl anodd dan sylw. Archebais ychydig *shami kebabs* fel cwrs cyntaf a madras cig oen fel y prif gwrs. Archebodd yntau *bhajees* a *rogan josh* cyw iâr. Rhannon ni bedwar popadom gyda phiclau cymysg amrywiol.

Trwy gydol y cwrs cyntaf roedd Dan yn mynd ymlaen ac ymlaen am y menywod wnaeth e fynd allan â nhw yn y coleg ac ers iddo gychwyn ar y syrcit perfformio.

'Well nag o'n i'n disgwyl hyd yn oed! Pethau bach *gorgeous* yn fy nhrin i fel 'sen i'n *pop star* neu rywbeth!'

Sylwodd mod i'n araf gyda 'mheint.

'Paid bod yn swil, Twp. Dyw e ddim fel 'sen ni ddim yn nabod ein gilydd. Yfa fe. A gyda llaw wna i dalu am bopeth, 'na'r lleia alla i neud a tithe 'di colli dy swydd yn ddiweddar.'

Mwmialias ryw fath o ddiolch ond ro'n i'n anesmwytho o glywed lefel ei wybodaeth am fy mywyd diweddar. Cawsom sgwrs am y dyddiau da a'r hwyl a gafwyd yn ystod yr haf hwnnw pan ddaethom i nabod ein gilydd a gofynnodd Dan a oeddwn i wedi cadw cysylltiad gyda Rhys Edwards. Dywedais nad oeddwn ac yna sarnodd Dan saws *rogan josh* ar flaen ei siwmper, peth dibwys o ran y darlun cyfan ond synhwyrais yn gywir y byddai'r digwyddiad yn mynnu sylw y Dan balch fel paun am weddill y noson.

'*Do you think it'll stain? Curry's not very good in the wash, is it?*' gofynnodd i'r gweinydd druan wrth iddo ddod â mwy o lager i ni.

'Yffach Dan, gad hi 'nei di. Dim ond jympyr yw e!' meddwn, yn snapio o'r diwedd.

'Ie, ti'n iawn,' meddai, yn gwenu. 'Beth wyt ti eisiau siarad 'mbytu 'te? Ti 'di bod 'bach yn dawel, nagwyt ti.'

Symudais yn anghyffforddus yn fy nghadair o naill foch fy nhin i'r llall. Fel arfer dyfalodd Dan yr hyn oedd ar fy meddwl.

'Na yw'r ateb. Wy byth yn meddwl amdani. Byth. A dylet ti ddim chwaith. 'Neith e ddinistrio ti.'

'Dyw e ddim mor hawdd â 'na,' dechreuais.

Ond roedd e 'nôl fel siot. 'Wrth gwrs 'i fod e. Ma' damweiniau'n digwydd. Symud 'mla'n, 'mwyn dyn.'

Syllais i fyw ei lygaid ac atgoffais ef nad damwain mohoni. Yna gwnaeth ef rywbeth od iawn. Pwysodd draw dros y ford a gafael yn fy mraich chwith.

'Paid becso. Wna i ddim gweud dim byd amdanot ti,' meddai, gan ysgwyd fy mraich rhyw fymryn.

'Beth?! Wnes i ddim byd! Ti wthiodd hi dros y dibyn. Ti'n gwbod 'ny. A 'se'r wasg yn ffeindio mas, neu'r heddlu . . . '

Stopais ar hanner y frawddeg i weld ei ymateb. Roedd Dan yn rhwtio'r staen ar ei siwmper ag un o'r napcynau coch ac yn edrych fel pe na bai yn gwrando.

'Wnei di adael llonydd i dy blydi jympyr?!' meddwn, gan godi fy llais.

'Wy'n credu dyle'r ddou ohonon ni anghofio beth wedest di jest nawr. Yn enwedig y darn am y wasg a'r heddlu.'

'Alla i ddim anghofio. Wy wedi bod yn dda i ti. Wedi cau 'ngheg. Ma' arnot ti rywbeth i fi.'

Yna, yn ysgwyd gan gynddaredd, dywedodd Dan nad oedd arno ef unrhyw beth i mi. A bod blacmêl yn rhywbeth brwnt, anfaddeuol i geisio ei wneud.

'Cofia di, Twp, taw dy air di yn erbyn fy un i fydde hi. A 'se fe byth yn mynd i'r llys, wy'n gwbod pwy wy'n meddwl fydde'r rheithgor yn ei gredu.'

Yn dawelach ei feddwl nawr ystumiodd ar y gweinydd a gofyn am y bil.

Arhosais mewn tawelwch wrth i Dan dalu. Roedd e'n sugno rhyw fintys rhad ac am ddim a roddwyd gyda'r bil tra oedd yn ysgrifennu'r siec. Teimlais gywilydd ac embaras mod i wedi iselhau fy hun i'r fath raddau.

'Wy'n flin bod y noson 'di troi mas fel hyn. Wna i dreial anghofio am yr hyn driest di neud heno. A wy'n awgrymu dylet ti neud yr un peth,' meddai mewn goslef siomedig.

Wrth i mi ymlwybro'n araf draw i Cathedral Road teimlais y dicter yn tyfu y tu mewn i mi, fel pêl yn cael ei phwmpo nes ei bod ar fin byrstio. Gan stopi tu fas i Ysbyty Dewi Sant ceisiais anadlu'n ddyfnach mewn ymgais ddespret i gadw'r caead ar fy emosiynau peryglus. Ond roedd natur arna i erbyn hyn a thrawais y wal ger y pafin gan dynnu gwaed ar fy llaw chwith ar esgyrn fy nwrn. Cofiais fod gen i rywfaint o napcynau yn fy mhoced o'r bwyty Indiaidd. Rhwymais gwpwl ohonyn nhw o amgylch fy llaw i atal y gwaed ac anelais at y dafarn agosaf i gasglu fy meddyliau ynghyd.

Pan gyrhaeddais i 'nôl yn y gwesty bach synnais weld y fath brysurdeb yn y bar yn yr ystafell gefn. Roedd y lle dan ei sang, er mae'n rhaid ei bod hi wedi un o'r gloch y bore. A minnau'n teimlo rhyw don o hunandosturi archebais frandi dwbwl i fy hun. Dechreuodd menyw fronnog, wallt tywyll, sgwrsio â mi wrth y bar. Gwisgai fwy o golur na mam Dan hyd yn oed ac roedd hi o bosib yn ei thridegau diweddar yn ôl ei golwg. Yn wreiddiol ro'n i'n meddwl ei bod hi'n cydymdeimlo â mi oherwydd fy llaw glwyfedig. Adroddais ryw stori wneud mod i wedi brifo fy hun wrth weithio fel bownsar a bod anafiadau o'r math yn rhan feunyddiol o'r gwaith. Ro'n i'n lico'r olwg oedd arni, gwyneb cyfeillgar ar yr union adeg iawn. Prin mod i'n medru credu fy lwc. Dim ond wedi iddi ddechrau dadwisgo yn fy ystafell wely a dweud y gwahanol gostau am job llaw neu geg neu fynd yr holl ffordd y sylweddolais ei bod hi'n gweithio. Erbyn hynny do'n i'm yn becso'r dam. Aethon ni'r 'holl ffordd' ac fe wnes i hyd yn oed wneud paned o de iddi ar ôl hynny a rhannu fy misgedi *custard creme*. Wendy oedd ei henw ac adroddodd rywfaint o stori ei bywyd i mi. Roedd ganddi ferched bach o efeilliaid i'w bwydo wedi i'w phartner faglu hi 'nôl i Lerpwl. Yn ei hieuenctid bu'n ysgrifenyddes i gwmni llongau gan weithio yn nociau'r brifddinas. Ond cafodd ei chardiau un prynhawn, wedi iddi gael ei chyhuddo o ddwgyd o'r swyddfa, ei chyhuddo ar gam yn ôl Wendy a chollodd ei swydd mewn ffordd annheg iawn. Jest un digwyddiad oedd y peth, meddai. Trobwynt yn ei bywyd. Newid er gwaeth, fel arogl drwg yn eich canlyn i bobman.

'I've never really recovered from it. Do you understand what I'm saying?' gofynnodd, gan ysgwyd ei phen, wedi ei llethu gan anghyfiawnder y byd.

Amneidiais. Ro'n i'n deall i'r dim.

20

Ychydig ddiwrnodau wedi i mi ddychwelyd i Aberystwyth des i ar draws Glyn Oliver yn y siop llyfrau Cymraeg. Pan soniais mod i wedi bod allan am bryd gyda Dan yng Nghaerdydd roedd ar dân eisiau gwybod sut daethon ni ymlaen gyda'n gilydd. Awgrymodd i ni'n dau fynd am ddiod y noson honno i gael yr hanes yn iawn. Cyn belled na fyddwn i'n datgelu gormod doedd gen i ddim gwrthwynebiad i'r syniad a chytunais â'i awgrym yn syth. Byddai ambell ddiod am ddim i'w groesawu'n fawr gan fod y tro i'r brifddinas wedi llosgi twll sylweddol yn fy mhoced.

Fel arfer gyda Glyn aethom i drafod pob dim dan haul cyn cyffwrdd â'r gwir bwnc dan sylw. Ac yntau'n gefnogwr brwd o Manchester United bu'n trafod yn faith rinweddau niferus Bryan Robson, chwaraewr canol cae cymharol newydd gyda dyfodol disglair iawn yn ôl Glyn. Ac roedd yn hoff iawn o'r rheolwr newydd, tipyn o gymeriad o'r enw Ron Atkinson, dyn llawer mwy lliwgar na'i ragflaenydd oeraidd, Dave Sexton. Doedd gen i ddim gymaint â hynny o ddiddordeb mewn pêl-droed ond llwyddais i nodio a gwenu yn y llefydd iawn a gosod fy ngwydryn peint ar y bar pan oedd e'n wag.

Gan iddo brynu o leiaf wyth peint i mi y noson honno ildiais i'r awgrym i ni fynd 'nôl i'm fflat i gael coffi, neu rywbeth cryfach os oedd gen i rywbeth i'w gynnig. Yr unig alcohol yn y tŷ oedd hanner potel o sieri sych, gwaddol o'r Nadolig blaenorol. Doedd fawr o ots gyda Glyn am safon y stwff nac ychwaith am y cnau stêl a ffeindiais tu ôl i'r bin bara. Yn wir roedd e yn ei elfen, ar drywydd stori, ei ddannedd bargod pwdwr yn gwneud iddo edrych mwy a mwy fel llygoden ffyrnig wrth i'r noson fynd rhagddi. Daeth hi'n amlwg ei fod yn gwybod cryn dipyn am Dan yn barod. Ond os rhywbeth roedd ganddo fwy o ddiddordeb ynof i, gan ofyn sawl cwestiwn mewn rhyw ffordd ffwrdd-â-hi or-gyfeillgar a wnâi i mi deimlo'n annifyr. Roedd am wybod pa mor hir yr oeddwn wedi bod yn ddiwaith. Sut fagwraeth gefais i, wedi fy magu ar ystad o dai cyngor ddigon llwm yr olwg yn Nhregors? I ba raddau roedd Dan a minnau wedi cadw cysylltiad dros y blynyddoedd? Beth fu'r berthynas rhyngof i a Helen yn gwmws? Am faint o amser roedd Dan wedi ei nabod hi?

I ddechrau bûm yn gyndyn iawn i ddweud unrhyw beth, dim ond cydnabod y bu'r tri ohonom yn ffrindiau yn ystod un haf ynghanol y saithdegau. Yna'n raddol sylweddolais fod sôn am Dan a Helen, hyd yn oed yn gyffredinol iawn, sut y gwnaethon ni gwrdd, ble fues i'n gweithio gyda Dan, fy ymweliadau mynych â'r comiwn hipis, yn gwneud i mi deimlo'n well. Yn hytrach nag agor hen glwyf roedd yn debycach i agor ffenest a gadael awel o awyr iach i mewn.

Ar un adeg wnes i hyd yn oed 'nôl ffotograff iddo fe o'r tri ohonom ar ein beiciau ar y sgwâr fawr ar y diwrnod tyngedfennol hwnnw. Ffoto o'r tri *musketeer* fel y galwodd Dan ni ar y pryd. Wrth i mi bigo'r llun lan o'r drâr yn fy ystafell wely sylwais ar gysgod Glyn ar y wal y tu blaen i mi. Pwyntiodd yntau at ddwsinau o luniau eraill a dwy lond ffeil yr oeddwn wedi'u gadael yn agored ar fy ngwely.

'Tipyn o gasgliad,' meddai, ei lygaid yn lledu.

'Casgliad preifat,' atebais, gan gau'r ddwy ffeil.

Ymddiheurodd am darfu arnaf. Doedd e ddim wedi bwriadu busnesa a doedd e ddim moyn i'r noson orffen ar nodyn sur.

'Ges i byth mo'r coffi 'na wnest di addo,' meddai. 'Well i fi ga'l rhwbeth i ga'l gwared o flas y sieri jiawledig 'na. O'dd e fel yfed petrol! A wy'n addo wna i ddim sôn am Daniel Harris eto heno, os ti ddim moyn i fi.'

Cadwodd at ei air ac yfon ni ychydig o goffi du gyda mwy o gnau stêl. Roedd e siŵr o fod yn dal i deimlo'n euog am fy nilyn i'm hystafell wely gan iddo ddechrau sôn ei fod yn fy edmygu. Mae'n amlwg nad oedd pethau wedi bod yn hawdd i mi, yn colli fy nhad mor ifanc. Fel Glyn ei hun ro'n i wedi gadael ysgol yn weddol gynnar ac roedd e'n cael ei wylltio weithiau wrth weld cymaint o'r myfyrwyr yn Aberystwyth yn byw mewn rhyw wagle arwynebol, heb wybod fawr ddim am fywyd go iawn.

'Rho di ysgol brofiad i fi bob tro, yn hytrach na'r llwy aur ma' rhai o'r bastards 'ma yn Aber wedi ca'l ar hyd eu bywydau.'

O edrych 'nôl roedd e'n amlwg yn dweud wrtha i yr hyn roeddwn am ei glywed, ac yn fy seboni, er ar y pryd ei fod e'n rhoi'r argraff fod ganddo ddiddordeb go iawn ynof, gan hyd yn oed holi am fy ngobaith o gael gwaith.

'Paid ti becso nawr, Trystan. Ma' 'da fi ambell gontact yn y *Cambrian News*. Ma' nhw wastad yn whilo mas am argraffwyr, rhywun sy'n fodlon gweithio'n galed a dysgu crefft.'

Gadawodd yn yr oriau mân gan ysgwyd fy llaw yn wresog.

Y nos Lun ganlynol oedd noson y Ffair Fawr yn Aberystwyth. Yn fy arddegau cynnar fyddai hi wedi bod yn un o nosweithau mwyaf y flwyddyn. Cofiais gymaint o atyniad oedd y bwth bocsio, gyda phaffiwr y ffair yn fodlon ymladd yn erbyn y brodorion lleol. Pe baech yn para rownd gyfan ar eich traed yna basech chi'n ennill pum punt, heb sôn am edmygedd enfawr y dorf. Allen i wneud tro ag ennill rhywfaint o bres ac er nad oeddwn i'n arbennig o ffit wnes i ddim yfed y noson honno, mewn rhyw obaith annelwig o ymladd am arian.

Doedd dim pwynt codi fy ngobeithion, fodd bynnag. Nid oedd y bwth boscio yn bodoli bellach a heb fod yn y Ffair ers rhai blynyddoedd, mae'n debyg. Cydiodd y felan yn ddyfnach ynof wrth i mi sylwi ar Gwenno gyda'i sboner newydd, ill dau'n gwenu'n hapus ar ei gilydd, yn pipo o'r tu ôl i domennydd o gandi-fflos pinc. Ni welodd hi mi, diolch byth. Ro'n i'n greadur anniben iawn yr olwg, heb eillio ers diwrnodau ac yn cerdded yn wargam gyda'r diffyg hyder nodweddiadol sy'n mynd law yn llaw gyda digalondid anochel diweithdra.

Tretais fy hun ar y ceir bympyrs, gan hel atgofion am fy mreuddwyd fyrhoedlog o gael gyrfa fel gyrrwr Fformiwla Un. Dim ond mater o amser fyddai hi cyn i mi orfod gwerthu fy *Vauxhall* ffaeledig, neu'n fwy tebygol ei dywys i iard celanedd ceir rhydlyd. Rown i'n dal i deimlo'n brudd ond ro'n i'n benderfynnol o beidio mynd i'r dafarn, felly prynais afal taffi i fy hun, gan lwyddo i wneud iddo bara am bron hanner awr. Roedd yn gas gen i'r adeg yma o'r flwyddyn. Tachwedd llaith, lleddf. Wrth iddi gychwyn briwlan dechreuais anelu tua thref gyda cherddoriaeth lon y ceffylau bach yn graddol bylu'n ddim. Es ar fy union i'm gwely oer a chysgu am gyfnod hir. Sylweddolais fy mod i mewn cylch dieflig o anobaith. Yr unig beth yr oedd yn rhaid i mi ei wneud oedd torri fy enw yn swyddfa'r dôl ar ddydd Iau. Prin fy mod i'n bodoli i weddill y ddynolryw weddill yr amser. Credaf i mi golli diwrnod cyfan rywle wrth i mi benderfynu cysgu ymlaen trwy'r bore, a weithiau byddai hi wedi tywyllu cyn i mi fentro mas trwy'r drws i nôl carton o laeth neu dorth o fara.

Mae'n bwysig i mi geisio rhoi fy hun mewn cyd-destun gonest yn ystod y Tachwedd hwnnw, yn enwedig fy nghyflwr meddyliol. Nid wyf yn ddyn cynhenid dreisgar. Yn gywir ai peidio teimlais fod gen i gŵyn ddigon dilys yn erbyn y byd. Ro'n i'n ddwy ar hugain oed heb fawr o ddyfodol. Fel miliynau eraill ro'n i'n ystadegyn Thatcheraidd, prin yn ymddangos ar radar bywyd ystyrlon. Ac nid oherwydd unrhyw ddiffyg ymdrech chwaith. Chwiliais am waith droeon drwy ffyrdd confensiynol y ganolfan waith heb unrhyw lwyddiant. Mentrais allan o gwmpas siopau lleol, yn gofyn am waith. Wedi'r cwbwl, roedd gen i flynyddoedd o brofiad tu ôl cownter rhwng fy nghyfnodau yn Morris a James a Ladbrokes.

Ond doedd dim yn tycio. Yn fy nhrybini gafaelais mewn pamffled recriwtio i'r fyddin o garafán tu fas i Gloc y Dref, gan bendroni am sut y bu hi go iawn i'r milwyr hynny fu'n ymladd yn y Falklands. Yng nghefn fy meddwl roedd llais bach yn f'atgoffa bod Glyn wedi sôn am geisio cael gwaith i mi fel argraffwr yn y *Cambrian News*. Yn hollol ddihyder penderfynais taw sieri hwyr y nos a fu'n siarad.

Yn y diwedd sylweddolais y pwysigrwydd o roi rhyw siâp i'r dydd. Bydden i'n gorfodi fy hunan i godi cyn cinio a darllen y papurau am ddim yn yr hen Undeb Myfyrwyr ger y castell. Yna mynd am wâc, fel arfer o amgylch Traeth y De ac ar hyd y prom a weithiau lan Constitutional Hill hefyd. Dysgais roi ambell drît i fy hun, er mwyn cael rhywbeth i edrych ymlaen ato fe. Un drît o'r math hwn oedd cael rôl sosej a winwns yng Nghaffi Morgan, fel arfer ar fore Sul. Ar un o'r Suliau hynny, yn gynnar yn Rhagfyr mil naw wyth dau, daeth Gwenno i mewn gyda'i sboner. O 'ngweld i'n eistedd yn y gornel ar fy mhen fy hun yn cnoi fy rôl fe betrusodd wrth y drws a bu bron iddi droi rownd a gadael. Sibrydodd rywbeth i'w sboner ac aeth yntau i eistedd wrth un o'r byrddau ger y ffenest. Daeth Gwenno lan ataf a gwenu'n bryderus.

'Sut wyt ti, Trystan?'

'Iawn,' atebais, gan godi fy ysgwyddau'n ddiymgeledd fel pe bai'r cwestiwn yn amherthnasol.

'Wyt ti wedi gweld *Y Sul* heddiw? W'sti, y papur Sul newydd Cymraeg?'

Ysgydwais fy mhen a thywyllodd ei holl osgo.

'Dwi'n meddwl dylsa' chdi brynu copi. Mae 'na ffoto ohona' chdi ar y dudalen flaen. A Daniel Harris hefyd, dy hen ffrind.'

Baglais hi i'r siop bapur agosaf, gan lwyddo i gael un o'r ychydig gopïau o'r *Sul* oedd ar ôl. 'TIWN GRON' oedd y pennawd bras, gyda'r is-bennawd 'Dyfal donc a dyrr ei galon – stori dau gyfaill, dôl a digonedd'. Aeth yr erthygl ymlaen i gyferbynnu fy mywyd i ag un Dan yn dilyn marwolaeth Helen. Roedd yn llawn o ryw chwarae ar eiriau cerddorol ofnadwy, yn sôn bod ein cyfeillgarwch erbyn hyn wedi taro nodyn fflat iawn gyda'r 'Trystan diwaith erbyn hyn yn gwarafun llwyddiant ei gyn-gyfaill, y pianydd clasurol Daniel Harris, a oedd yn sicr erbyn hyn yn creu argraff siarp yn y byd cerddorol'. A hyn er gwaethaf bod 'y ddau'n rhannu cwlwm emosiynol a ddylai eu huno, sef marwolaeth drasig cyn-gariad i'r ddau ohonynt, Helen Jones'. Roedd yna ffoto o'r tri ohonom ar ein beiciau ar y sgwâr fawr yn Nhregors. Ac ar y tu fewn, ar ddudalennau dau a thri, mwy fyth o luniau, gan gynnwys un ohona i y tu fas i'r Ganolfan Waith a Dan mewn gwisg cyngerdd yn derbyn Gwobr Ryngwladol Leeds. Atgyfodwyd fy ymweliad â'r Llys a'i gymharu â'r neuaddau crand y bu Dan yn perfformio ynddynt yn ystod ei yrfa fer ond hyd yma hynod lwyddiannus. Diolch i'r drefn ni fanylwyd o gwbl ar amgylchiadau marwolaeth Helen. Yn wir, doedd yna ddim byd newydd yn yr erthygl. Ond, yn anffodus i awdur y llith, Glyn Oliver, codwyd hen deimlad cyfarwydd iawn yn fy ymysgaroedd, y teimlad o gael cam a hwnnw'n gam difrifol iawn. Taniodd ei dwyll trwy fy ngwythiennau ac ro'n i ar dân eisiau dial arno am ei hyfdra.

Es draw yn syth i'w dŷ gan ganu cloch drws y ffrynt sawl gwaith ar ôl ei gilydd i danlinellu fy mrys i gael gafael arno. Syllais yn ddig ar sbrigyn mawr o gelyn a oedd wedi ei glymu'n ddestlus â rhuban coch ar y drws. Synnais i weld y drws yn cael ei agor gan ferch ifanc, tua deuddeg neu dair ar ddeg oed, sef merch Glyn, Catrin. Allen i wynto'r darpar ginio dydd Sul yn ffrwtian yn braf yn y gegin yng nghefn y tŷ gyda sŵn annelwig radio'n chwarae'n dawel rywle yn y cefndir. Gwenodd Catrin arnaf a galwodd ar ei thad lan lofft wrth iddi f'arwain i trwy'r drws. Dechreuodd emyn chwarae ar y radio yn y gegin a thaflais gipolwg ar yr addurniadau niferus a oedd yn hongian ac yn disgleirio yn y cyntedd. Daeth Glyn i lawr y grisiau ac amneidiodd arnaf yn weddol dawel ei feddwl, o leiaf ar y wyneb.

'Mae'n oreit, Catrin. Dere trwyddo i'r stafell ffrynt, Trystan.'

Dilynais ef i'r ystafell a sylweddolais yn sydyn na wyddwn i'n iawn beth roeddwn i eisiau. Pam oeddwn i wedi galw? Ro'n i angen ymddiheuriad, yn sicr. Arian hefyd, mwy na thebyg. Wedi'r cwbwl, soniwyd am bres yn y gorffennol. A'r llun ohonon ni'n tri ar ein beiciau? Ble oedd hwnnw nawr? Sut oedd Glyn wedi dod o hyd iddo?

Safodd Glyn yn syth o flaen y goeden Nadolig a lenwai'r gofod ger y ffenest ffrynt. Daliai ei freichiau, cledrau'r dwylo tuag i lawr, bob ochr i'w gorff, fel pe bai'n gwthio rhyw bwysau dychmygol i lawr, neu'n hytrach yn cadw caead ar gau.

'Ti'n enwog o'r diwedd, Trystan,' meddai, yn gwenu'n nerfus.

'Ca' dy ben, y bastard!' ysgyrnygais.

'Hei, dere nawr, sa' i moyn unrhyw drwbwl. Gei di dy ffoto 'nôl, os 'na beth sy'n poeni ti. Dim ond menthyg e wnes i, ta beth, pan slipest di i'r tŷ bach,' ychwanegodd, yn chwerthin nawr, yn hollol ddespret.

Arhosais yn dalsyth gan syllu arno fe, yn teimlo fy llygaid yn culhau.

'Falle neith e les i ti. Bydd pobol yn cydymdeimlo â ti. Yn gweld bod ti wedi diodde'n ddiweddar. Cynnig gwaith i ti.'

'Faint o arian gest di am y stori?' gofynnais yn dawel, gyda'm llygaid wedi'u hoelio arno.

'Nawr gwranda, Trystan. Wy wedi bod yn dda i ti. Wy wedi rhoi gwerth tua ugen punt o gwrw i ti. Licen i feddwl bo' ni'n gallu bod yn gall 'mbytu hyn a dal i fod yn ffrindiau.'

'Wy moyn hanner can punt, neu weda i wrth yr heddlu bo' ti 'di dwgyd o'n fflat i.'

'A galla i weud 'tho nhw yr un mor hawdd taw ti roiodd y ffoto i fi, o dy wirfodd.'

Mae'n rhaid ei fod e wedi synhwyro ar gam bod fy llid yn dechrau gostegu gan iddo ddechrau ymlacio.

'Co, wy wedi bod mewn sefyllfaoedd fel hyn droeon. Alla i ddim rhoi arian i ti. Fy mywoliaeth i yw e. Wna i bara i brynu peint i ti nawr ac yn y man. Ond dylet ti fod yn falch, wir nawr. Ges i yffach o job perswadio'r golygydd i gael y dudalen flaen.'

Wrth iddo gyrraedd diwedd ei araith fach droëdig bu'n ddigon hy i hyd yn oed roi ei fraich amdanaf. Dyna a daniodd yr ergyd. Hyrddiad caled gyda 'nwrn de a halodd ef ar wasgar ei gefn yn erbyn y goeden Dolig, gyda gwaed yn pistyllio o'i geg. Clywais sgrech erchyll o enau Catrin, a fu'n gwrando wrth y drws. Mewn dim o dro roedd Beti, gwraig Glyn, y tu blaen i mi, yn fy mygwth â *rolling pin*.

Gyda'r un ergyd honno llwyddais i dorri pedwar o ddannedd Glyn a bu'n rhaid iddo gael llawdriniaeth yn yr ysbyty, cymaint fu'r difrod i'w geg.

Achosi niwed corfforol difrifol oedd y cyhuddiad. Roedd nifer o bethau yn fy erbyn. Roedd Glyn yn gymeriad poblogaidd yn Aberystwyth. Roedd gen i hanes o ymddygiad treisgar ac er 'mod i'n dal i ddweud fy mod i wedi cael fy mhryfocio doedd gen i ddim gobaith. Cefais ddedfryd o dair blynedd o garchar.

21

Tra oeddwn i yng ngharchar Abertawe cefais fy ngwthio i
gyfeiriad obsesiwn newydd, sef cadw'n heini. Gan taw 'GBH' oedd
y drosedd a gyflawnais barnwyd ar gam fy mod i'n foi caled gan
rai o'm cyd-garcharorion. O'r herwydd roeddwn yn her
feunyddiol iddynt. Byddent yn rhythu arnaf yn filain wrth basio
yn y coridor neu yn 'ddamweiniol' yn taro yn fy erbyn, yn fy
ngwawdio'n herfeiddiol i ymateb. Profiad diflas oedd yr holl
gellwair bygythiol hyn, yn enwedig yn y misoedd cynnar. Oni bai
mod i wedi dod yn ffrind i ŵr caled go iawn, Philip Morgan, neu
'Mogsy', mae'n bur debyg y buaswn i wedi cael fy nhemtio i
ymateb i'r holl nychu gwatwarus. Fel carcharor newydd dysgodd
Mogsy fi fod yn rhaid i mi ennill parch y lleill ac un ffordd dda o
wneud hynny fyddai gofalu ar ôl fy nghorff. Credai'n gryf fod corff
iach yn cadw'r meddwl yn iach ac o edrych 'nôl dyma'r union
gyngor roedd ei angen arnaf ar y pryd. Daeth hi'n amlwg bod

unrhyw un a fyddai'n llwyddo i godi dros gan cilogram yn ystod *bench presses* yn y gampfa yn ennyn edmygedd ac yn cael llonydd. Gweithiais yn galed ar fy ffitrwydd, gan ddilyn esiampl Mogsy a gwneud sit-yps a pres-yps yn fy nghell a rhedeg yn yr unfan am hydoedd nes bod y chwys yn tasgu oddi arnaf. Yn y pen draw wnes i'n well na'r disgwyl hyd yn oed. Codais dros gant a deg cilogram yn y gampfa i gyfeiliant tawelwch syfrdan llawn edmygedd.

Mae carchar yn rhoi lot o amser i chi i feddwl. Meddyliais i am Glyn a theimlais yn edifar iawn fy mod i wedi niweidio ei geg i'r fath raddau. Byddai'n siŵr o ddioddef yn seicolegol hefyd oherwydd fy ymddygiad byrbwyll. Ar ambell eiliad wan cefais fy nhemtio i fynd i siarad gyda Chaplan y carchar i chwilio am faddeuant am fy nghamwri, ond wnes i ddim mynd ar ei gyfyl erioed serch hynny. Yn bennaf oll meddyliais am haf saith deg chwech, gan geisio gwneud synnwyr ohono.

Cefais sawl ymweliad disymwth, poenus, yn aml ynghanol nos. Golwg ddryslyd, ddychrynllyd Helen ar fin plymio i'w marwolaeth oedd y gwaethaf. Taniwyd cwestiwn yn gyhuddgar o'i llygaid grymus hardd – 'Pam wnest di adael iddo fo fy ngwthio i?' Bu'r cwestiwn yn artaith i mi, yn bennaf gan nad oedd gen i ateb boddhaol. Byddai ambell weithred, fel coltario'r iard hamdden neu jest y ffordd y syrthiai darn o wallt rhyw seicolegydd benywaidd dros ei llygaid yn dod â'r diwrnod ofnadwy hwnnw ar ddiwedd Awst 'nôl gydag eglurder cythryblus. Yn gwmws fel pe bai pob dim wedi digwydd pnawn ddoe.

Roedd yn gas gen i'r rhan fwyaf o'r swyddogion carchar gan fod tueddiad ganddynt i'n trin ni fel plant bach, gan ddangos diffyg parch difrifol. Efallai eu bod nhw'n cael eu hyfforddi yn Abertawe i beidio closio'n ormodol tuag atoch neu rywbeth ond fe ddiflasodd eu hagwedd nawddoglyd nhw mi yn ofnadwy. Does dim dwywaith na chawsom ein trin fel dinasyddion eilradd ac nid fel bodau dynol yn union yr un peth â hwythau, gyda theimladau ac emosiynau cyffelyb. Nid wyf am bendroni'n ormodol ar fy amser yn jael Abertawe rhag i mi swnio'n hunandosturiol a rhoi'r argraff anghywir gan fy mod i wedi derbyn fy nghosb yn ddigwestiwn. Ond rhaid hefyd pwysleisio bod yna un ffrind arall heblaw am Mogsy a fu'n gymorth i mi. Rhywun o'r tu fas a ddaeth i ymweld â mi. Bethan, chwaer Rhodri.

Er taw dim ond unwaith wnaeth hi ymweld â mi bu ei chyfraniad i'm gwellhad yn enfawr gan iddi sbarduno'r awydd ynof i lythyru yn amlach at fy mam. Ni fynychais ofod oer di-groeso yr ystafell ymweld yn aml am y rheswm syml na chefais fawr o ymwelwyr. Daeth fy mrawd, Gareth, i'm gweld yn ystod yr wythnosau cynnar ond ni allai fy mam wynebu'r profiad. Bwrodd y sen o gael mab mewn carchar hi yn arw iawn. Ar gais Gareth ysgrifennais lythyr ati, gan egluro orau gallwn i mod i'n ceisio gwella fy hun a fy mod i wedi setlo i fywyd carchar yn weddol ddidrafferth. Pan na thrafferthodd hi ateb des i'r casgliad ei bod hi wedi fy niarddel o'i bywyd. A fedrwn i ddim gweld bai arni chwaith.

Fodd bynnag, yn ôl Bethan, roedd hyn yn bell iawn o'r gwirionedd. Yn ymddangosiadol i lawr ar daith siopa yn Abertawe fe lwyddodd hi i drefnu fy ngweld a phwysleisiodd y pwysigrwydd o ddal ati i ysgrifennu at Mam. Gan symud ei phen-ôl yn anghyfforddus yn un o gadeiriau plastig glas yr ymwelwyr syllodd i fyw fy llygaid.

'O'dd hi wrth ei bodd â dy lythyr di.'

'O ie, wnaeth hi 'i fwynhau e cym'int dyw hi heb drafferthu 'i ateb e,' atebais yn 'smala.

'Nage achos bod hi ddim moyn. O'dd hi'n teimlo bod hi ffilu. Wedodd hi wrtha i bod y geiriau ddim gyda hi.'

Ceisiais ddychmygu'r sgwrs ryfedd hon rhyngddynt. Ym mha gyd-destun ac ymhle yr ynganwyd y geiriau? Dros baned o de a dagrau yn y gegin? Digwydd taro ar draws ei gilydd ar y pafin tu fas?

'O ie, os ti'n digwydd gweld e, Bethan fach, gwed 'tho fe am sgrifennu eto. Dyw'r geiriau ddim gyda fi.'

Ddim gyda hi. Fel pe bai'n rhestr siopa roedd hi wedi'i rhoi lawr rhywle neu bresgripsiwn roedd hi wedi'i golli. Teimlais yn lletchwith bod y sgwrs yn troi o f'amgylch i, felly holais Bethan sut oedd ei hegin fusnes crochenwaith yn siapio erbyn hyn.

'Mae'n mynd yn oreit, diolch. Ni'n gwerthu lot o *dinner sets* ac mae'r tebotiau â'r cynllun draig yn gwerthu'n dda hefyd, yn enwedig gyda'r twristiaid.'

Sylwais ei bod hi'n crafu ei llaw glwyfedig wrth siarad. Nodais fod yn gas ganddi hithau hefyd sôn amdani hi ei hun.

Byddaf wastad yn gwerthfawrogi ymweliad Bethan gan iddo 'mhrocio fi i ysgrifennu at Mam yn wythnosol. Ysgrifennais at Bethan hefyd unwaith y mis, gyda hithau'n ateb yn ogystal. Gwaetha'r modd, daeth yr arferiad hwnnw i ben ar ôl chwe mis, gan i'w dyweddi, rhywun o'r enw Arwyn o Aberaeron, deimlo nad oedd ein llythyru yn addas rywsut. Cadwais i lythyru â Mam reit lan at gyfnod fy rhyddhau ac wrth i'r diwrnod hwnnw hofran yn ddisgwylgar o'm blaen soniais am y posibilrwydd o fynd adref i Dregors. Gan ofyn ffafr deuluol llwyddodd Gareth i drefnu jobyn i mi gyda chwmni cludiant lleol yn gyrru *fork-lift* mewn warws, yn stacio ac yn symud llaeth powdr ar gannoedd o baledau pren.

Cefais sioc enbyd pan welais Mam. Roedd hi wedi torri, ac yn greadur eiddil na allai edrych neb yn ei lygaid rhagor. Fe wyddwn fod Gareth yn beio fi am y newid syfrdanol hwn. Roedd e'n iawn hefyd mwy na thebyg. Sylweddolais y byddai lle bach fel Tregors wedi ffynnu ar y fath glecs milain a mwynhau *schadenfreude* fy nghwymp, nid bod gen i lot o le i gwympo yn y lle cyntaf.

Er iddo beri poen iddi hi fe benderfynais yn go glou na allen i aros yn Nhregors wedi'r cwbwl. Doedd fawr o groeso i mi yn Aberystwyth mwyach chwaith felly fe fentrais i Abertawe, gan dynnu ar gymorth rhai o ffrindiau Mogsy i helpu sefydlu fy hun yn y ddinas.

Gweithiais am gwpwl o fisoedd tu ôl i'r bar mewn tafarn yn ardal Sgeti, lle poblogaidd ymhlith nyrsys Ysbyty Singleton. Er mawr syndod i mi fe ffansïodd un o'r rhain fi, sef Delyth, merch fferm nobl o Grymych ac mewn dim o dro roedden ni'n canlyn.

Un o'r agweddau a berodd bryder i mi o gael fy rhyddhau o garchar oedd fy nghyfeillachu â'r rhyw deg unwaith eto. Efallai bod y ffaith ei bod hi'n nyrs wedi helpu i ryw raddau gan nad oedd y ffaith mod i'n gyn-garcharor wedi mennu ar ei hawydd i fynd allan gyda mi yr un iot. Os rhywbeth roedd e'n ychwanegiad diddorol i sbeis ein perthynas yn ei thyb hi. Roeddwn ar ben fy nigon, wedi ymlacio'n llwyr yng nghwmni merch fferm oedd am gael amser da. O fewn ychydig wythnosau roeddem yn byw gyda'n gilydd, wedi llwyddo i gael fflat ar Evans Terrace, tafliad carreg o'r orsaf reilffordd. Llwyddais hefyd i gael ychydig mwy o waith, fel bownsar ddwy noson yr wythnos, ac roedd y nosweithiau hynny'n aml yn cyd-fynd gyda shifftiau gwaith Delyth. Golygai hynny o bryd i'w gilydd ein bod ni'n dau'n medru treulio diwrnodau cyfan gogoneddus yn y gwely, gyda fy ffitrwydd newydd a'm hawch am ryw yn esgor ar sesiynau harti o garu ganol prynhawn. Mewn gair, roedd fy mywyd yn dechrau gwneud synnwyr. Edrychai'n debyg mod i wedi llwyddo o'r diwedd i wthio Dan a Helen i ryw flwch caeedig ymhell yng nghilfachau mwyaf dirgel fy meddwl.

Neu dyna hoffwn i ei feddwl.

Ond doedd bywyd, o leiaf fy mywyd i, ddim mor hawdd â hynna. Wrth i mi ddigwydd ffonio adref un noson atebodd Gareth a datgan ei fod ar fin fy ffonio. Roedd newydd ddychwelyd o'r ysbyty. Cafodd Mam ei rhuthro i mewn lai nag awr yn gynharach wedi dioddef trawiad enfawr ar y galon. Bu farw yn yr ysbyty.

Chwarae teg i Delyth fe gynigiodd fy ngyrru i Dregors ac aros gyda mi tan ar ôl yr angladd. Dylwn i fod wedi derbyn ei chynnig hael ond ro'n i'n awyddus i wneud pethau yn fy ffordd fy hun. Dim ond tri mis ro'n ni wedi bod yn mynd mas gyda'n gilydd a do'n i ddim moyn iddi weld safbwynt chwithig trigolion y pentref ohonof, lle roeddwn i'n dal i gael fy ystyried yn rhyw fath o ffrîc.

Ro'n i o ddifri yn treial dechrau eto, cychwyn o'r newydd. Neu o leiaf dyna oedd fy mwriad i. Ond doedd fy mrawd, Gareth, ddim am wneud pethau'n hawdd i mi. Cafodd marwolaeth Mam gryn effaith arno ac fe roddodd y bai am ei hangau disymwth hi yn blwmp ac yn blaen arnaf i. Bu'r holl straen achosais i yn ormod iddi yn y diwedd. Yn ôl Gareth bu farw yn llythrennol o dorcalon.

Gwyddwn ei fod wedi ypsetio, ond sylweddolais hefyd fod yna rithyn o wirionedd yn ei ddamcaniaeth. Oherwydd bod darn mawr ohonaf yn dal i fyw yn yr haf hwnnw gwnaeth hynny gael effaith ar fy nheulu wrth reswm, fel rhyw feirws nad oes neb yn fodlon ei grybwyll. Ro'n i wedi cael llond bola o'r holl beth ac yn gwybod ym mêr fy esgyrn mod i angen help.

Roedd y capel dan ei sang ar gyfer yr angladd. Daeth rhieni Dan yno ac am rai eiliadau dychrynllyd dechreuais ystyried efallai y byddai Dan ei hun yn dod yno. Fel mae'n digwydd, presenoldeb gwyneb arall o'r gorffennol a ysgogodd fi yn y pen draw i geisio chwilio am help Rhys Edwards. Cawsom fawr o gyfle i sgwrsio yn y festri wedi'r gwasanaeth ond ro'n i'n bles bod Rhys wedi gofyn i mi daro draw i Fryneglur cyn dychwelyd i Abertawe.

Yn allanol nid oedd Bryneglur wedi newid fawr ddim, er

roedd e'n brofiad rhyfedd bod yno yn y glaw. Nid oedd Caradog y paun yno i'm cyfarch, gan i'w ysblander amryliw dderbyn yr alwad i'r noddfa adar derfynol rai blynyddoedd ynghynt mae'n debyg. Ond roedd ffurf sylfaenol yr adeiladau a'r cytiau, yr arogleuon, y teimlad braf o fod mor anghysbell, yn gwmws yr un peth.

Roedd y tŷ ei hun fodd bynnag wedi ei drawsnewid. Er ei bod hi'n ddiwrnod digon mwll roedd fel pe bai mwy o olau ym mhob ystafell a rhyw deimlad ysgafn am y lle. Paentiwyd y welydd mewn lliwiau pastel dymunol ac roedd yr holl ofod yn fwy croesawgar rywsut, gyda llawer llai o annibendod. Wrth i Rhys nôl llaeth i mi fe sylwais fod yr oergell, a fyddai fel arfer yn wag ac amddifad, yn llawn i'r ymylon. Edrychai yn iach hefyd, yn dawelach ei feddwl, yn llai pigog. Yna, fel pe bai'n darllen fy meddwl, fe soniodd rywfaint am ei hanes diweddar.

'Ges i gynnig ymddeol yn gynnar a gwnaeth fy mhartner, Nick, fy annog i dderbyn e. 'Na'r peth gore wnes i. Wy'n treulio lot o'r dydd yn paentio ac arlunio. Ac mae Nick yn helpu troi ambell lun o adar mewn i gardiau cyfarch. Ma' nhw'n gwerthu'n 'itha da, am hobi.'

'Chi'n edrych yn dda,' meddwn, yn sipian fy nhe.

'Diolch. Ond 'na hen ddigon amdana i,' meddai, gan garthu ei gorn gwddf. 'Wy wedi bod yn meddwl lot amdanot ti a Daniel. Y ffordd mae'ch bywydau chi wedi mynd i gyfeiriadau mor wahanol, ers i'r ferch 'na farw.'

'O'n i byth yn mynd i fod yn bianydd,' meddwn, yn ceisio'n despret i gadw cywair ysgafn i'r sgwrs. Ond roedd Rhys yn dal i edrych yn ddwys. Allen i deimlo fy nghalon yn curo ac roedd fy meddwl ar ras i geisio canfod beth byddai'n ei ddweud nesaf. A oedd e'n gwybod yr hyn ddigwyddodd go iawn? Na, fyddai hynny'n amhosib. Ceisiais wrando mor ddigynnwrf ag y medrwn.

'Ga'th e effaith ofnadw arnot ti, naddo fe Trystan?' meddai mewn cywair llawn cydymdeimlad.

Nodiais, gan geisio peidio rhoi gormod i ffwrdd.

'Ond tra bo' ti druan 'di mynd o un anffawd i'r llall, ma' Dan fel 'se fe 'di mynd o nerth i nerth.'

Bu saib annifyr wrth iddo syllu arnaf, yn gwahodd fy ymateb. Cedwais yn dawel.

'Shwt wyt ti'n teimlo ynglŷn â hynna? Ti'n dal dig o gwbl?'

'Sa' i'n siŵr os weden i mod i'n dal dig. Ma' fe fwy ynglŷn â methu deall e.'

'Ei dalent? O ble ga'th e fe ti'n meddwl?'

'Na. Y ffaith bod marwolaeth Helen fel 'se fe heb effeithio arno fe o gwbwl. A gadawes i fe i, wel, i 'strwo 'mywyd i.'

Teimlais ychydig yn benysgafn wrth drafod mor hawdd rywbeth yr oeddwn wedi'i ailchwarae ar sgrîn fy meddwl gannoedd o weithiau. Roedd Rhys yn amyneddgar iawn, yn aros i weld a oeddwn i am ychwanegu rhywbeth cyn mentro yn y pen draw i ofyn a oeddwn i wedi derbyn unrhyw gymorth seiciatryddol o gwbl, i helpu ymdopi â'r trawma yr oeddwn i wedi dioddef. Soniais am gwpwl o seicolegwyr wnes i gwrdd â nhw yn y carchar ond ni fues i'n fodlon agor lan i'r naill na'r llall ohonynt. Crafu'r wyneb, meddwn, nid tynnu gwaed.

'Wy'm yn gwbod os wyt ti'n cofio i mi sôn fy mod innau wedi bod trwy gyfnod treisgar yn fy mywyd,' dechreuodd Rhys.

'Ydw. Wy'n cofio beth wedoch chi hefyd. Fod bwrw mas jest yn bwrw'ch hunan yn y diwedd.'

Gwenodd Rhys, yn amlwg wrth ei fodd mod i o leiaf wedi cofio ei eiriau.

'Wnes i ddim cymryd lot o sylw o'ch cyngor chi, do fe?' meddwn, gan godi fy aeliau'n brudd.

''Na beth o'n i moyn trafod gyda ti. Ma' Nick yn seiciatrydd.

Ma' gydag e glinic rhan-amser yn Aberystwyth. Wy wedi sôn wrtho fe amdanot ti. Fydde fe'n folon gweld ti am hanner y pris arferol.'

Teimlais f'ysgwyddau yn cwmanu a fy llygaid yn osgoi rhai Rhys. Sylwodd yntau'n syth ar iaith negyddol fy nghorff gan barhau â'i lith yn frwd.

'Dyw e'n ddim byd i'w ofni. 'Set ti'n torri dy goes, elet ti i roi hi mewn plastar. Mae anaf meddyliol yr un peth ag unrhyw anaf corfforol. 'Neith e ddim gwella nes iddo fe gael ei drin. Ti byth yn gwbod, falle 'se fe ddim yn cymryd lot o sesiynau. Ond bydde fe'n helpu ti i symud 'mlaen, rhoi cyfle i ti fyw dy fywyd heb y cwmwl anferth 'na'n hongian drostot ti trwy'r adeg.'

Fe benderfynais i gwrdd â Rhys hanner ffordd, gan ddweud y bydden i'n ystyried y peth.

'Fy namcaniaeth fach i yw bod gyda ti ryw fath o tsip cymhleth ar dy ysgwydd a bod yr hyn sy'n gyrru dy rwystredigaeth di go iawn i wneud â dosbarth. Ti'n gwarafun llwyddiant a braint Daniel a'r ffordd wnaeth e a'r ferch 'na whare â dy deimladau di yr haf hwnnw.'

Mae'n rhaid mod i wedi edrych yn syn ac yn bryderus gan i Rhys wenu arnaf yn syth i geisio fy nghysuro.

'Dim ond damcaniaeth yw hi. Wy wedi cael lot o amser i feddwl am beth est di trwyddo yr haf 'na. Dou berson newydd yn dy fywyd, y ddou ohonyn nhw'n dy swyno di yn eu ffyrdd gwahanol. 'Set ti mewn nofel fyddet ti'n cynrychioli'r dosbarth gweithiol sathredig!'

Chwarddodd yn braf wrth ddweud hyn, mewn ymgais arall i geisio gwneud i mi ymlacio. Fe orffennais fy nhe a diolchais iddo am ei gyngor. Addewais ystyried y peth o ddifri. Rhoddodd gerdyn busnes Nick Dawson i mi ac fe stopiodd fi wrth y drws cefn cyn rhuthro lan stâr i nôl rhywbeth. Daeth 'nôl lawr gyda llun dyfrlliw o baun wedi ei fframio'n gelfydd. Ond nid jest unrhyw baun chwaith.

'Licen i i ti gael hwn,' meddai.

Cymerais y llun a diolchais iddo am ei haelioni, gan ei osod yn ofalus yn fy sach gynfas cyn mynd ar fy hen feic. Wrth i mi wibio ar hyd yr hen hewl droellog gyfarwydd i lawr y rhiw tuag at Bonthrhydfendigaid roedd fy mhen yn troi wrth geisio rhoi trefn ar yr hyn ddywedodd Rhys. Roedd e'n iawn. Er mwyn i mi 'symud ymlaen' roedd yn rhaid i mi wneud rhywbeth. Ond wrth gwrs ni wyddai Rhys holl fanylion yr hyn ddigwyddodd yr haf hwnnw. Fe wyddwn i ym mêr fy esgyrn taw cadair y seiciatrydd fyddai'r noddfa yr oeddwn yn crefu amdani. Roedd Dan wedi gwneud tro gwael iawn â mi. Cefais gam ac fe ddylwn i wneud rhywbeth yn ei gylch. Yn ddiarwybod iddo roedd Rhys wedi dihuno anghenfil fu'n cysgu, anghenfil a oedd ar dân eisiau dial.

22

I gychwyn fe wrandewais ar gyngor Rhys a defnyddiais beth o'r ddwy fil o bunnau a gefais o ewyllys Mam i dalu am rai sesiynau gyda Nick. Dyn bach seimllyd yr olwg oedd partner Rhys, gyda gwyneb pysgodyn a llygaid oeraidd anhreiddiadwy. Eisteddai ar y rheiddiadur yn ei glinic gan daro ei wefusau â'i fys blaen. Llwyddodd yr arferiad hwn i fynd dan fy nghroen braidd, ac wrth ei ailadrodd dro ar ôl tro ymddangosai fel pe bai'n ystumio i mi fod yn dawel. Doedd gen i fawr o ffydd yn y sesiynau holi ac ateb gyda Nick, yn bennaf gan y gwyddwn o'r gorau na fedrwn i ddatgelu'n llawn i unrhyw un yr holl gymhlethdodau parthed fy ymateb i farwolaeth Helen. Ac wrth gwrs ni fedrwn gyfadde'r hyn a ddigwyddodd iddi go iawn, taw nid damwain fu ei marwolaeth o gwbwl. A bod yn deg fe geisiodd ei orau, gan ddefnyddio ambell gliw fel hoffter Helen o farddoniaeth Verlaine neu ddarluniau

Rothko fel allweddi â rhyw botensial efallai i agor drws caeedig ein perthynas.

Stopiais fynychu'r cyfarfodydd ar ôl pedair sesiwn. Fe wnes i, serch hynny, dreulio un prynhawn cyfan yn Oriel Tate yn Llundain yn syllu ar ambell ddarlun haniaethol enfawr gan Rothko. Ffeindiais i nhw yn gysurlon, yn medru lliniaru cryn dipyn ar fy angst cynhenid. Mewn gwirionedd, fodd bynnag, ro'n i wedi teithio i Lundain yn y gobaith annelwig o gwrdd â Dan. Canfyddais ei fod yn perfformio yn Neuadd Wigmore ac ro'n i hyd yn oed wedi prynu tocyn. Collais fy hyder ar y funud olaf a dal y trên hwyr 'nôl i Abertawe yn lle hynny. Yn ystod y siwrnai drên roedd fy meddwl ar ras yn ail-fyw scenario ar ôl scenario pe bawn i wedi aros. Sut y byddwn i wedi mynd i'w ystafell wisgo ar ôl y sioe ac awgrymu i Dan y dylem fynd am bryd. Byddwn i'n ei dwyllo i feddwl bod ein cyfeillgarwch wedi ei adfer. Yna'n ymddiheuro am geisio ei lwgrwobrwyo, gan ddweud fy mod i wedi bod dan straen aruthrol ar y pryd, ond fy mod i'n llawer callach nawr. Yn hapusach hefyd. Byddwn i'n sôn am Delyth. O ie, byddai fe am wybod pob manylyn am Delyth.

Yna'n sydyn, wrth iddo chwerthin yn braf, byddwn yn ei drywanu yn ei law â fy nghyllell stêc. Byddai hynny'n ddigon. Byddai'r difrod i'w law yn rhoi terfyn ar ei yrfa fel pianydd. Mi fuasai'r gewynnau wedi snapio a'r mân-esgyrn wedi torri. Ni fyddai ei law byth yr un fath. Ro'n i wedi tsieco yn y llyfrgell ac ar nifer o wefannau. Byddai ei fedrusrwydd mesmerig a sydynrwydd cyffrous ei symudiadau carlamus wedi mynd am byth. Byddai'n well na'i ladd. Fel hyn y byddai'n sâff o ddioddef. Fel y bu raid i mi ddioddef.

Yn anffodus doeddwn i ddim yn ddigon dewr ac ni welais Dan hyd yn oed heb sôn am ei drywanu. Cefais fy synnu a'm siomi'n arw gan fy niffyg penderfynoldeb. Fedrwn i ddim yn fy myw ddirnad pam yr oeddwn i'n dal mor driw iddo. Pam na fedrwn i jest mynd at yr heddlu a dweud y gwir am yr hyn a wnaeth ef i Helen? Mae'n debyg oherwydd fe wyddwn i y byddai hynny'n dinistrio ei yrfa ddisglair. Os oeddwn i'n poeni am hynny, yn wir yn poeni i'r fath raddau nes gadael iddo fy ninistrio i yn lle hynny, yna beth oedd hynny'n dweud amdanaf?

'Nôl yn Abertawe fe blymiais i ddyfnderoedd cyfnod mewnblyg o hunangasáu. Roedd Delyth yn llawn consýrn am fy syrthni a cheisiodd fy nghocsio mas o'm cragen, fy llusgo gyda hi i dafarn y Crown, lle y byddai hi'n cwrdd â'i ffrindiau niferus. Yn y diwedd fe wthiodd hyn fi dros y dibyn yn feddyliol a dechreuais fwrw'r botel gydag arddeliad. Pen draw'r bennod fach atgas hon oedd dychwelyd adref un noson a dyrnu Delyth.

Fe adawodd hi fi drannoeth. Fedrwn i ddim gweld bai arni. Roedd yn gas gen i yr hyn yr oeddwn wedi ei wneud ond fe wyddwn o'r gorau hefyd mod i'n syrthio mewn i ryw *freefall* peryglus. Fedrwn i ddim dangos fy ngwyneb yn y Crown eto ac er i rai o'm cyd-weithwyr gydymdeimlo â mi, gan ddweud taw *one off* oedd y weithred ac nad oeddwn wedi taro merch o'r blaen, fe wyddwn yn iawn y byddai'n rhaid i mi adael Abertawe yn weddol handi.

Symudais i Gaerdydd a chael gwaith yn weddol glou fel bownsar mewn amryw o glybiau nos. Rhentais fflat fach yn ardal Grangetown a magais gyfeillgarwch gyda chriw o gefnogwyr yr Adar Gleision. Nid wyf wedi bod yn rhyw ffan arbennig o bêl-droed ond roedd angen dechrau o'r newydd arnaf eto fyth a chanfod cymuned wahanol. Wnes i hyd yn oed newid fy enw unwaith y cyrhaeddais i'r brifddinas. O hyn ymlaen byddwn yn ateb i'r enw 'Stan'. Esgusais nad oeddwn yn deall Cymraeg. Tyfais farf. Cefais datŵ o aderyn glas ar fy mraich. Cyfaddefaf fod y cyfnod hwn yn swnio'n fywyd hynod, yn cysgu trwy'r mwyafrif o'r golau dydd a gwisgo siwt i fynd i'r gwaith, gan amlaf am wyth o'r gloch y nos. Roedd iddo ei fanteision hefyd. Byddai yna wastad rhyw fenyw dipsi adeg taflu pobol mas wedi ei swyno gan fownsars. Cefais ambell *one night stand* hwnt ac yma ond fe wyddwn i'n iawn mod i'n byw ar beilot awtomatig. Neu *in denial* fel y byddai Nick Dawson wedi dweud.

Yna'n hollol annisgwyl fe drawais ar draws Dan ynghanol y ddinas. Roedd e'n recordio rhywbeth gyda cherddorfa BBC Cymru a heb newid dim heblaw am arwyddion cynnar o'i wallt yn teneuo. O fewn eiliadau roedd ganddo'r hyfdra i dynnu fy marf, gan chwerthin yn nodweddiadol wichlyd, a gofyn a oeddwn wedi troi'n Fwslim arno fe. Synhwyrais nad oedd e'n dal dig ers ein cyfarfod diwethaf. Yn wir, roedd e'n amlwg yn falch o 'ngweld i. Gwyddwn na chelen i gyfle cystal â hyn eto felly dechreuais weithredu'r scenario a fu'n chwarae yn fy meddwl mor hir.

'Mae'n ddrwg gen i am y tro dwetha, Dan. O'n i'n mynd trw' gyfnod uffernol.'

'Mae'n oreit. Wy wedi anghofio amdano fe,' meddai, yn wafio ei law fel pe bai'n gorfforol ddileu y cof o'r aer rhyngom ni.

'Ma' arna i bryd bwyd i ti,' meddwn.

'Fydde *Chinese* yn dda,' atebodd yn frwd. 'Ma' 'na le ar Cowbridge Road wy wedi bod iddo fe cwpwl o weithiau. Yr Happy Gathering. Dim ond heno alla i fanijo, a ddim tan hanner awr wedi wyth, os yw 'na'n iawn 'da ti.'

Teimlais fy nghalon yn curo ac amneidiais, wedi fy nghyffroi gan y gobaith o allu cyflawni fy ffantasi o'r diwedd.

Teimlais yn dawel hyderus y byddwn yn medru rhoi trefn ar y bedlam yn fy mhen yn y lle â'r enw eironig Happy Gathering. Tra own i'n archebu cwrw Tsieineaidd i fy hun taflais gipolwg o amgylch yr ystafell eang. Roedd ambell gwsmer hwnt ac yma a nifer fawr o staff ifanc iawn yr olwg yn taranu 'nôl a 'mlaen o'r gegin. Ond ar y cyfan roedd naws hamddenol, gartrefol yno, yn rhannol oherwydd gallu'r fenyw ifanc a chwaraeai'r piano ynghanol yr ystafell. Ceisiais greu darlun o'r ystafell o fewn yr awr. Gwaed Dan ar y carped, y rheolwr yn llawn panig yn gweiddi ar aelod o'i staff i alw am ambiwlans. A ffonio'r heddlu hefyd. Meddyliais am ymateb Dan. A fyddai'n fy erlyn, yn gweithredu'r gyfraith i'r llythyren, gan ddeall yn iawn mod i'n gwybod am yr hyn a wnaeth ef yn ei arddegau? Byddai, mae'n debyg. Roedd yn rhywbeth byddai'n raid i mi ei wynebu. Rhywbryd eto. Heno, byddai'n rhaid i mi ffocysu. Canolbwyntio. Dod â rhyw fath o derfyn ar fyw celwydd am bedair blynedd ar ddeg.

Gorffennais fy nghwrw ac archebais un arall, gan edrych ar fy wats. Roedd hi'n gwarter i naw. Ystyriais y posibilrwydd na fyddai'n troi lan. Pe bai hynny'n digwydd yna byddwn yn ffonio'r BBC yfory a cheisio cael gafael arno fe. Doeddwn i ddim yn mynd i adael i'r cyfle euraidd hwn slipo trwy 'mysedd. Wrth i'r gweinydd ddod draw â'm diod daeth rhyw gochen ifanc, yn ei hugeiniau hwyr, mewn jîns tyn a chrys-T gwyn a chôt wlân ddu hir i fewn i'r bwyty, gan edrych o amgylch yr ystafell fel pe bai'n chwilio am rywun. Wrth i'w llygaid lanio ar fy rhai innau sylweddolais ei bod hi'n chwilio amdana i. Cerddodd draw ataf yn ling-di-long gan ysgwyd fy llaw a chyflwyno'i hun fel Ruth, cariad Dan. Gwenais yn gwrtais, gan geisio cwato fy nicter o ganfod y posibilrwydd o ryw ddrwg yn y caws. Eglurodd hi mewn acen groch Americanaidd fod Dan am ymddiheuro. Roedd y recordio wedi mynd dros amser yn y stiwdio, felly byddai e'n hwyrach, yn agosach at hanner awr wedi naw mwy na thebyg. Atebais innau fod hynny'n iawn a chaeais y fwydlen yn glep.

Symudodd o ochr i ochr, rhwng dau feddwl p'un ai eistedd ai peidio. Do'n i ddim yn mynd i'w gwahodd. O'r diwedd dywedodd nad oedd am aros, gan ei bod hi'n gwybod bod gan Dan a minnau dipyn i'w drafod. Anesmwythodd hyn fi. Faint oedd Dan wedi sôn amdanaf wrth y Ruth hyn? Penderfynais bysgota ychydig wedi'r cwbwl, gan holi sut wnaeth y cwpwl gyfarfod. Dywedodd hi fod y ddau wedi cwrdd ym Merlin. Roedd gan Dan gyngerdd yno ac roedd hithau wedi ei hanfon draw i gofnodi holl gyffro'r Wal yn cael ei dymchwel yn rhinwedd ei swydd fel ffotograffydd. Pwysleisiodd hi ei fod e'n gyfnod rhamantus iawn, gweld y wal yn dod lawr. Dywedodd fod Dan yn fachan anhygoel.

Fe gytunais â hi yn gwrtais a chafwyd seibiant lletchwith wrth i mi sipian fy nghwrw, a theimlo ei llygaid arnaf. Ar ôl ychydig mentrodd ddweud bod Dan yn becso amdanaf. Ynglŷn â rhyw brofiad gafodd y ddau ohonom yn ein harddegau. Roedd wedi sôn wrthi am y digwyddiad. Erchyll o beth.

Ro'n i am iddo stopi. Roedd angen i mi ffocysu. Do'n i ddim yn dymuno clywed hyn. Aeth ymlaen i ddweud bod y ferch a syrthiodd yn gariad i mi, yndoedd? Ystyriais a ddylwn ei chywiro ai peidio. Dweud wrthi ein bod ni eisoes wedi gwahanu erbyn i Helen farw. Na. Paid dangos diddordeb. Dal dy dir. Caiff hi'r neges a gadael.

Mynnodd fod Dan am i mi archebu cyn iddo gyrraedd os oedd arnaf chwant bwyd. Byddai e yn bendant yma, tua hanner awr wedi naw. Byddai Dan yn archebu y *ribs* i ddechrau ac yna'r hwyaden gyda saws eirin fel ei brif gwrs. Dyna oedd ei ffefryn yn y bwyty yma, mae'n debyg.

Amneidiais yn gwrtais eto, ddim am ddatgelu y byddwn i'n ordro stêcen, er mwyn cael cyllell finiog i drywanu llaw ei chariad.

O'r diwedd deallodd hi o'm hatebion unsill nad oeddwn yn croesawu ei phresenoldeb. Ffarweliodd yr un mor ddisymwth ag y cyrhaeddodd hi. Dymunodd hi bryd da i ni cyn troi ei phen ac anelu am y grisiau.

Allen i fod wedi gwneud y tro heb weld y negesydd. Ceisiais

yn galed beidio gadael i'w hymweliad darfu ar fy nghynllun. Pam y bu'n rhaid iddi sôn bod Dan yn becso amdanaf? Cael f'atgoffa o'i nodweddion dynol oedd y peth diwethaf roedd ei angen yn awr. Roedd rhaid i mi weld ei law fel talpyn o gig. Cyhyr ac asgwrn, yn barod am y gyllell. A ddylwn i gael cwrw arall? Byddai Dan yma ymhen ugain munud. Ie. Archebais gwrw arall i dawelu'r nerfau.

Pan gyrhaeddodd Dan dilynodd y rheolwr ef draw i'r ford, gan fynnu tynnu'r gadair 'nôl iddo, fel pe bai Dan yn methu cyflawni gweithred mor gyffredin ei hunan. Winciodd ar y bianyddes wrth iddo eistedd cyn troi i wenu'n hael arnaf.

'O'n i'n meddwl 'set ti wedi ordro,' meddai. 'Ti bownd fod yn starfo.'

Archebodd Dan y *ribs* a'r hwyaden ac archebais innau friwgig wedi ei lapio mewn letys a stêcen a 'sglodion. Gwelais wrth ymateb syn Dan ei fod yn meddwl bod fy archeb yn un ryfedd mewn bwyty Tsieineaidd. Ordrodd y ddau ohonom fwy o gwrw Tsieineaidd. Roedd y bianyddes wedi dechrau canu hefyd erbyn hyn, clasuron fel 'Fly me to the Moon' a 'I put a spell on you', gyda Dan yn swnllyd hael â'i gymeradwyaeth ar ddiwedd pob cân.

Cefais yr argraff fod Dan yn nerfus hefyd gan yr oedd yn siarad yn ddibaid, yn achwyn yn bennaf am yr holl deithio a oedd ynghlwm â'i waith. Roedd hi'n brofiad braf cael recordio rhywbeth yng Nghymru, neu hyd yn oed ym Mhrydain am newid.

'O'n i'n dwlu ar y Rachmaninoff Rhif Dou,' meddwn, mewn ymgais i gael Dan i ymlacio. Am ryw reswm meddyliais y byddai'n haws ei drywanu tra oedd ei amddiffyn i lawr, fel petai. Gweithiodd y cynllun i'r dim, wrth i Dan wenu'n braf arnaf.

'Ti'n gwbod, ma' fe'n meddwl mwy i fi bod *ti* 'di lico fe na chant o feirniaid cerdd,' meddai.

'Wy 'di 'whare fe droeon,' meddwn, gan ychwanegu y dylai

fod wedi gwisgo'r het â'r pigyn y gwisgai ar lun y clawr o'n cyfnod o helpu cywain y gwair ym Mhantygwlith.

Chwarddodd eto, gan roi mwy fyth o saws eirin ar ei hwyaden. Aeth yn ei flaen i sôn am Ruth. Sut y bu iddo gyfarfod ei theulu yn Brooklyn. Mae'n debyg ei bod hi'n ffotograffydd o fri, wedi tynnu lluniau ar gyfer nifer o gylchgronau uchel eu parch, fel *Time* a'r *New Yorker*. Ac yn dda yn y gwely hefyd, ychwanegodd wrth godi ei aeliau'n awgrymog, gan wahodd cwestiwn oddi wrthyf, cwestiwn na ffurfiwyd er gwaethaf ei ymdrechion diwyd. Gofynnodd a oedd gen i gariad. Nac oedd, nid ar y funud ta beth. Dangosodd ryw chwilfrydedd ynghylch bywyd carchar a dywedais innau wrtho nad oedd y profiad mor wael ag ro'n i wedi disgwyl iddo fod. O leiaf roedd carchar yn rhoi trefn benodol i'ch bywyd ac fe lwyddais i ddarllen cryn dipyn hefyd.

O'r diwedd soniodd am yr eliffant yn yr ystafell, fel petai. Roedd e'n gobeithio mod i wedi llwyddo i roi 'digwyddiad anffodus Helen' y tu cefn i mi.

'Ma' fe'n amser hir 'nôl, Trystan. Wy'n becso bo' ti'n gadael iddo fe dy ddistrywio di,' meddai, gyda golwg boenus ar ei wyneb wrth iddo gyffwrdd yn fy llaw yn llawn cydymdeimlad ar draws y bwrdd.

Cefais fy nhemtio i roi'r gyllell yn ei law yn y fan a'r lle, ond roedd yn rhaid i mi amseru pethau'n iawn, aros i'r union eiliad. Cofiaf deimlo mor anghydnaws oedd cân y bianyddes, 'Summertime', ar y noson ddiflas, damp honno o Dachwedd. Yna magu'r plwc a'r dewrder i'w gasáu â chas perffaith er mwyn plannu cyllell ynddo fe. Tynnu'r wên nawddoglyd, hunanfodlon oddi ar ei wep. Sylweddolais pe bawn i'n amseru'r weithred i gydredeg â sgwrs am rywbeth penodol y bydden i'n fwy tebygol o'i dwyllo'n ddiarwybod iddo.

'Y peth yw, Dan, wy wedi gweithio mas ffordd i ddatrys y broblem yn fy mhen, i gael gwared o Helen am byth. Dylen i 'di meddwl amdano fe blynydde 'nôl, i weud y gwir . . . '

Wrth ddweud hyn taflais gipolwg clou draw at law chwith ddiymadferth Dan, er mwyn sicrhau mod i'n gwybod union leoliad y targed. Yn anffodus mae'n rhaid bod hyn wedi dangos fy mwriad i raddau. Wrth i mi geisio gwthio'r gyllell finiog i'w law fe lwyddodd i dynnu ei law i ffwrdd yn hynod o gyflym. Yn waeth byth, roedd e'n chwerthin ac yn edrych i fyw fy llygaid. Sylweddolais yn llawn cywilydd fod y gyllell yn sownd i'r ford trwy'r lliain gwyn.

'O'n i wastad yn rhy gyflym i ti, Twp,' meddai, yn amlwg yn mwynhau'r eiliad.

Roedd rhai cwsmeriaid ar ford gyfagos wedi gweld y digwyddiad ac wedi tynnu sylw un o'r gweinyddion at y gyllell, yr oeddwn erbyn hyn wedi llwyddo i'w thynnu mas o'r ford. Synhwyrais y don o adrenalin yn cwrsio trwy waed Dan wrth iddo syllu arnaf, yn fy herio i ymosod arno.

'Clyfar iawn,' meddai, 'mynd am fy llaw, yn hytrach na'r galon. O'n i'n meddwl bod e'n od hefyd, ordro stêcen mewn *Chinese*. Ond hwn o'dd dy gyfle i gael gwared ohona i, Twp, unwaith ac am byth.'

Dim ond mater o eiliadau oedd hi, mae'n rhaid. Wrth i mi astudio'i olwg fe deimlais ryw gynhesrwydd sydyn yn tanio ar fy ngwar. Roedd y piano a'r canu wedi stopi ac yn sydyn ro'n i'n cael fy nala i lawr gan dri gweinydd go sylweddol eu maint, un dewr ohonynt wedi llwyddo i dynnu'r gyllell oddi arnaf yn ddeheuig. Daeth y rheolwr syfrdan draw a gofyn mewn goslef dwys i Dan a oedd e'n oreit.

'Yes, I'm fine, thanks Peng. But I apologize for my companion's behaviour. We didn't want to create a scene.'

'Shall I call the police, sir?' gofynnodd.

'No, that won't be necessary. But I think Mr Pugh should leave.'

Amneidiodd y rheolwr ar y tri gweinydd a oedd cyn gryfed â cheffylau ac fe'm cariwyd yn drwsgwl i lawr y grisiau a'm taflu allan i'r stryd. Wrth i mi gymoni fy hun ar y pafin allen i glywed cytgan 'Summertime' yn ailddechrau yn y pellter. Dechreuais gerdded adref, a cheisio casglu fy meddyliau ynghyd ar y ffordd, gan deimlo'n benysgafn ac yn llawn cywilydd. Sylweddolais na allen ni hyd yn oed esgus bod yn ffrindiau rhagor, ddim ar ôl yr hyn ddigwyddodd heno.

Fel mae'n digwydd, welon ni ddim o'n gilydd byth eto.

23

Wedi ein cyfarfod yn y bwyty Tsieineaidd ro'n i'n gynddeiriog â mi fy hun am chwarae mewn i ddwylo Dan. Doedd dim amheuaeth mod i wedi gwneud hynny. Roedd e wedi *mwynhau* y profiad. Pan sylwodd ar fy newis anghyffredin o'r fwydlen mae'n rhaid ei fod wedi sylweddoli mod i'n cynllwynio rhyw gynllun dichellgar. Esboniai hynny hefyd ei nerfusrwydd annodweddiadol.

Er mwyn ceisio gwaredu'r holl gybolfa o 'mhen fe daflais fy hun i mewn i'm gwaith, gan gymryd shifftiau mewn gwahanol glybiau gyda'r nos a hyd yn oed gwasgu i mewn ambell shifft fel gwarchodwr mewn archfarchnad anferth newydd. Ond, unwaith eto, roeddwn yn ymwybodol mod i ddim ond yn gosod fy nicter o'r neilltu dros dro. Gwyddwn yn iawn y byddai'n annorfod ryw ddiwrnod yn ffrwydro, fel rhyw losgfynydd cwsg a ddihunwyd yn ddisymwth o'i slwmbran twyllodrus.

Un nos Sadwrn, ymhlith y criw oedd yn amddiffyn y fynedfa i un o glybiau nos poblogaidd Stryd Charles, daeth rhyw ŵr ifanc, tua ugain oed, i fyny ataf, gan refru arnaf yn fygythiol. Gwisgai got ledr a throwsus lliw hufen smart a hyd yn oed dei glas golau yn rhannu ei grys streipiog glas a gwyn. Ond, yn anffodus iddo fe, roedd ganddo *trainers* ar ei draed. Dim ond dwy reol oedd yna i drefn gwisg y clwb hwnnw. Dim jîns, dim *trainers*. Eglurais y rheolau'n bwyllog. Cynhyrfodd y gŵr ifanc ar unwaith, gan fytheirio bod y *trainers* wedi costio bron cymaint â'i got ledr. Dywedais innau nad oeddwn yn amau hynny am eiliad. Nid fi a osododd y rheolau. Ro'n i yno i sicrhau fod pobl yn ufuddhau iddynt.

Heriodd y gŵr fi ymhellach, gan ddal ei ddwylo ar ei gluniau a chynnig tynnu ei *trainers* i ffwrdd. Eglurais iddo na fyddai modd iddo ddod mewn i'r clwb yn nhraed ei sanau chwaith. Atebodd yntau taw dim ond dwy reol oedd i fod, onide? Dim jîns, dim *trainers*. Dim sôn am draed eich sanau. Roedd yn gwenu'n fras erbyn hyn, yn real boi, yn dangos ei hun i'w ffrindiau a oedd yn porthi ei hyfdra. Ychwanegodd y pen bach fod ei sanau yn ddrud hefyd.

Allen i weld bod fy nghyd-fownsar, Paul, cyn-bencampwr paffio amatur o Laneirwg, yn dechrau colli ei amynedd â Mr Dangos Ei Hun.

'I'm afraid you won't be allowed in, sir,' ysgyrnygodd yn gwrtais. Ond roedd Pen Bach yn dal i fynnu cael ei ffordd. Eglurodd fod ei gariad y tu fewn yn barod a bod yn rhaid iddo fynd mewn i'w chyfarfod. Dywedais wrtho eto nad oedd modd iddo fynd mewn. Dim heno. Dim gyda'r *trainers*.

Yna fe glywais e'n rhegi rhwng ei ddannedd wrth geisio gwthio'i hun heibio i mi. Roedd yna risiau yn arwain lan at y fynedfa ac ro'n i'n ymwybodol os na fyddwn i'n ofalus y gallwn i golli 'nghydbwysedd yn hawdd a syrthio. Wy'n dal i fynnu, fel y mynnais yn y cwrt, fy mod i wedi ei daro fe er mwyn amddiffyn fy hun. Roedd un ergyd yn ddigon, ynghanol ei ên. Gwelais ei ên yn malu o flaen fy llygaid, ei wyneb cyfan yn troi'n jeli di-siâp. Diolch i'r drefn gwnaeth y ciw tu ôl iddo dorri rhywfaint o'i gwymp. Cofiaf un ochenaid dorfol syfrdan, fel pe bai'r stryd ei hun wedi tynnu anadl. Rwyf hefyd yn cofio llais croyw Cardiffaidd Paul yn gofyn *'Are you alright, Stan?'* gyda gwir gonsýrn yn ei lygaid, bron fel pe bawn i wedi derbyn yr ergyd fy hun.

Pan ddaeth yr achos llys gwnaeth Paul siarad ar fy rhan, gan ddweud mod i wedi cael fy mhryfocio. Ond roedd gan y gŵr ifanc, gweithiwr banc o Aberpennar o'r enw Dean Johnson, nifer o dystion hefyd. Honnodd y rheiny, yn hollol deg, nad oedd y pryfocio yn haeddu'r fath ymateb ffiaidd o dros ben llestri. Yn ffodus roedd gen i dwrnai gweddol siarp i'm cynrychioli a defnyddiodd e'r elfen o bryfocio yn gelfydd i gael dedfryd lai. Gyda'm hanes treisiol troseddol i dyna'r mwyaf y gallwn i fod wedi disgwyl. Am dorri gên gŵr ifanc cefais ddedfryd o bedair blynedd o garchar.

Fel gyda fy amser yn Abertawe ni fu'n rhaid i mi weithredu cyfnod llawn fy nedfryd yng Nghaerdydd chwaith. Ac eto, fel yn Abertawe, gwnes i ganfod obsesiwn newydd. Y tro hwn nid miniogi'r corff oedd y peth ond miniogi'r meddwl. Er, unwaith yn rhagor, gwnes i ffeindio'r misoedd cyntaf yn anodd, gan gadw proffeil isel iawn. Yn wir fe es i mor fewnblyg yn y cyfnod hwn nes i rai o'm cyd-garcharorion ddechrau fy ngalw'n *Stan the mute*.

Yn ddigon rhyfedd un o'r ychydig bobol wnes i ddod yn gyfeillgar â nhw y tro hwn oedd un o'r swyddogion carchar. Ei enw oedd Ieuan Howells, Cymro Cymraeg yn hanu'n wreiddiol o Rydaman. Roedd wedi sylwi fy mod i'n defnyddio tipyn go lew o'r llyfrgell ac fe blannodd syniad yn fy mhen y byddwn i'n medru archebu pob math o stwff gan gynnwys cerddoriaeth yn ogystal â llyfrau o lyfrgelloedd eraill, gan fod rhyw ddolen gyswllt rhwng holl lyfrgelloedd y brifddinas. Er i mi ddarllen yn awchus o frwd, fy hoffter o wrando ar gerddoriaeth glasurol a'm closiodd go iawn at Ieuan. Roedd yn ymweld yn gyson â chyngherddau yn ogystal â bod yn hyddysg iawn ym myd opera, gan wario tolc sylweddol o'i gyflog misol ar weld sioeau yn Neuadd Dewi Sant a'r Theatr Newydd. Mi fyddai'n rhoi ei adolygiadau byrfyfyr ei hun i mi o ambell gyngerdd y bu'n eu gweld. Ar un o'r achlysuron hyn fe soniodd am gyngerdd ar thema Rwsiaidd yn Neuadd Dewi Sant ac am ddisgleirdeb dehongliad Daniel Harris o Concerto Rhif Un i'r Piano gan Tsaicoffsci. Pwysleisiodd ei hoff ddarn ohono, sef yr agoriad mawreddog, gyda'r cordiau blodeuog a oedd yn rhan mor allweddol o'r melodi agoriadol. Cofiaf iddo edrych arnaf yn llawn syndod pan soniais fod y dilyniant penodol hwnnw wedi cael ei greu gan Alexander Siloti, cefnder ac athro i Rachmaninoff, a helpodd Tsaicoffsci i drefnu sgôr trydydd argraffiad y concerto. Yn arwyddocaol, ni soniais fy mod i'n adnabod Dan o gwbwl.

Credaf taw tua dechrau haf mil naw naw dau y tynnodd Ieuan fy sylw at ddosbarth wythnosol mewn ysgrifennu creadigol yn y carchar, wedi ei gynnal gan rywun o'r enw Neil Hopkins. Teimlai Ieuan y dylwn fentro iddi. Byddai'n rhoi ffocws penodol i'm hwythnos ac roedd ganddo ryw *hunch* 'falle y byddai'r cwrs yn fy siwto i'r dim.

Gan mod i mewn cyfnod mewnblyg iawn ar y pryd nid oeddwn am ruthro unrhyw benderfyniad. Cymerodd hi dros ddau fis i mi droi lan i un o'r gwersi. Hefyd, am ryw reswm, ro'n i wedi cael rhyw chwilen yn fy mhen bod yn rhaid troi lan i'r wers gyda darn o waith, fel esiampl o'ch gallu, neu ddiffyg gallu, fel petai.

Bûm yn gweld eisiau ysgrifennu fy llythyron wythnosol at fy mam, felly pan soniodd Ieuan am y gwersi ysgrifennu dechreuais nodi ambell beth yn frysiog, wrth geisio gwneud synnwyr o 'mywyd. Pan fagais ddigon o blwc i fentro i'r dosbarth daeth gŵr ifanc yn ei ugeiniau cynnar gyda gwallt hir brown a llygaid gwyrdd trawiadol lan ataf ac ysgwyd fy llaw yn wresog gan fy nghroesawu'n frwd i'w grŵp bach o ddarpar ysgrifenwyr. Neil Hopkins oedd hwn. Er ei fod wedi creu cryn argraff arnaf trwy ei anogaeth a'i nodiadau ar waith pobol eraill yn y grŵp roeddwn i'n dal heb fagu'r dewrder i roi fy ngwaith ysgrifenedig iddo. Mae'n anodd egluro i bobol sydd heb gael eu carcharu ond y gwir amdani yw nad ydych yn trysto pobol rhagor. Chi'n mynd yn ddrwgdybus am y peth lleia dan haul, gan feddwl fod rhyw ystum dinod yn meddu ar ryw gymhelliad cudd. Hefyd, ac wy'n gwybod bod hyn yn swnio'n pathetig, ond nid oeddwn yn awyddus i ddangos fy ngherdd iddo o flaen fy nghyd-garcharorion. Felly, cymerodd hi bum wythnos arall cyn i mi gyfadde wrth Neil fy mod i wedi ysgrifennu rhywbeth, rhywbeth tu hwnt o bersonol, math o gerdd yn olrhain gwahanol ddigwyddiadau arwyddocaol yn ystod fy mywyd.

Wrth reswm, roedd y dosbarthiadau'n cael eu cynnal yn yr iaith Saesneg ac ar yr adeg honno ro'n i'n fwy cyfforddus yn ysgrifennu yn Saesneg, ta beth. Roedd Trystan wedi troi'n Stan gydag arddeliad.

Cofiaf i Neil deimlo bod y gwaith yn addawol iawn. 'Hands' oedd enw'r gerdd a chofiaf sut y bu'r ddelwedd ganolog yn ailadrodd ei hun fel grym creadigol neu'n rym dinistriol. Mwy na thebyg taw bod yn garedig oedd Neil a bod y gerdd yn dda i ddim ond cofiaf linell am ddwylo yn *tickling ivories or trashing teeth* a oedd yn ffefryn arbennig ganddo.

Mewn ffordd nid oedd safon y gwaith yn bwysig.

Sylweddolodd Neil yn gynnar iawn y gallai'r broses o ysgrifennu fod o fudd mawr i mi. Roedd wedi synhwyro fy mod i wedi dod o hyd i ffordd o dapio mewn i rywbeth arwyddocaol iawn yn fy mywyd. Mewn gair, hyd yn oed yn y cyfnod cynnar hwnnw, gallai Neil weld y gallai ysgrifennu fod yn gathartig iawn i mi, ac y gallai hyd yn oed newid fy mywyd mewn modd sylfaenol.

'Wy wedi gweld e'n digwydd gyda carcharorion eraill, Trystan, felly pam na allith e ddigwydd i ti?' meddai'n ddwys ar ôl un dosbarth, wedi iddo ofyn i mi aros ar y diwedd. Cofiaf y sioc o'i glywed e'n 'ngalw i wrth fy enw iawn a'r syndod ei fod yn siarad â mi'n Gymraeg o gwbwl. Doedd gen i ddim syniad ei fod e'n Gymro Cymraeg a des i ddeall yn weddol glou bod Ieuan a Neil wedi bod yn siarad amdanaf droeon.

'Fydda i'n onest 'da ti, Trystan. Allet di ofyn i Ieuan hefyd os ti ddim yn credu fi ond mae'r *Governor* yn cymryd y gwersi hyn o ddifri, yn nodi *progress* pob un sy'n y dosbarth. 'Set ti'n treial dy orau wy'n siŵr allai Ieuan a fi roi gair da miwn ar dy ran di a helpu ca'l ti mas o'ma ynghynt na'r disgwyl.'

Arhosais yn dawel, yn pendroni dros y ffaith bod Ieuan a Neil wedi bod yn trafod fy sefyllfa. Des i'r casgliad yn go glou nad oeddwn i'n lico hynny.

'Wy ti wedi 'styried sgrifennu yn Gymraeg o gwbwl?' parhaodd, gan syllu ar fy ymateb yn nerfus. 'Wy jest yn teimlo bod dy waith di'n dda iawn, ond bod 'na rywbeth bach ar goll ar hyn o bryd. Falle taw'r iaith yw e. Paid teimlo bod rhaid i ti sgrifennu yn Saesneg.'

Aeth Neil yn ei flaen i egluro'i fod wedi ei fagu yn Aberystwyth a'i fod yn adnabod rhai o'r llefydd y soniais amdanynt yn fy sgrifennu blêr. Allwn i weld taw ymgais i wneud i mi fod yn fwy cyfforddus yn ei bresenoldeb oedd hyn. Allwn i hefyd weld ei fod e'n meddwl mod i ddim yn gallu ymddiried ynddo fe. Ac mi oedd e'n iawn, wrth gwrs.

'Sa' i'n credu bod 'y Nghymraeg i'n ddigon da,' meddwn yn y pen draw, gan ychwanegu mod i'n lico cael fy ngalw'n 'Stan' y dyddiau hyn.

Wedi ei embaraso'n llwyr fe adawodd fi i fynd 'nôl i'm cell heb yngan gair pellach am y pwnc.

Yn wir, er i mi ddal ati i fynd i'r dosbarthiadau ysgrifennu ni chododd Neil mater yr iaith a ddefnyddiwn byth eto. Fodd bynnag, ar ei gyngor ef newidiais o ysgrifennu rhyw fath o farddoniaeth at ysgrifennu rhyw fath o ryddiaith. Mae e wedi cyfaddef erbyn hyn ei fod e'n amau hyd yn oed bryd hynny fy mod i'n llusgo rhyw fath o gofiant neu, yn fwy cywir, *memoir* o'r haf cynhyrfus hwnnw, a oedd, a bod yn deg, yn hirben iawn ohono. Ond yn anffodus i aelodau ei ddosbarth enillodd Neil ryw fath o gymhorthdal i'w alluogi i ysgrifennu nofel ei hun yn ystod chwe mis cyntaf mil naw naw tri a olygodd na allai fod gyda ni. Yn fwy anffodus byth ni apwyntiwyd neb i gymryd ei le a daeth y dosbarthiadau i ben yn ddisymwth iawn.

Yn ystod y cyfnod hwn cefais un o ymweliadau ysbeidiol Gareth. Gwyddwn yn iawn fod yn gas ganddo ddod i 'ngweld i ac roeddwn wedi dweud wrtho droeon nad oedd yn rhaid iddo roi'i hun trwy'r fath boendod diangen. Ond byddai'n dal i ddod o bryd i'w gilydd, allan o ryw deyrngarwch brawdol gwyrdroëdig. Ar un o'r achlysuron hyn fe holais ef fel arfer am unrhyw newyddion o Dregors.

'Ma' Bethan wedi gadael ei gŵr,' meddai, yn snwffian mewn ffordd ffwrdd-â-hi. 'Mae'n debyg o'dd e'n bwrw hi.'

'Y bastard,' atebais yn reddfol.

Sylwais ar Gareth yn codi ei aeliau, fel pe bai'n dweud mod i'n un call i sôn am drais. Daliodd fy ngwên eironig ac am unwaith fe rannon ni eiliad ysgafn â'n gilydd wrth iddo yntau dorri mewn i ryw wên annisgwyl.

'Cofia fi ati pan weli di hi,' meddwn.

'Ie, iawn. O'dd hi wastod yn ffansïo ti pan o'dd hi'n iau.'

Wedi i Gareth adael allwn i byth ag ysgwyd y cyfeiriad yna ati allan o 'mhen. Chwaraeais esiamplau ohoni o flynyddoedd yn ôl ar sgrîn fy meddwl. Ei chonsýrn tuag ataf pan yrrais Cortina Gareth fel gwallgofddyn ym maes parcio y mart. Ei brwdfrydedd tuag at fy ngherflun 'Dwylo Rachmaninoff'. Ei hymgais i 'nghael i mas o'm cragen ac i fynd i ganu carolau gyda hi.

Dechreuais feddwl am y posibilrwydd o ysgrifennu ati. Ro'n i'n gweld eisiau ysgrifennu at fy mam a byddai'n gas gan Gareth i mi ysgrifennu ato fe. Os oedd hi newydd ymwahanu o'i gŵr efallai y byddai hi'n gwerthfawrogi clywed llais arall o'r anialwch?

Er yr oedd hwn yn gyfnod 'Saesneg' o 'mywyd byddai hi wedi bod yn hurt i mi ysgrifennu ati yn Saesneg, felly anfonais lythyr byr ati yn Gymraeg, yn cydymdeimlo â hi ac yn ei hannog i beidio digalonni. Er mawr syndod i mi atebodd hi 'nôl yn syth yn gofyn a allai hi ddod i'm gweld. Roedd hynny yn Chwefror mil naw naw tri ac fe ysgrifennom at ein gilydd bob wythnos am weddill fy nghyfnod yng ngharchar Caerdydd, gyda Bethan yn teithio i 'ngweld i hefyd o leiaf ddwy waith y mis. Yn wahanol i'm sgyrsiau lletchwith gyda Gareth roedd ein parablu dibaid yn llifo'n hollol naturiol, yn llawn hwyl ac yn llanw'r gwagle amlwg yn ein bywydau.

Roedd hi'n glir o fewn ychydig wythnosau bod y ddau ohonom wedi syrthio mewn cariad.

24

Un o sgîl-effeithiau cadarnhaol fy ysgrifennu cyson at Bethan oedd ei fod wedi ailgynnau fy awydd i barhau gyda'r cofiant am haf mil naw saith chwech, ond y tro hwn yn Gymraeg. Wedi'r cwbwl roedd y mwyafrif llethol o'r prif gymeriadau yn Gymry Cymraeg ac roedd cefndir y stori wedi ei wreiddio mewn cymuned gref uniaith Gymraeg. Nid oedd yn gwneud unrhyw synnwyr i'w ysgrifennu yn Saesneg. A minnau mewn hwyliau da yn dilyn un o ymweliadau Bethan gadewais i Ieuan wybod fy mod i am ailgydio yn y cofiant yn Gymraeg. Roedd e'n gefnogol iawn a dywedodd y byddai Neil yn dychwelyd i gynnal mwy o ddosbarthiadau ym mis Medi. Penderfynais ddarllen pob llyfr Cymraeg y medrwn ddod o hyd iddo, yn rhannol i roi sypréis i Neil, ond yn bennaf i roi sypréis i'n hunan. Helpodd Ieuan i gael mwy o lyfrau o'r tu allan i'r carchar ac erbyn diwedd yr haf dywedodd wrthyf fod cyflenwad llyfrau Cymraeg llyfrgell y carchar wedi treblu ers dechrau'r flwyddyn, bron yn gyfan gwbwl oherwydd fy mlys trachwantus i am lyfrau Cymraeg! Yn wir cefais sioc a sypréis braf o weld y fath rychwant eang o lyfrau oedd ar gael. Creodd *Yma o Hyd* Angharad Tomos gryn argraff arnaf a chofiaf y teimlad o falchder wrth i mi gyfieithu rhannau ohono i'm cyd-garcharorion.

Pan ddychwelodd Neil ro'n i wedi ysgrifennu pennod agoriadol y *memoir*, gan ddisgrifio y tro cyntaf i mi weld Dan, yn gwrando arno'n chwarae'r piano yng ngardd Glanrafon House ar bnawn crasboeth o haf. Anogwyd fi i ysgrifennu mwy ac yn enwedig i ganfod fy 'llais fy hun', fel y dywedodd droeon wrthyf. Synhwyrodd Neil fod gen i gnewyllyn o stori a oedd yn werth ei hadrodd a bu'n gymorth aruthrol i 'nghael i i'w hadrodd yn fy ffordd fy hun. Yn anffodus daeth ei ddosbarthiadau i ben yn ddisymwth eto jest cyn y Nadolig ac fe ffarweliodd â ni go iawn y tro hwn.

Rhwng anogaeth hael Neil, fy nghyfeillgarwch gydag Ieuan a fy mherthynas ffyniannus gyda Bethan roeddwn ar ben fy nigon. Ond roeddwn ar dân moyn gadael nawr hefyd. Roedd Bethan wedi cynnig gwaith i mi yn ei chrochendy llwyddiannus, yn helpu tu ôl i'r dderbynfa ond hefyd yn gwneud ambell botyn amrwd ac ambell blât o dan ei thiwtoriaeth hi.

Yn ystod haf mil naw naw pedwar cefais fy rhyddhau o'r diwedd, wedi i mi weithredu y rhan fwyaf o'm dedfryd. Bethan bia'r clod i gyd am yr hapusrwydd a deimlais o fod unwaith eto yn rhan o gymuned Tregors. Symudais i fyw gyda hi yn y bwthyn nesaf at y crochendy rhyw ddwy filltir tu fas i Dregors. O'r diwedd gallwn i fyw bywyd heb gael marwolaeth Helen yn gysgod prudd dros bob dim.

Fodd bynnag, gan yr oedd Bethan yn bartner mor ddeallus a greddfol daeth yn amlwg iddi, hyd yn oed yn ystod ein cyfnodau mwyaf hapus, fy mod i'n dala rhywbeth 'nôl oddi wrthi. Wrth gwrs, fe wyddai hi ran o'r hanes. Roedd hi yno ei hun, yn hofran yng nghefndir yr haf hurt hwnnw. Synhwyrodd fod marwolaeth Helen yn dal â rhyw afael anesboniadwy arnaf. Dechreuodd hyd yn oed gredu fy mod i dal mewn cariad â Helen.

Yn y diwedd roedd hi'n hawdd cyfadde wrth Bethan. Dywedais wrthi yn gwmws beth ddigwyddodd y prynhawn tyngedfennol hwnnw, pob manylyn. Ond wrth gwrs y manylyn mawr a'i syfrdanodd hi, sef nad damwain oedd marwolaeth Helen ond bod Dan wedi ei gwthio hi i'w marwolaeth annhymig yn fwriadol. Gwyddwn o'r rhyddhad corfforol a brofais y dylwn fod wedi datgelu fy nghyfrinach dywyll wrth rywun cyn hyn. Wrth i mi agor can arall o gwrw o flaen ein tân glo diolchais iddi'n ddagreuol am wasgu'r gwir allan ohonaf.

'Ond pam wedest di ddim o'r gwir ar y pryd?' gofynnodd, wedi'i drysu.

'Wy wedi gofyn 'na i'n hunan gannoedd o weithiau,' atebais.

'A?' parhaodd.

Roedd hi'n aros am ateb, rhyw eglurhad a fyddai'n gwneud synnwyr. Sylwais ar y fflamau o'r tân yn creu patrymau tonnog dros ei gwyneb syn a meddyliais beth yn y byd ddylwn i ddweud.

'O'n i'n ifanc. O'dd e'n ffrind i fi. Unwaith o'n i wedi stico i'r un stori o'dd hi'n rhy hwyr i fynd 'nôl.'

Synhwyrodd Bethan fy ngoslef llawn chwerwder a gofynnodd a oeddwn yn dal i ddala dig am yr hyn a wnaeth Dan.

'Golles i brentisiaeth gyda Nwy Cymru ac es i lawr rhiw yn glou, fy mhen i ddim yn iawn. Tra 'naeth e, *laughing boy*, a dim byd i'w weld yn becso fe, fynd ymlaen i fod yn un o chwaraewyr piano gorau'r byd. Wrth gwrs mod i'n blydi dal dig!'

Nid wyf yn cofio rhegi arni o'r blaen. Gwingodd yn gorfforol a sylweddolais yn syth fod ganddi hi hefyd ei chyfrinachau tywyll.

Mae'n amlwg bod rhegi gydag alcohol yn ei law wedi bod yn rhagarweiniad i Arwyn, ei chyn-ŵr, i'w dyrnu'n ddidrugaredd. Ymddiheurais a rhoddais fy mreichiau amdani. Soniais wrthi am fy ymgais drwsgl i drywanu Dan yn ei law ac fe fynnodd mod i'n addo iddi na wnawn i'r fath beth dwl byth eto. Addewais hefyd i geisio'n galed iawn i anghofio'r haf hwnnw, i dynnu llinell dan y cyfan.

'Ti'm yn meddwl y dylen i weud y gwir wrth rieni Helen?' gofynnais, serch hynny.

'Beth? Na. Pa les fydde'n dod o hynny?'

Y 'lles' fyddai glendid fy meddwl, gwaredu'r euogrwydd llygredig a fyddai weithiau yn dal i'm croesawu fel hen gythraul cyfarwydd peth cyntaf yn y bore. Ond ni soniais am hynny wrth Bethan. Teimlais mod i wedi dweud hen ddigon am un noson.

Roedd hi'n wych yn fy helpu i anghofio am yr haf hwnnw. Soniais am rai sesiynau a gefais gydag amryw o seicolegwyr yn y carchar dros y blynyddoedd ac er mawr syndod i mi roedd ei gwybodaeth o ddamcaniaethau a thriniaethau fel *cognitive behavioural therapy* yn rhyfeddol o dda. Eglurodd ei bod hi wedi defnyddio'r fath dechnegau a'u bod nhw wedi bod o gymorth mawr iddi tra oedd yn dod mas o chwalfa gas ei phriodas. Yn nodweddiadol iawn ohoni roedd yr agwedd synnwyr cyffredin yn apelio ati.

'Ma' fe i gyd 'mbytu meddwl yn bositif, yn lle meddwl yn negyddol. Jest newid agwedd y meddwl. 'Nath e weithio'n grêt 'da fi.'

Ac yn wir dechreuodd y fath dechnegau meddyliol weithio i minnau hefyd. O'u cyfuno gyda'r ymarferion ymlacio yr oeddwn wedi cychwyn arnyn nhw yng ngharchar Caerdydd fel rhan o gwrs rheoli dicter a'r gwersi ioga yn y ganolfan hamdden newydd yn Nhregors roeddwn yn gwella'n arbennig o dda. Ro'n i'n llawn cynnwrf am fyw bywyd gweddol normal o'r diwedd.

Ond ar ddechrau'r flwyddyn ym mil naw naw chwech digwyddodd rhywbeth a fyddai'n sicrhau y medrwn i dynnu llinell o dan fy ngorffennol o'r diwedd. Ro'n i'n digwydd gyrru adref, gyda llond y bŵt o nwyddau o siop y *Co-op* yn Nhregors, pan glywais rywbeth syfrdanol ar fwletin newyddion y radio.

Roedd Dan wedi cael ei ladd mewn damwain car yng ngwlad Ghana.

25

Fyddai fawr o ots gen i pe bawn i wedi aros gyda'r cant neu fwy o alarwyr a oedd yn dal tu allan yn herio aer oer Chwefror ond roedd Hywel Jenkins wedi amneidio tuag ataf o fynedfa'r capel â'i fenig duon yn mynnu i mi ymuno ag ef. Prin mod i wedi ei adnabod yn iawn, gyda'i farf estron a'i fwng trwchus o wallt brith hyd yn oed fwy anghyfarwydd. Ei wên radlon a gadarnhaodd mai Hywel ydoedd. Agoriad lled y pen o'r ceg, bron yn unswydd er mwyn dangos set o ddannedd perffaith.

Eisteddom yn dawel yng nghefn y capel orlawn, wedi ein swyno gan Syr Alan Bradley yn chwarae Bach ar hen organ ddigon simsan wrth i'r galarwyr ymgynnull. Tybed ai'r union organ hon y bu Dan yn chwarae yma yn fachgen ifanc?

Ceisiais ddyfalu pryd y torrais air gyda Hywel ddiwethaf. Mae'n rhaid taw tua diwedd haf mil naw wyth un oedd hi, sef bron pymtheg mlynedd 'nôl. Fel nifer o gyn-garcharorion ro'n i'n hen gyfarwydd â ffrindiau yn fy anwybyddu, heb wybod sut i ymateb i mi, felly roedd ei weithred hael o groeso a hynny mewn modd mor gyhoeddus wedi creu argraff ffafriol arnaf. Er, fe groesodd fy meddwl hefyd efallai na wyddai ef am fy amgylchiadau diweddar o gwbwl.

Roedd y gwasanaeth ei hun ar brydiau yn emosiynol iawn, fel y disgwylid wrth ddathlu bywyd a derfynwyd mor greulon o sydyn, yn ddim ond tri deg pump oed. Cafwyd cryn dipyn o snwffian a hyd yn oed beichio llefain o du'r rhesi blaen, lle yr eisteddai rhai o gyfoedion Dan, nifer ohonynt yn gerddorion enwog eu hunain.

Tad Dan, Gwilym, a fu'n weinidog yn yr union gapel hwn trwy gydol y chwedegau, oedd y cyntaf i siarad. Soniodd am gymeriad hudolus, *charming* ei fab a'i ymroddiad fel pianydd ac fel ffrind. Soniodd cariad ddiweddaraf Dan, Victoria Amoah, menyw Ghanaidd tu hwnt o dlws, am ei benderfynoldeb i ddod â phianos i ardaloedd mwyaf tlawd Ghana trwy yr elusen a sefydlodd i'r perwyl hwnnw, *Fortissimo*. Gwenais yn fewnol o gofio teitl yr elusen, mor addas rywsut i Dan, na fyddai byth ond yn hanner gwneud unrhyw beth. Wrth iddi geisio atal y dagrau bu'n rhaid i Victoria stopi ar un adeg a chael ei dal yn gorfforol gan ei chyd-wladwr Wilson Auya, y pianydd carismataidd. Yn y diwedd fe lwyddodd hi i fwrw ymlaen â'i theyrnged deimladwy, gan ddarllen cerdd gan fardd o Genia am fyw ar y cyhydedd, ynghanol pethau a sydynrwydd annisgwyl yr haul yn diffodd. Roedd yr awgrym yn glir. Bu Dan ynghanol ei bywyd hithau, golau llachar a ddinistriwyd mor ddisymwth.

Pan es i tu allan i'r capel pendronais ynghylch a ddylwn i fynd i lan y bedd ai peidio. Roeddwn i wedi gwneud fy nyletswydd, siawns. Gan wylio'r plu eira'n bregus ddisgyn, mor araf, roedd yr opsiwn o adael yn lled gynnar i gael siwrnai ddiogel 'nôl i Geredigion yn apelio.

Unwaith eto Hywel a lwyddodd i newid fy meddwl. Wrth i ni aros tu fas i'r arch gael ei llywio allan ysgydwodd fy llaw yn wresog, gan edrych i fyw fy llygaid.

'Dal i wrando ar gerddoriaeth, gobeithio?'

'Ydw, ond dim gymaint ag o'n i arfer chwaith,' atebais, yn gwrido wrth gofio fersiwn o'm hen hunan, obsesiynol.

'Ethon ni trw' lot o *pianists*, naddo fe, e?' chwarddodd. 'A chyfansoddwyr hefyd. Ti'n cofio'r cyfnod bach 'na pan o'n i mewn i bobol fel Birtwistle a Maxwell Davies? Po fwya croch ac abswrd o'dd y gerddoriaeth yna gorau oll!'

'Ble wyt ti wrthi dyddie 'ma 'te, Hywel?' holais, gan geisio newid y pwnc rywfaint.

'Caeredin. Wy'n proffesor 'na erbyn hyn. Ma' fe dal i swnio'n od pan weda i fe, ond 'na ni.'

'Dyw e'm yn swnio'n od i fi o gwbwl,' cynigiais, gan feddwl pob gair.

'Wyt ti dal yn gweithio yn y bwcis?' sibrydodd, â'i lygaid yn llawn direidi, bron fel 'se fe wedi rhegi ar dir cysegredig.

'Na. Wy wedi neud 'bach o bopeth dros y blynydde. Ond wy 'nôl yn Nhregors nawr.'

'Da iawn,' meddai Hywel, gan nodio'n ddwys cyn ychwanegu 'Gwych!' egnïol.

Yna sylwais ar y cludwyr yn dod allan o'r capel yn llywio'r arch i gyfeiriad y fynwent. Liam O'Connel a Mark Bright oedd y ddau ar y blaen. Bu'r cochyn o Wyddel O'Connel yn enillydd yng Nghystadleuaeth Biano Ryngwladol Beethoven yn Fiena ac roedd wedi gwneud enw iddo'i hun yn ddiweddar â'i ddehongliad mentrus o dri deg dau Sonata Beethoven ar label Phillips. Fel Dan, y Rhamantwyr hwyr Rwsiaidd oedd prif faes yr Americanwr

Bright, yr unig berson tu allan i Rwsia am ddegawdau i ennill y wobr gyntaf yng Nghystadleuaeth Ryngwladol Tsaicoffsci. Y ddau gludwr y naill ochor a'r llall i'r arch oedd Manfred Breitner ac Yasuhiro Tanizaki, ill dau eto fel Dan yn gyn-fuddugwyr mawr eu bri yng Ngŵyl Ryngwladol Leeds. Yn y cefn gwelwyd Wilson Aubya a'r bychan o ran maint ond anferth o ran talent Andrei Astrovich.

Roedd rhywbeth abswrd ynghylch gweld y rhain i gyd wedi ymgynnull yng nghefn gwlad sir Gaerfyrddin. Mae'n rhaid bod rhai ohonynt wedi hedfan miloedd o filltiroedd i fod yma ac ambell un wedi canslo perfformiadau hyd yn oed. O'u hamryw recordiau teimlais fy mod i'n 'nabod pob un ohonynt yn dda ar ryw lefel bersonol. Yn annorfod roedd eu gweld nhw yn y cnawd gyda'u hwynebau dwys a'u siwtiau duon diflas yn brofiad siomedig. Ceisiais gofio cloriau eu halbymau yn ystod yr wythdegau a'r nawdegau, pob un ohonynt yn cystadlu â'i gilydd i edrych y mwyaf cŵl. Fodd bynnag, y clawr a fflachiodd o flaen fy llygaid mewnol yn anochel braidd oedd albwm llwyddiannus cyntaf Dan, ei Concerto Piano Rhif 2 Rachmaninoff, gyda Cherddorfa Simffoni Chicago ar label EMI. Ar y clawr gwisgai grys glas tywyll Gucci drudfawr wedi ei gyfuno'n anghymarus â het bigyn ac iddi batrwm asgwrn pysgodyn. Gwnâi'r cyfuniad iddo edrych yn amaethyddol rywsut er gwaethaf ei edrychiad ffwrdd-â-hi gyda'i law dde wedi ei osod yn ofalus ddidaro tu ôl i'w glust dde.

Yna fe'm hysgydwyd 'nôl i realiti oer Chwefror wrth i mi sylwi ar wyneb cyfarwydd: Esther Harris, mam Dan, yn fynydd o golur hyd yn oed yn angladd ei mab. Gwisgai siwt ddu drwsiadus gyda chot drom agored i fatsio a daliai'n stoicaidd ym mraich ei gŵr. Wrth iddi gerdded heibio taflodd gipolwg tuag ataf a'i llygaid yn llawn dirmyg. Tu ôl iddi gyda ffrind benywaidd sylwodd Victoria arnaf yn troi fy llygaid er mwyn osgoi golwg ddig y fam. Yna, er mawr syndod i mi, rhoes cariad Dan amnaid o gydnabyddiaeth dwymgalon tuag ataf.

Mae pob gweithred garedig, boed yn fach neu'n fawr, yn amhrisiadwy ac i'w chroesawu. Wy'n gwybod hynny nawr ond gymerodd hi flynyddoedd lawer i mi lawn sylweddoli'r ffaith syml honno.

Wedi'm calonogi gan gefnogaeth Victoria anwybyddais edrychiad herfeiddiol Esther ac fe es i at lan y bedd gyda'r galarwyr eraill, lle y canwyd emyn poblogaidd iawn ar y dôn 'Llef'. Teimlais fy nghalon yn curo fel gordd wrth i mi ymuno mewn dehongliad brwd o 'Mi glywaf dyner lais'. Yn wir fe ganolbwyntiais yn ffyrnig ar y geiriau fel pe bai fy mywyd yn dibynnu ar hynny, heb ildio unwaith i'r demtasiwn o syllu draw at deulu Dan.

Fe glywodd Hywel si fod yna de a brechdanau 'nôl yng nghartref yr Harrisiaid, i'r ychydig ddethol rai yn unig. Mae'n debyg y dychwelodd Gwilym ac Esther 'nôl yn nes at ei gwreiddiau hi yn Llanelli wedi iddynt ymddeol, i fyw mewn tŷ Sioraidd arall, hyd yn oed yn fwy crand na Glanrafon House yn ôl y sôn. Er fy mod i'n llawn chwilfrydedd i weld eu cartref rhyw gwpwl o filltiroedd tu fas i Drimsaran, fe wyddwn o'r gorau na fyddai'n iawn i mi fynd yno. Ffarweliais yn wresog â Hywel a mynd trwy'r graean slwtslyd i gyfeiriad y maes parcio wrth ymyl y fynwent.

Wrth dynnu allwedd y car o'm poced, gan ymladd ysfa sydyn i edrych 'nôl at y fynwent, fe glywais lais tu ôl i mi yn galw fy enw. Trois i weld Victoria, cariad Dan. Gwenodd ac ysgydwodd fy llaw, gan egluro ei bod hi'n gwybod pwy oeddwn i. Adnabu hi mi o hen lun y cadwai Dan yn ei waled, ffoto ohono fe a minnau ar fws. Dywedodd fod Dan wedi dweud wrthi y cafodd y llun ei dynnu wythnos yr Eisteddfod yn ystod yr haf hwnnw, neu *that summer* oedd ei hunion eiriau, gan godi ei haeliau. Mae'n rhaid taw'r bws y cymeron ni o Aberteifi i fynd i'r traeth yn Nhresaith oedd hwnnw, meddyliais. Sylweddolais nad oeddwn yn cyfrannu fawr ddim i'r sgwrs ond fe wenais orau fedrwn i.

Ond doedd dim stop ar Victoria. Roedd rhyw frys yn ei goslef a oedd yn fy aflonyddu braidd, fel pe bai hi am ddweud rhywbeth pwysig wrthyf y dylwn i wybod. Gan afael yn dynn yn fy mraich dywedodd fod Dan wedi maddau i mi, a'i fod yn gwybod yn ei galon y byddwn i wastad yn ei garu. Â'i llygaid yn llenwi gwenodd eto gan ddatgan bod hynny'n rhywbeth hyfryd i ddweud. Nodiais a dweud fy mod i'n falch o'i chyfarfod. Roedd hi o'r farn y dylwn i fynd 'nôl i aelwyd yr Harrisiaid ond fe wrthodais yn gwrtais, gan ddefnyddio'r eira fel esgus cyfleus.

Gyrrais yn annodweddiadol o araf ar y ffordd 'nôl i Dregors. Roedd geiriau Victoria wedi fy synnu ac roedd fy mhen yn troi. Bu'r diwrnod cyfan yn straen emosiynol ac yn sydyn reit o'n i 'mbytu clemio eisiau bwyd. Sylwais ar fan byrgyrs mewn lei-bei mawr ar y brif heol rhwng Caerfyrddin a Llambed. Stopais ac archebu byrgyr a sglodion gyda phaned o de cryf mewn cwpan polystyren. Bytais ac yfais yn dawel yn y car gan wylio'r plu eira yn troi'n eirlaw. Doedd yr eira ddim yn aros ar yr heol ond teimlais ryw foddhad serch hynny o weld lorri raeanu yn pasio heibio'n araf, ei goleuadau'n fflachio fel llong ofod wrth wasgaru'n hael ei chargo swnllyd pinc.

Meddyliais am y bwnsied mawr o gennin Pedr oedd gen i ym mŵt y car, ar gyfer mynwent arall ar y ffordd adref. Roedd dyfodiad yr eira sydyn wedi 'ngorfodi i hepgor fy nghynllun gwreiddiol a pheidio mentro ar hyd yr heol gul i Gilycwm. Trueni hefyd, gan yr oeddwn i wedi edrych ymlaen at syllu ar ehangder dyfrllyd Llyn Brianne. Roedd edrych ar ddŵr yn aml yn gysur ond hyd yn oed fwy felly wrth i olau'r gwanwyn ddechrau pylu, gan y tanlinellai'r tywyllwch arfaethedig y teimlad o unigrwydd llwyr. Cofiais un o'm seicolegwyr yng ngharchar Caerdydd yn egluro ei bod hi'n hollol naturiol i mi deimlo'n esmwyth ar lan dŵr gan i mi ddioddef y bennod drawmatig yn fy mywyd, fel y galwodd hi'r cyfnod hwnnw, yn dilyn sychder mawr. Cofiais am bob math o bethau eraill hefyd, delweddau cas yn bennaf, felly anadlais yn ddwfn a cheisio defnyddio technegau ymlacio er mwyn atal fy hun rhag gwibio i ryw ddibyn meddyliol.

Synhwyrais taw geiriau Victoria oedd wedi fy nhaflu oddi ar fy echel. Roeddwn yn anghytuno â nhw. Wnes i erioed 'garu' Dan, er taw fi fyddai'r cyntaf i gydnabod ei fod wedi tyfu i fod yn obsesiwn pryderus yn fy mywyd am sawl blwyddyn. Fodd bynnag, erbyn hyn roeddwn yn amau a ddes i'n agos i'w ddeall o gwbwl. A phaham y dylwn i ei adnabod a minnau ond wedi bod yn ei gwmni go iawn am ychydig fisoedd un haf? Roedd ei dewis geiriau, *that summer*, yn peri gofid i mi. Roedd yn awgrymu i mi y bu Dan yn trafod yr haf hwnnw yn fanwl, hyd yn oed yn crybwyll manylyn bach fel mynd i'r Eisteddfod yn Aberteifi. 'Sgwn i beth arall fyddai hi wedi sôn amdano dros de a brechdanau gyda Gwilym ac Esther Harris? Ceryddais fy hun am beidio siarad mwy gyda hi. Mwy na thebyg na fyddwn i byth yn ei gweld hi eto. Am unwaith yn fy mywyd roeddwn i'n glir fel grisial am fy nheimladau ac yn weddol dawel fy meddwl, a dylwn i fod wedi dweud hynny wrthi. Pe bawn i erioed wedi caru Dan yna fyddai fy ymateb pan glywais am ei farwolaeth ar fwletin newyddion y radio wedi bod yn wahanol. Do, bu'n rhaid i mi dynnu mewn i lei-bei. Llefais y dŵr am nifer o funudau. Yn allweddol, fodd bynnag, nid dagrau tristwch mohonynt ond dagrau o ryddhad anferthol.

26

Pan ddychwelais o'r angladd arhosodd Bethan a minnau lan yn trafod tan yr oriau mân. Roedd hi wedi cynnig dod gyda mi ond gwyddwn ei bod yn lletchwith iddi beidio bod yn y crochendy a ta beth ro'n i'n awyddus i dalu fy nheyrnged olaf i Dan ar ben fy hunan. Roedd hi'n hen bryd tynnu llinell yn y tywod, neu yn yr eira yn hytrach. Awgrymodd Bethan i mi roi blodau ar fedd Helen hefyd er mwyn lladd dwy frân ag un ergyd. Allwn i weld ei bod hi wedi ei siomi'n arw nad oeddwn wedi cael y cyfle i fynd i'r fynwent fach yng Nghilycwm. Roedd hi wedi defnyddio'r term 'diweddglo' sawl gwaith ers clywed y newyddion am farwolaeth sydyn Dan. Gwnaeth i mi addo cael gwared o'r hen gerflun 'Dwylo Rachmaninoff', a oedd yn dal gyda mi mewn cwdyn plastig yn y garej. Roedd yn rhaid i mi hefyd wneud coelcerth o'r hen doriadau papur newydd a gedwais mewn amryw o ffeiliau yn y cwtsh dan stâr.

Roedd hi'n iawn. Roedd hyn yn gyfle gwych i ddechrau o'r newydd. Gwnaeth hi hyd yn oed fynnu na ddylwn i gadw'r ysgrifau coffa niferus yr oeddwn wedi'u torri mas o'r papurau newydd yn ystod yr wythnosau diwethaf. Roeddynt i gyd yn dweud fwy neu lai yr un peth. Gŵr tu hwnt o dalentog wedi ei ladd yn ei anterth. Dyngarwr hael a oedd wedi mynnu dod â mwy o gerddoriaeth glasurol i rannau tlotaf Affrica. Dim ond un o'r ysgrifau coffa a nododd fod gyrrwr lorri hefyd wedi ei ladd yn y ddamwain ar yr heol arfordirol rhwng Sekondi a Cape Coast. A bod Dan, yn annorfod bron, wedi bod yn ceisio mynd heibio i gerbyd wrth fynd rownd cornel.

Roedd hi am wybod sut aeth yr angladd a soniais fod cariad ddiweddaraf Dan, Victoria, wedi bod yn groesawgar i mi a mod i wedi taro ar draws hen ffrind o'm cyfnod yn Aberystwyth. Holodd Bethan yn nerfus a oeddwn i wedi addo cadw cysylltiad gyda'r Victoria hyn neu gyda rhieni Dan neu unrhyw gysylltiad arall â Dan. Na, doeddwn i ddim. Ac yna, a hithau'n dal i bryderu am fy nghyflwr meddyliol, soniodd am y gair 'diweddglo' eto fyth.

Gafaelais yn ei llaw, y llaw glwyfedig a oedd unwaith wedi bod yn wrthun i mi, a'i gwasgu'n gariadus, gan ddweud wrthi am gŵlo lawr. Syllais i fyw ei llygaid a dweud mod i'n cytuno bod hyn yn gyfle am 'ddiweddglo', ond ar fy nhelerau i.

'A beth yw dy delerau di?' gofynnodd yn bryderus.

'Fydda i ond yn gallu rhoi diwedd iawn ar hyn os weda i'r gwir wrth rieni Helen,' atebais, gan daflu cipolwg i nodi ei hymateb.

Roedd hi'n ysgwyd ei phen yn ffyrnig.

'Na. Na. Na!'

'Ond sdim byd i stopi fi nawr.'

'Pa les neith e? Does dim eisiau neud shwt beth, Trystan.'

'Wy'n credu taw fi ddyle benderfynu hynny, ti'm yn meddwl?'

'Na. Neith e agor hen grachen. A beth os wedan nhw wrth yr heddlu?'

Wrth gwrs, roedd hyn wedi croesi fy meddwl.

'Fydden i'n ame'n fowr 'sen nhw'n trafferthu neud 'ny,' atebais, braidd yn wan.

'Gelet ti dy tsiarjo am *perjury*! Wyt ti moyn mynd 'nôl i'r carchar, ar ôl popeth ni 'di bod trwyddo?'

'Ma' fe'n risg bydd rhaid i fi gymryd,' atebais.

'Wel, ma' 'na'n fowr iawn ohonot ti. Ond paid ti disgwyl i fi ddod i weld ti yn un o'r llefydd ffiaidd 'na byth 'to!' sgrechodd yn rhwystredig, cyn taranu lan lofft i'r gwely.

Mae'n debyg mai dyna oedd ein ffrae fawr gyntaf fel cwpwl. Diolch i'r drefn roedd Bethan wedi meddalu rywfaint erbyn y bore. Tua diwedd brecwast llawn tawelwch a thyndra drannoeth dywedodd ei bod hi wedi bod yn ystyried beth ddywedais i y noson cynt.

'Duw sy'n gwbod, sa' i moyn i ti fynd i garchar 'to,' meddai, wrth gnoi darn o dost yn ddagreuol, 'ond os ti'n teimlo bod rhaid i ti, yna gwna fe.'

Pwysais draw a dal ei llaw yn groes i'r ford.

Fe gymerodd hi ychydig wythnosau cyn i mi fagu'r dewrder i ganfod y manylion am rieni Helen. Ar ddiwrnod heulog o wanwyn ym mis Mawrth fe es i â bwnsied ffres o gennin Pedr i roi ar ei bedd a gwneud ychydig o ymholiadau yn y swyddfa bost leol. Bu farw Gwyneth, mam Helen, ar ddechrau'r nawdegau o gancr. Roedd Islwyn, a greodd argraff mor ffafriol ar bawb yn angladd ei ferch, yn dal i fyw yn yr hen dŷ Edwardaidd ar gyrion Cilycwm ar yr heol i gyfeiriad Llanymddyfri, gan rannu'r aelwyd nawr gyda'i fab Jonathan a'i deulu.

O'r diwedd fe alwais heibio'r tŷ yn hollol ddirybudd ar Sadwrn cyntaf mis Ebrill. Roedd hi'n ddiwrnod braf arall ac roedd

Jonathan wrthi'n paentio'r reilins tu fas i ddrws y ffrynt. Ro'n i heb ei weld ers ugain mlynedd ac roedd y bachgen tair ar ddeg oed galarus a welais yn yr angladd wedi tyfu i fod yn arth moel o ddyn llond ei groen, yn dedi-bêr gydag wyneb caredig a gwên hael. Gwisgai ofarôls a chwibanai'n dawel i'w hun; edrychai fel mecanic garej hapus ei fyd a fyddai'n medru torri mas i ganu unrhyw eiliad, fel ar yr hysbysebion teledu hynny, naff o gofiadwy. Bu bron i mi droi rownd, rhag i mi daflu fy nghysgod tywyll ar draws ei sirioldeb amlwg.

Er fy mod i wedi newid o ran pryd a gwedd hyd yn oed yn fwy nag ef fe 'nabyddodd fi yn syth. Gosododd ei frws yn ofalus ar lawr ac yna sychu ei law ar ei ofarôls cyn dod draw ataf.

'Trystan Pugh,' meddai yn syml, â golwg ddryslyd.

'Glywoch chi am farwolaeth Daniel, do fe?' gofynnais.

'O'dd hi'n anodd osgoi e. Yn y papurau i gyd. Diwedd trist,' meddai, gan ychwanegu, 'Beth alla i neud i chi, Trystan?'

'O'n i 'di gobeitho gweld eich tad, fel mae'n digwydd.'

'Ma' fe mas am y dydd. Wedi mynd â'r merched i'r amgueddfa yng Nghaerdydd. 'Na pam wy'n paentio. Bachu'r cyfle tra bo 'da fi damed bach o dawelwch. Ond allen i neud tro â brêc bach, cofiwch. Licech chi ddishgled o de?'

Tra own i'n eistedd yn yr ardd gefn yn gwylio Jonathan yn dod mas â'r te a bisgedi ar hambwrdd plastig gwyn sylweddolais y gallai absenoldeb annisgwyl Islwyn fod yn fendith. Penderfynais ddweud y gwir wrth Jonathan am farwolaeth ei chwaer ugain mlynedd yn ôl. Gwrandawodd yn astud arnaf, gan amneidio'n ddwys bob hyn a hyn a llenwi ambell saib yn fy llith gyda 'Wy'n gweld' difrifol. Ar y diwedd bu tawelwch llethol am hydoedd wrth iddo dreulio'r wybodaeth newydd. Teimlais yr awydd i chwydu, fy ymysgaroedd wedi troi'n drobwll o nerfau.

'Mae'n ddrwg gen i nad o'n i'n ddigon dewr i weud y gwir 'tho' chi'n gynt,' meddwn.

'Alla i weld o'ch chi mewn sefyllfa anodd. Lot haws, nawr bod Daniel wedi mynd.'

'Shwt 'ych chi'n meddwl bydd eich tad yn ymateb?'

'Wy ddim moyn rhuthro i benderfyniad, ond fy nheimlad cyntaf i yw y dyle fe ddim cael gwbod.'

Mae'n rhaid mod i wedi edrych yn syn o glywed hyn, gan i Jonathan fynd ymlaen i egluro'i resymeg.

'Pa les neith e? Deith e ddim â Helen 'nôl. Ma' fy nhad ar dabledi i drin pwysedd gwaed uchel. Cafodd e bwl fach ar y galon rai blynydde 'nôl. Sa' i moyn ailgodi'r holl fusnes. Ond diolch i chi am adael i ni wbod y gwir. Alla i weld ei fod e wedi bod yn gwasgu arno' chi am amser hir.'

'Ody wir,' meddwn, yn sipian fy nhe o'r diwedd.

'Ma' 'na un peth arall,' ychwanegais. 'Fydda i'n deall yn iawn 'sech chi moyn rhoi'r mater yn nwylo'r heddlu. Am y celwydde wedon ni yn y Cwest.'

'Mowredd, na. 'Se ddim pwynt gwneud hynny. Alla i weld bo' chi 'di diodde mwy na digon yn barod.'

Allwn i ddim dal yn ôl ac fe sblasiodd rhyw don o ryddhad o'm llygaid, fel pe bawn i'n rhyw lestr yn gorlifo o'r diwedd. Ysgydwodd fy nghorff cyfan a thasgodd y dagrau i mewn i'm te.

'Allen i ddim 'di achub hi. Ma' rhaid i chi 'nghredu i,' meddwn, gan nadu.

'Ydw. Wrth gwrs mod i'n eich credu chi,' meddai Jonathan, yn amneidio'n hael.

Pan ddychwelais adref fe gliriais yr holl annibendod yr oeddwn wedi addo cael gwared ohono. Fues i'n chwarae â'r syniad o daflu'r cerflun 'Dwylo Rachmaninoff' i Bwll Dwfn ond yn y pen draw fe roies i fe ar yr un goelcerth ag a fu'n gartref olaf i'r holl doriadau a lluniau a gasglais am gampau rhyfeddol Dan dros y blynyddoedd.

O fewn diwrnodau teimlais ryw lendid ac ysgafnder rhyfedd, fel pe bai rhyw bwysau anferthol wedi'i dynnu oddi ar fy ysgwyddau. Roedd rhyw sioncrwydd wedi dychwelyd i'm cerddediad. Ro'n i hyd yn oed yn dweud jôcs ac wedi ailganfod rhywfaint o ddireidi fy ieuenctid. Ro'n i'n siarad yn hyderus mewn sgyrsiau, gan amlaf â gwên ar fy ngwyneb bachgennaidd newydd ei eillio. Roedd y trawsnewidiad ynof yn un rhyfeddol. Bron fel pe bawn i yn berson gwahanol neu, yn agosach ati, wedi ailganfod nodweddion ac anian yr hen Trystan, yr un a oedd yn bodoli cyn i mi gwrdd â Dan a Helen. Ro'n i hyd yn oed wedi ailgydio yn fy nghyfeillgarwch â Rhodri, a blesiodd Bethan yn fawr. Gwyddwn fod Rhodri wedi bod yn ddrwgdybus iawn o'n perthynas, gan rybuddio ei chwaer am beryglon mynd allan gyda dyn arall â hanes llawn trais. Dyna'n rhannol pam y dewisais ef i fod yn was priodas i mi yn haf mil naw naw wyth.

Ganwyd Llŷr ym mis Rhagfyr mil naw naw naw a daeth Bleddyn i'r byd yn Ebrill dwy fil a dwy. Mae'r crochendy wedi mynd o nerth i nerth. Ers dwy fil a phump mae yna gaffi ar y seit yn ogystal ag oriel gelf. Rydym yn cyflogi wyth o bobl yn llawn-amser a phedwar arall yn rhan-amser. Mae Bethan yn rhan o gwlwm busnes lleol sy'n annog busnesau bach newydd yn yr ardal, gyda'r nod o gadw ein brodorion ifainc yn eu cynefin. Rhyfeddaf at ei hegni diflino a gwn yn iawn fy mod i'n ddyn ffodus dros ben i fod yn gymar iddi.

Llynedd aeth y ddau ohonom i lawnsiad llyfr yn y siop llyfrau Cymraeg yn Aberystwyth, yn union yr un siop lle y dygais albwm Edward H. Dafis i greu argraff ar Dan. Roedd yr awdur yn bresennol i ddarllen darnau o'i nofel ac i lofnodi copïau i hybu gwerthiant. Neil Hopkins oedd y nofelydd, fy hen diwtor ysgrifennu creadigol yn y carchar yng Nghaerdydd. Wy'n credu ei fod e'n wirioneddol falch o'm gweld. O'r diwedd, ar ôl sawl glasied o win, fe holodd am hynt y cofiant a gychwynnais yn y carchar. Oeddwn i wedi cwpla'r gwaith? Gwyddai trwy Ieuan Howells fy mod i wedi gorffen y rhan fwyaf o'r darn am yr haf. Teimlai ei bod hi'n drueni nad oeddwn wedi ei gyhoeddi. Byddai gwneud hynny'n annog carcharorion eraill, ac yn hwb iddynt weld bod modd dygymod â'u bywydau mewn ffordd greadigol. Yn anad dim byddai cyhoeddi'r gwaith yn normaleiddio'r holl broses ysgrifennu.

'I fi, t'wel, Trystan, mae sgwennwr yn gwmws fel unrhyw grefftwr arall. Crochenwyr fel chi'ch dau, neu seiri coed neu blymars. Dewch i ni dynnu ein straeon 'nôl o'r tyrau ifori a'u cyhoeddi ar y stryd!'

Chwarddodd Bethan a gallwn i weld ei bod hi'n meddwl fod Neil yn rhyw fath o idiot wedi ei gynhyrfu'n dwll.

Serch hynny fe nodais ei rif ffôn ac, yn y pen draw, anfonais fy maniwsgript ato. Mae'n deg dweud taw i Neil mae'r clod o fynd â'r maen i'r wal. Cysylltodd â gwasg gydymdeimladol a gwnaeth ef hyd yn oed awgrymu'r teitl, felly mae fy nyled yn fawr iddo.

Fu Bethan rhwng dau feddwl ynglŷn â chyhoeddi'r hanes. Neil yn y diwedd a lwyddodd i'w pherswadio fod y bendithion yn fwy buddiol nag unrhyw amheuon oedd ganddi. Roedd Jonathan wedi sgrifennu ataf rai blynyddoedd ynghynt i ddweud bod ei dad wedi marw'n sydyn o drawiad ar y galon ond roedd yn rhaid i mi sieco gydag ef ei fod yn cydsynio cyn bwrw ymlaen â'r cyhoeddi serch hynny. Ni welai Jonathan unrhyw broblem a dymunodd bob llwyddiant i'r fenter. Yr unig faen tramgwydd mawr o bosib fyddai'r heddlu ac awgrymodd Neil y dylwn anfon copi o'r maniwsgript at Brif Gwnstabl Heddlu Dyfed Powys.

Roedd yna gyfnod o ryw ddau fis yn y gwanwyn lle bu'r ddau

ohonom ar bigau'r drain, heb glywed gair ymhellach. O'r diwedd fe farnodd y Gwasanaeth Erlyniadau Cyhoeddus na fyddai o fudd i'r cyhoedd erbyn hyn i mi wynebu cyhuddiad o *perjury*. Fe glywais yn nes ymlaen fod Neil wedi ysgrifennu geirda cryf ar fy rhan, wedi ei gefnogi gan adroddiadau seicolegol o'r carchar, a ddangosai'n glir fy mod i eisoes wedi dioddef yn enbyd oherwydd y digwyddiad. Mae'n debyg i'r ffaith nad oedd Jonathan am ddilyn trywydd unrhyw gosb bellach hefyd yn allweddol.

Erbyn hyn dwyf i byth yn meddwl am haf mil naw saith chwech. Yr unig waddol o'r cyfnod yw set o gryno-ddisgiau Edward H. Dafis a gefais gan Bethan eleni ar fy mhen-blwydd a darlun dyfrlliw o Caradog y paun sy'n hongian yn osgeiddig yn fy ystafell ffrynt.

Y bore 'ma, fodd bynnag, mae Llŷr wedi fy nal yn edrych ar ddamwain Niki Lauda yn Grand Prix yr Almaen ar *youtube*. Gallaf weld ei fod wedi ei swyno gan y digwyddiad a chwaraewn y darn drosodd a throsodd.

'Wy'n gwbod bod e'n ofnadw, ond ma' rwbeth *thrilling* am y crash hefyd, nago's e,' meddai, ei lygaid wedi eu tanio gan frwdfrydedd gonest crwt naw oed.

Nodiaf, yn cytuno.

Mae Llŷr wrth ei fodd â cheir. Mae e'n ffaelu aros nes bydd e'n gallu gyrru. Y prynhawn hwn rydym yn aros ar ymyl hewl fforestri mewn torf o gefnogwyr yn gwylio rali geir Prydain. Mae corddi dwfwn yr injans a rheolaeth fedrus y gyrwyr yn gyffrous. Mae Llŷr yn crynu ychydig ond mae'n amlwg wrth ei fodd. Mae'n gobeithio cael y wefr o weld car yn sgidio'n beryglus ac yn moelyd. Dywedodd wrthyf fod ei galon yn curo'n gynt ac yn gynt bob tro mae car yn nesáu at y gornel lle yr ydym yn oeri'n ddisgwylgar. Nid yw Bleddyn yn meddu ar y fath frwdfrydedd. Mae ganddo fwy o ddiddordeb mewn cwpla ei fag enfawr o greision, heb rannu yr un ohonynt.

Mae damwain Niki Lauda wedi bod yn chwarae ar feddwl Llŷr, yn enwedig y llosgiadau mynych ar ei groen. Yn hollol annisgwyl mae e'n gofyn i mi pam wnaeth ei fam gyffwrdd â thân trydan â'i llaw.

'Bydd rhaid i ti ofyn 'na iddi hi,' atebaf.

'Wnes i,' meddai. 'Wedodd hi bod hi moyn gweld shwt o'dd e'n teimlo, ond fod e'n beth dwl iawn i neud.'

'Ie, dwl iawn,' meddai Bleddyn, yn ymuno yn y sgwrs.

'Ond cyffrous hefyd falle, ar y pryd,' meddai Llŷr, gan godi ei aeliau ac edrych arnaf.

Gallaf weld bod Llŷr wedi ei gyfareddu gan law ei fam. Mae e hefyd yn cael gwefr o weld y ceir yn gwibio heibio. Rwyf am ddweud cymaint o bethau wrtho fe. Rwyf am ddweud bod yna harddwch mewn hagrwch a bod pleser rhyfeddol mewn pethau syml fel gonestrwydd a charedigrwydd, ac i beidio cael ei ddallu gan drimins arwynebol. Mae'n debyg mod i am ddweud wrtho bod ei fam yn fenyw arbennig. Daw un o'r ceir Honda fel taran tuag atom lan y rhiw. Gafaela Bleddyn yn fy llaw yn nerfus. Sylwaf ar y cynnwrf yn llygaid Llŷr. Mae e'n troi ataf a dweud, 'Ma' hyn yn gyffrous, nagyw e?'

Rwyf am ddweud wrtho y gall rhywun weithiau gael gormod o gyffro, digon mewn un haf i bara oes. Yn lle hynny rwyf yn gwenu ac yn nodio fy mhen ac yn gwasgu llaw Bleddyn wrth i'r Honda sgrechen heibio.